Le peuple de Paris

CREDITS PHOTOGRAPHIQUES

Si vous souhaitez
être tenu au courant
de nos publications,
il vous suffit
d'envoyer
vos noms et adresse
aux

Éditions Aubier Montaigne
13, quai de Conti
75006 PARIS

DANIEL ROCHE

LE PEUPLE
DE PARIS

essai sur la culture populaire
au XVIII° siècle

Collection
historique
dirigée par
MAURICE AGULHON
et PAUL LEMERLE

AUBIER
MONTAIGNE

à Olivier pour sa patience.

© Editions Aubier-Montaigne, Paris, 1981

ISBN 2-7007-0249-2

Avant-propos

> « *Peuple, le, nom collectif diffi-*
> *cile à définir, parce qu'on s'en*
> *forme des idées différentes dans*
> *les divers lieux, dans les divers*
> *temps et selon la nature des gou-*
> *vernements...* »
>
> L'Encyclopédie.

Ce livre est le résultat d'un travail collectif. Les temps sont aux grandes enquêtes, rassemblant autour d'un projet défini les chercheurs liés par un intérêt et généralement par une source de financement. L'époque est aussi à la crise et aux économies et la recherche historique française ne peut plus désormais compter que sur elle-même et son ingéniosité. Vers 1974, mes efforts de professeur ont consisté à réunir pour une direction commune étudiants débutants et deux ou trois collègues fidèles dans l'austérité. Pourtant l'école des historiens français a pris de mauvaises habitudes : la quantification et le goût des séries qui demandent des dénombrements importants et l'ambition, sinon théorique, du moins pédagogique, qui veut que tout travail débatte d'un problème ; ici il s'agit des manières de sentir et de penser du peuple de Paris par rapport au mode de produire et au social. Pour que le travail commun réussisse et que le groupe tienne son pari sans aucune ressource que sa propre énergie, pour que l'effort soit en même temps formateur, il aura fallu aux étudiants beaucoup de patience envers leur directeur de mémoire et le responsable de leur thèse. Les données chiffrées recueillies sont modestes mais plus importantes sans doute que le lecteur ne peut s'en rendre compte à l'examen des tableaux qui illustrent certains des résultats obtenus. Ils veulent témoigner qu'il y a une manière humaine d'utiliser les chiffres, c'est affaire de questions posées.

Surtout, dans une manœuvre qui a duré plus de cinq ans, les défauts et les erreurs doivent être imputés au compte du maître d'œuvre de l'entreprise, l'originalité, la qualité de l'interrogation, le sens critique sont souvent le fait de ceux qu'il a dirigés, et je voudrais ici particulièrement remercier François Ardellier et Rémi Arnette dont les mémoires ont été en 1976-1977 une source principale pour ma réflexion. Je suis donc de ceux qui utilisent le travail des étudiants, parce que je pense qu'entre eux et les professeurs passe une autre relation que la relation marchande et parce que je crois avoir toujours beaucoup à apprendre d'eux. A mes yeux, le niveau ne baisse pas au fur et à mesure que mes cheveux grisonnent et que les années passent. Je crois au contraire que, pour ceux qui arrivent — en 1981 — au moment d'une maîtrise ou d'un doctorat de troisième cycle et qui ont été impitoyablement sélectionnés, il n'a peut-être jamais été aussi bon, mais les générations ont des qualités différentes. Si on donnait à ces classes d'âge qui entrent à l'Université, qui aiment faire de l'Histoire et croient à la recherche quelques moyens à la hauteur des responsabilités que nous avons envers elles — des bourses surtout et des instituts équipés du matériel et du personnel nécessaires —, nous pourrions sans doute faire encore mieux. C'est pourquoi, malgré la crise majeure que traverse l'Université française, il faut encore aimer travailler aux archives, aller en bibliothèque et se plaire à faire son métier. Ensemble en tous cas, il nous reste à faire œuvre fraternelle... et à ne pas nous ennuyer.

Pourquoi avoir choisi de travailler sur la culture populaire alors que mes travaux plus anciens portaient sur la culture savante, les riches et les gens cultivés ? D'abord parce qu'académiciens, nobles et bourgeois lettrés finissent par lasser ; leurs certitudes, parfois émouvantes, d'œuvrer pour le progrès de tous et leur conscience d'être le dessus du panier, assurés hier comme aujourd'hui de leur force sociale et de leur suffisance tranquille, demandent leur contrepartie. Le mépris pour le peuple des maîtres anciens et des puissants qui nous gouvernent mérite réponse.

Ensuite, parce que le monde étudiant (milieu mobile et tout de transition alors que les professeurs restent) a été pendant plusieurs années frappé de la nostalgie des révolutions qu'il ne pouvait pas faire et que bien souvent il est allé chercher dans un passé, sinon totalement mythique, du moins à sa convenance, des ancêtres à ses rêves d'avenir. Les paysans sont à la mode, les vieux croquants font vendre des livres comme la mère Denis des machines à laver. Je suis parisien et depuis cinq générations, je ne déteste pas la campagne et la nature, mais j'aime la ville et sa liberté et on ne parle bien que de ce que l'on aime. J'ai tenté, ici, de répondre à la fois à une demande dont l'enjeu social ne m'échappe pas et de me faire plaisir. C'est donc l'aboutissement d'un enseignement qui montre que, à force de chercher, on ne trouve pas toujours ce que l'on croyait, et que, pour un historien, l'important est d'admettre la différence, comme de percevoir l'écoulement du temps. C'est ici une ambition d'anthropologie culturelle. Mais en même temps et enfin, deux fidélités ont guidé mes interrogations. La première est celle de l'Histoire sociale telle que celle dont mon maître Ernest Labrousse m'a transmis le goût. La seconde est celle de l'Histoire de la Culture matérielle dont Fernand Braudel a donné l'exemplaire programme. Je ne suis pas de ceux, ainsi Richard Cobb que j'admire tant, qui pensent qu'il y a deux types d'Histoire et d'Historiens ; ceux qui font preuve d'imagination et de sensibilité nourris d'une expérience personnelle, les historiens de l'individu, et, ceux qui ne refusent pas les chiffres et les intérêts de la sociologie, les historiens de l'économie sociale préoccupés d'abstraction et peu capables de comprendre[1]. Je crois que l'histoire des individus tisse celle des sociétés et qu'on ne peut pas se passer de quelques questions fondamentales sinon théoriques. Bref, je demande pardon aux empiristes, et j'assume mon incompétence devant les théoriciens. Pour moi, l'Histoire sociale n'est pas passée de mode et l'étude de la culture populaire permet d'en percevoir l'importance pour tous. Ce que je désigne ainsi, c'est moins une instance déterminée par l'économie que la somme des rapports et des logiques qui sont en jeu dans le peuple. Le populaire n'est pas un monde culturel isolé mais un ensemble de conduites et de pratiques où l'on perçoit, à travers des façons dictinctes de lire le monde, une certaine unité. L'accent sera placé ici sur les gestes quotidiens, les manières de vivre, mais sans exclure les faits de consommation plus intellectualisés, la lecture et l'écriture par exemple, ou ceux qui dévoilent une sensibilité, les sociabilités familiales et collectives. A travers savoir-vivre et savoir-faire, c'est un peu entrevoir comment se constitue entre représentations et productions la culture des pauvres[2].

Je tiens à remercier ici Anne-Marie Andrade, Serge Beiss, Marc Botlan, Martine Champeau, Françoise Changeux, Elisabeth Caulier, Anne-Marie Escureix, Valérie Hanin, Corinne Jolivet, Sabine Juratic, Marie-Hélène de la Mure, Sylvie Lartigue, Isabelle Lehu, Pascale Krumnow, Francis Mabilat, Bernard Minot, Marcel Moulon, Gilles Picq, Maryse Pradines, Caroline Rimbault, Olivier Romagné, François Roger, Martine Sonnet et Catherine Ungerer.

---

1. R. Cobb, *La protestation populaire en France* (1789-1820), Paris, 1975, p. 13.
2. R. Hoggart, *La culture du pauvre*, Paris, 1970 ; N. Z. Davis, *Les Cultures du peuple, rituels, savoirs et résistances au XVIe siècle*, Paris, 1979.

Je ne veux pas oublier Jean Chatelus, Daniel Brun, Jean Duma, Robert Descimon et Jean Nagle dont les travaux et les suggestions m'ont aidé et qui m'ont entendu plusieurs années avec courage.

Enfin ce livre n'aurait pas été ce qu'il est sans l'attention de Maurice Agulhon, Jean Boissière, Arlette Farge, Marie-Madeleine et Dominique Julia, Marcel Lachiver, Jacques et Michelle Revel, Stève Kaplan ; Roger et Anne-Marie Chartier qui ont été des lecteurs sensibles ; Pierre Chaunu et Jean-Claude Perrot qui m'ont encouragé ; Fanette et Olivier.

Paris, septembre 1980.

PREMIERE PARTIE

PARIS ET SON PEUPLE

> « Le peuple à Paris n'est pas comme ailleurs... il est moins canaille et plus peuple que les autres peuples. »
>
> *Marivaux.*

Chapitre I

Espaces et populations

« J'admirais comme Paris dévore ses
environs et convertit en rues stériles,
des jardins nourriciers. »

RESTIF DE LA BRETONNE.

Ecrire un nouveau « tableau de Paris » est un exercice difficile,
trop d'éléments essentiels n'ont jamais été étudiés, inversement
trop de livres hâtivement bouclés reprennent les mêmes sempiter-
nelles descriptions. Toutefois la ville existe, immense, grignotant
lentement la ceinture de marais, de jardins maraîchers et de champs
qui l'entoure. Partout la campagne est proche, à cinq minutes de
la barrière Saint-Jacques, les Parisiens se promènent dans les
seigles et aspirent à plein poumon l'odeur des fleurs, les jeunes
gens des deux sexes du faubourg Saint-Marcel se bousculent dans
des sentiers bocagers [1]. Au mois de juin, l'avocat des Essarts,
âme sensible et amateur d'air pur, entame la conversation avec
d'honnêtes cultivateurs contemplant le blé neuf à un quart d'heure
de marche de l'Ecole militaire. Si la capitale est devenue très tôt
le symbole même de la ville monstrueuse dévorant les forces nour-
ricières du royaume agricole, il ne faut jamais oublier cette
proximité d'une vie différente, maintenue très longtemps, et dont
le jeu est à la fois d'atténuer et de renforcer les contrastes avec la
nature. Pour le Parisien qui va s'ébattre aux champs, les campagnes s'annoncent immédiatement, domaine de la promenade, du
loisir, de l'aventure proche ; un soir de bamboche, on se perd
aisément entre la porte Saint-Germain et Vaugirard [2]. Pour le
provincial, pour le campagnard, la stupéfaction, quelquefois la
déconvenue liées à la découverte d'un monde nouveau et extraordinaire bénéficient largement de cette immédiate opposition.
Au monde de la nature silencieuse répond celui des bruits multiples
de la rue et de la route pavées dont l'écho sonore frappe l'oreille du
jeune Rétif. Le chemin royal qui mène à Paris conduit son monde
par l'ouïe : « J'entendis un bruit effrayant, qui ressemblait pour

moi à celui d'un tonnerre roulant... », il le séduit par son air de
grandeur, le caractère enchanteur des bâtiments et des parcs qui
le bordent, il le déçoit par ses bousculades, sa poussière l'été, sa
boue l'hiver. Aux portes, le voyageur à pied s'étonne, s'arrête : « En
sortant de Villejuif, nous découvrîmes un immense amas de maisons
surmonté par un nuage de vapeur. Je demandais à mon père ce
que c'était ? C'est Paris. C'est une grande ville, on ne la saurait
voir tout entière d'ici. — Ho ! que Paris est grand ! Mon
père, il est aussi grand que de Vermanton à Sacy, et de Sacy à Joux !
— Oui, pour le moins. Ho ! que de monde ! Il y en a tant que
personne ne s'y connaît, même dans le voisinage, même dans sa
propre maison... [3]. »

Ce qui domine dans les souvenirs du petit paysan de Basse-
Bourgogne, c'est d'abord la stupeur devant l'immensité inimaginable de la capitale qui échappe aux bornages familiers, qui ne
correspond plus à l'échelle des déplacements ordinaires. C'est
ensuite, un rappel des propos paternels qui prennent une valeur
prophétique ; au monde incommensurable, à la foule qui s'y bouscule, correspond la menace de la solitude. La ville fascine, on
y est seul. Il faudra réinterroger le propos car il n'échappe pas à
un climat de critique des mœurs urbaines et se retrouve chez
bien d'autres auteurs [4]. « Combien l'abord de Paris démentit l'idée
que j'en avais... Je m'étais figuré une ville aussi belle que grande,
de l'aspect le plus imposant où l'on ne voyait que de superbes rues,
des palais de marbre et d'or. En entrant par le faubourg Saint-
Marceau, je ne vis que de petites rues sales et puantes, de
vilaines maisons noires, l'air de la malpropreté, de la pauvreté,
des mendiants, des charretiers, des ravaudeuses, des crieuses de
tisane et de vieux chapeaux. Tout cela me frappa d'abord à tel
point que, tout ce que j'ai vu depuis à Paris de magnificence réelle,
n'a pu détruire cette première impression, et qu'il m'en est resté
toujours un secret dégoût pour la vie dans cette capitale... [5]. »
Avec Rousseau, déçu dans ses rêves enfantins d'une cité grandiose
et somptueuse, l'image de Paris se nourrit d'un contraste continuellement repris par ses imitateurs et nombre d'historiens : la
misère sociale parisienne, l'aliénation matérielle et morale de la
majorité de la population citadine ne se séparent pas du luxe des
privilégiés et de son attraction séductrice. Le pacte que noue la
ville avec la pauvreté et la richesse se renforçant de tout « le poids
inavouable des attraits de la nature [6]. » La ville ne se laisse pas
saisir d'un coup d'œil dans la mesure même où son épaisseur
spatiale et sociale deviennent de plus en plus complexes au fur et
à mesure que s'écoule le siècle.

Où commence, où s'achève la ville ? Pas plus que les voyageurs
ou les jeunes provinciaux ébahis, débarquant du coche d'eau au
port Saint-Paul ou des diligences poussiéreuses dans la cour des

messageries, les autorités urbaines ne sauraient le dire avec exactitude. Depuis plus d'un siècle la guerre des limites se déroule silencieuse et définitivement perdue à chaque engagement. Déjà sous Louis XIII, l'administration royale avait décidé de fixer des bornes à Paris, en vain ; sous Louis XIV encore, le périmètre avait été largement mais fermement dessiné, bien au-delà des fortifications. Dans les champs banlieusards, aux abords des routes et des chemins principaux, poteaux, barrières de bois, bornes de pierre traduisent la volonté du Roi d'arrêter la croissance parisienne dans des limites raisonnables. Le combat révèle la mutation décisive vécue par la capitale au XVII° siècle dans le sillage des transformations de l'Etat. Les mesures pour contrôler l'expansion s'enracinent dans des motivations multiples : désir de limiter le nombre des Parisiens avantagés par d'heureuses exemptions fiscales, crainte de l'agitation bourgeoise et populaire manifestée avec éclat dans les Frondes du midi du siècle, peur des épidémies accentuée par la montée du peuplement, volonté de subvenir au ravitaillement d'une multitude, souci enfin de conserver au périmètre urbain sa valeur défensive. La fin du XVII° siècle et le début du XVIII° vont voir sur le terrain une partie décisive se jouer, car la ville s'avance vers les villages suburbains, au rythme d'une croissance difficile à préciser, mais dont l'enjeu reste le rapport entre l'espace et la population. Pour comprendre comment vit le peuple, on ne peut faire l'économie de l'analyse de ces transformations essentielles. Elle sera orientée par deux grandes interrogations, d'abord quels ont été les changements décisifs de l'espace parisien et comment mettent-ils en cause les mouvements de population ? ensuite quels ont été les bouleversements de la morphologie urbaine et comment suscitent-ils une conscience nouvelle de la ville ?

La ville change de forme et de dimension de façon ininterrompue [7]. Pour en rendre compte, les autorités multiplient les plans et à la fin du siècle, Sébastien Mercier pourra déclarer : « On en est au dixième plan et Paris déborde toujours ses limites. La clôture n'est pas encore fixée, et ne saurait l'être. Les marais qui produisent les légumes reculent et font place à des édifices... [8]. » L'histoire de la cartographie parisienne reste à écrire, mais la manière dont la ville se projette dans des plans successifs s'avère d'ores et déjà significative. Entre la fin du XVII° siècle et la Révolution, la croissance citadine suscite la levée de plus d'une centaine de cartes. Toutefois, il faut attendre 1785-1790 pour que le premier plan géométrique, dont la précision se révèle incontestée, soit dressé par l'ingénieur Verniquet. Jusque-là, l'inexactitude règne et la topographie de la ville reste emplie de contradictions. La nécessité de confectionner un plan géométrique détaillé est impliquée par la croissance et réclamée par les élites savantes. Le bornage provoque des levées de cartes et des descriptions, mais ne réussit pas à triompher de deux difficultés principales : la première renvoie à la division des instances administratives dont dépend la capitale. La cartographie parisienne est soumise au regard de plusieurs institutions rivales dont les initiatives ne s'accordent pas toujours — le Roi bien sûr avec le « ministre de Paris » et la direction des bâtiments mais aussi les académies, celle des Sciences, celle d'Architecture ; les Trésoriers de France qui ont pouvoir sur les rues et la voierie, le Parlement dont le procureur général défend les droits de police, le Lieutenant général de Police qui veille à la circulation et aux autorisations de bâtir et d'aligner, la « Ville » enfin et son bureau, et son Prévôt des marchands. C'est d'elle que viendra la réalisation décisive, après la création de la direction des plans et les arpentages nocturnes de Verniquet. Mais la géométrie et son triomphe correspondent aussi à une évolution profonde de la représentation urbaine.

Les balbutiements et les travaux traditionnels des géographes parisiens s'inscrivent dans le conflit qui oppose figuration mathématique et nivellement — le premier nivellement de la ville date de la seconde moitié du XVIII° siècle seulement — à la représentation du « Portrait de Ville » dont se nourrit encore pleinement le chef-d'œuvre, largement connu, du Prévôt des marchands, Turgot. L'attachement aux valeurs du pittoresque s'inscrit dans un système de figuration culturelle, fidèle à l'illusion du survol. Un regard global, l'usage des trois dimensions, la mise en perspective des hauts lieux de la cité quand le géographe travaille en deux dimensions, traduisent l'idéal de la culture urbaine où le spectacle concret l'emporte sur l'image abstraite, où la cité glorieuse domine la trivialité des faubourgs, où les vertus citadines proclament la domination de la richesse et du pouvoir. Le plan en perspective trace un récit à venir et domine une utopie [9]. La carte géométrique impose les impératifs de la polyorcétique et de l'aménagement ; l'espace y est livré en totalité, vide et à remplir, contrôlable, la ville mesurée n'est plus l'organisme vivant qui se pârait des prestiges de la culture et de l'originalité mais le territoire d'une politique où s'affirme un bouleversement des rapports entre richesses et espaces, population et croissance [10]. Le premier urbanisme moderne investi dans une morphologie monumentale, dans un système nouveau de bâtiments civils, dans un nouvel espace public s'y dévoile, comme on le constate par exemple dans les spéculations de Boullée redessinant Paris.

Le mouvement des éditions de carte se révèle significatif : par décennie et pour 132 plans recensés on relève :

1700-1709	10
1710-1719	7
1720-1729	4
1730-1739	11
1740-1749	8
1750-1759	8
1760-1769	14
1770-1779	23
1780-1789	28
1790-1799	19

Le rythme annuel est de l'ordre de 1 à 2 plans par an. Le premier quart du siècle est mis en valeur, dix cartes ont été éditées dans le dernier quart du siècle précédent, près d'une vingtaine dans les trois décennies qui suivent. Après 1770 une poussée éditoriale traduit la montée des problèmes et la réalité d'une croissance spatiale dont l'un des caractères intéressants est de se révéler en discordance avec les mouvements bien connus de l'économie dont les difficultés conjoncturelles touchent les principaux secteurs de la production [11]. Tout reflète, après la pause des années 1725-1760, la reprise de la concentration des hommes, des richesses, des pouvoirs.

Les cartes du premier xviiie siècle, les ordonnances et arrêts de 1700 et 1702 révèlent l'hétérogénéité de l'espace parisien. Administrativement une étape décisive est franchie en 1702 principalement quand s'impose, pour répondre aux besoins de la police et du nettoiement, l'égalisation des anciens quartiers portés de 17 à 20 : 14 rive droite, 1 pour les îles, 5 rive gauche. Les faubourgs, même s'ils ont encore une activité et une population différenciées, deviennent l'aire d'extension des quartiers. Le centre est à la fois désenclavé et placé sous contrôle puisque les divisions nouvelles permettent une meilleure représentation des notabilités urbaines dans les conseils de la ville. La réforme tire la leçon des décisions royales faisant de Paris une ville ouverte libérée de son enceinte archaïque et contraignante et donne libre cours à l'action du lieutenant de Police et de ses agents [12]. Dans ce cadre, l'expansion va se faire en deux étapes dans les trente premières années l'espace parisien — moins de 1 000 hectares avec les faubourgs — se densifie et s'étend après une pause mal connue, passé 1760 et jusqu'en 1790 la ville devient un vaste chantier. Le plan de Verniquet représente la capitale enserrée dans la barrière fiscale de 23 kilomètres, au large sur 3 400 hectares.

Le rempart jeté bas et remplacé par un large cours planté d'arbres et orné aux emplacements des portes d'arcs de triomphe roma-

nisants, est franchi par les constructions. Les bâtiments neufs
s'étendent le long des axes principaux et les rues se prolongent du
côté de la campagne. Au sud de la ville les boulevards sont
aménagés dans le vide d'un espace presqu'entièrement rural à
travers les enclos et les terrains cultivés. Des lotissements commencent à combler un peu partout les solutions de continuité du
tissu urbain. Rive droite, sur les terres libres du faubourg Saint-
Honoré, dans les marais de la Ville-l'Evêque, les acquisitions de
la finance et de la noblesse édifient des quartiers nouveaux, la
Grange Batelière où spéculera Bourret de Vezelai, la Chaussée
d'Antin ; des rues s'ornent de nombreux hôtels, rue de Richelieu,
rue Vivienne ; la rue de Grammont, la rue Royale sont mises en
chantier. Au terme de cette première phase, l'aménagement de
l'ensemble Cours la Reine, Champs-Elysées par le duc d'Antin
prélude, dans ce secteur, à la floraison des projets pour la place
Royale.

Rive gauche c'est le faubourg Saint-Germain qui concentre
l'intérêt des bâtisseurs, son extension et son peuplement s'avèrent
facilités par l'ouverture du Pont-Royal. La Haute Noblesse y
achète des terrains étendus pour y bâtir des maisons spacieuses. Le
quai d'Orsay permet la densification des bâtiments de la bordure
méridionale du fleuve. Au total, une fièvre de bâtisse intense se
traduit dans d'innombrables chantiers qui bénéficient de la présence
à Paris de la Cour après la mort de Louis XIV. « Depuis que sa
Majesté a fixé son séjour à Paris, plusieurs officiers et seigneurs
se sont logés aux environs du quartier du Louvre, de Saint-Honoré,
de la butte Saint-Roch, où il a été bâti plusieurs hôtels ; ce qui a
obligé les artisans de différentes professions qui étaient dans ce
quartier et aux environs d'en sortir pour s'établir ailleurs... »
peut-on lire dans une pièce de 1720 qui souligne les difficultés
provoquées par ces bouleversements, en particulier les prix élevés
des terrains et des loyers. De surcroît, les spéculations financières
de la Régence, le mouvement des affaires, les modifications brutales de certaines fortunes, les banqueroutes qui poussent les
financiers ou les traitants à vendre leurs hôtels jouent alors un
rôle important dans le développement parisien [13]. « Depuis 1715 »,
écrit l'auteur du monumental Traité de Police, le commissaire
Delamarre, « nous avons vu couvrir les places qui étaient restées
vides dans la ville et il y a aussi quantité de rues nouvellement
ouvertes et beaucoup d'autres prolongées... » Cette constatation
entraîne la réapparition des terreurs habituelles de l'administration
confrontée à l'accroissement de la ville... « La grandeur immense où
Paris serait infailliblement parvenue fit craindre dès lors qu'en
donnant libre cours à des accroissements rapides elle n'éprouvât
à la fin le même sort que celui des grandes villes de l'Antiquité
qui ont péri sous leur propre poids... » Une Déclaration royale en

1724, des règlements et ordonnances en 1726 et 1728 tentent alors de mettre fin, une fois encore, à l'extension parisienne. Le périmètre de 1674, marqué en clair sur le plan de Jouvin de Rochefort, est partout dépassé. De justes limites sont nécessaires, ce qui n'est pas encore la ville ne doit pas le devenir, car accepter les prolongements tentaculaires et les lotissements ponctuels c'est appeler la population qu'il serait impossible de ravitailler et de surveiller. Enfin, le centre de Paris risque d'être abandonné au profit des périphéries plus riches en terrains disponibles pour construire les hôtels élégants de l'aristocratie, mais également, les barraques et les maisons locatives et meilleur marché des pauvres faubouriens. Les textes royaux préludent à une opération de grand intérêt par la connaissance du Paris des Lumières : le « Travail des Limites » où pour la première fois interdiction de bâtir et bornage s'accompagnent d'un recensement des bâtiments existants dans les faubourgs afin d'empêcher les constructions nouvelles. En moins de cinq ans, 294 bornes sont posées, 188 plans de rues et 1 417 croquis de maisons levés, effort prodigieux qui n'empêcha aucunement la croissance de Paris qui continue de s'étaler superbe et indifférent aux craintes de la Police et aux injonctions de la monarchie. L'échec de l'entreprise a son importance, car il rappelle un problème essentiel de l'histoire urbaine : dans quelle mesure les enceintes politiques et fiscales influencent-elles le développement urbain ? Les deux limites ne coïncident pas toujours, mais l'accrochage d'un quartier neuf à un schéma monumental peut en dépendre, le « Travail des Limites » de 1724 a ainsi favorisé le processus d'urbanisation qu'il entendait freiner [15].

Les années du milieu du siècle n'ont pas été favorables à l'expansion sauf sur des programmes limités. De 1740 à 1765, Michel Gallet montre le poids des dépenses militaires engagées dans la guerre de succession d'Autriche et la guerre de Sept ans pour ralentir l'urbanisme monarchique et indirectement — par la pression fiscale accrue — la construction privée [16]. Après 1766, la reprise est nette, elle est favorisée par l'essor commercial, l'activité des financiers, les initiatives de l'Etat. De nouveaux règlements en matière de législation immobilière encouragent l'effort bâtisseur. En 1767 le duc de Croy parcourt la ville avec l'architecte Soufflot et remarque l'importance et le nombre des constructions en cours : « Cela annonçait qu'il y avait de l'argent dans l'intérieur et faisait voir l'ouvrage de la Paix. Mais Paris l'emportait peut-être sur le reste du Royaume... » Dans les années quatre-vingt, Sébastien Mercier estime que « la maçonnerie » a recomposé un tiers de la ville depuis vingt-cinq ans, on spécule sur les terrains, on appelle des régiments de maçons limousins, « des corps de logis immenses sortent de terre comme par enchantement et des quartiers nouveaux sont composés d'hôtels de la plus grande magnificence. La fureur de la bâtisse imprime à la ville un air de grandeur et de majesté... On bâtit de tous côtés... [17] ». La capitale de Louis XVI est livrée aux entrepreneurs, la vie quotidienne de ses habitants est bouleversée par l'ouverture des chantiers, par la circulation accrue des fardiers chargés de pierres de taille et de bois, les jardins pétrifiés disparaissent, et les maisons attirent la population. Tous ces mouvements donnent à Paris une allure nouvelle et se font selon deux directions qui orientent pour longtemps son développement.

A l'ouest, tant sur la rive droite qu'au sud de la Seine se déploient les quartiers riches aérés et largement composés. Après 1737-1740, la couverture du grand égout qui empestait l'air, permet l'urbanisation du nord-ouest, vers le Roule, vers Monceau. Les financiers investissent au-delà des boulevards, les rues de Provence, d'Artois, la rue Chauchat, la rue Taitbout, la rue Laborde sont mises en œuvre. Rive gauche, les quais, les Invalides, l'Ecole Militaire fournissent l'ancrage à l'expansion vers le Gros Caillou et Grenelle. En revanche, le paysage des faubourgs de l'Est devient caractéristique de l'habitat populaire pour longtemps, et voit disparaître ou s'atténuer les traits semi-ruraux et quelquefois aristocratiques qui y survivaient. Le faubourg Saint-Marcel, rive gauche, largement rattaché aux vieux quartiers centraux de la place Maubert et de la rue Saint-Jacques, présente de part et d'autre de la rue Mouffetard, des rues encombrées de boutiques et d'échoppes logées dans des immeubles étroits. Pour les contemporains comme Mercier, c'est une terre inconnue où l'on ne s'aventure que par nécessité ou curiosité, où l'emportent la misère et la disponibilité à la révolte [18]. Rive droite du faubourg du Temple au faubourg Saint-Antoine les constructions ont progressé surtout à proximité des boulevards où des zones densément bâties et peuplées s'opposent aux espaces plus ouverts à l'aspect souvent campagnards des îlots qui bordent les voies d'entrée de la ville. Le quartier sud du faubourg Saint-Antoine entre la rue de Charenton et la Seine est peu construit, des marais à légumes, des cabanes, des cahutes y logent les jardiniers. Comme sur la rive sud, les terrains qui bordent la rivière sont livrés aux chantiers de bois flottés et de matériaux [19]. Toutes ces zones constituent pour la population parisienne un paysage familier où joue autour de trois composantes principales, les barrières d'octroi, les jardins, les agglomérations de maisons, de chantiers de construction et de cabarets, tout un trafic de déplacements quotidiens et hebdomadaires pour le travail et la détente. Ainsi la poussée irrésistible de la ville a ignoré toutes les déclarations royales qui tentèrent de la freiner, en 1740, en 1765. Quand dans la fin des années quatre-vingt la Ferme générale obtient pour mieux contrôler la matière fiscale la construction du « mur des fermiers généraux », le nouveau périmètre ainsi défini enserre une zone vaste, souvent non bâtie, occupée par des champs et des vignes, territoire vague et transitoire difficile à contrôler, favorable à la fraude, et, aux yeux de la police à la délinquance. Les travaux qui du sud au nord bouclent la ville et la font « murmurer » car ils portent atteinte à de vieilles habitudes de consommation, mettent pour un temps une limite au développement de la « masse physique de Paris » (S. Mercier). Pour une fois, la ville flotte dans ses limites car si le Paris de Louis XIV concentrait près de 450 000 habitants sur moins de 1 000 hectares, celui de Louis XVI en rassemble moins de 800 000 sur plus de 3 000 hectares. Pour retrouver le rapport des Parisiens à l'espace, il faut toutefois tenter de réfléchir sur la courbe du peuplement.

« Nombreux sont les écrivains du xviiiᵉ siècle qui déplorent l'exode vers Paris et apportent à l'histoire des éléments dont il est impossible de ne pas tenir compte. Cependant, cette immigration ne peut changer considérablement les caractères anciens et stables. Ces nouveaux venus sont peu nombreux par rapport au total. Peu importe la place qu'ils occupent dans la littérature pittoresque ou dans la rue, dans les descriptions de Mercier ou dans les rapports de police. La ville se développe surtout par le surplus des naissances sur les décès. Seul compte ce fait démographique que nous avons précisé et en fonction duquel il conviendrait de relire et d'apprécier la documentation qualitative pour n'en retenir que ce qui s'accorde avec ce critère fondamental... [20]. » Ce texte écrit par Louis Chevalier dans un livre admirable, il y a plus de vingt ans, montrait d'une manière un peu paradoxale l'enjeu d'une histoire de la population parisienne au siècle des Lumières. Il suppose une image qu'orientent totalement les mouvements démographiques du xixᵉ siècle. Avant la Révolution, Paris est une ville stable à l'augmentation lente due essentiellement au croît naturel des familles autochtones — nobles, bourgeoises, artisanales — qui n'intègrent qu'exceptionnellement une population immigrée installée dans les bas quartiers et les faubourgs, voués aux travaux de force et conservant sa diversité. En bref, il y a deux Paris qui se regardent d'une manière qui ne peut étonner un contemporain de la fin du xxᵉ siècle, où de nouveaux migrants amorcent les mêmes tâches qu'autrefois. La Révolution perturbe cet équilibre en installant les « barbares » à la place des « civilisés » et en préparant le destin futur des classes dangereuses.

Cette lecture a un double intérêt, elle pose en clair le problème de la stabilisation de la population, les Parisiens du xviiiᵉ siècle sont-ils plus nombreux à être parisiens ? quelle est la place relative des migrants ? elle souligne avec netteté l'opposition des mœurs entre autochtones établis et nouveaux venus instables ? Toutefois, elle mérite d'être questionnée à son tour, car elle sous-estime l'importance du phénomène migratoire ; elle le marginalise et elle met en doute la capacité d'intégration des couches sociales anciennement installées. La frontière autochtones-migrants n'est-elle pas aussi poreuse que les limites rêvées de la ville ? La question n'est pas facile à résoudre car, à la différence des grandes villes de province, les sources de la démographie parisienne sont lacunaires et biaisées, pas d'état civil, des documents notariaux tel le contrat de mariage qui ne permettent guère d'atteindre la population flottante, des archives judiciaires riches en informations de tous ordres mais qui ne font voir les choses que d'en bas, des registres hospitaliers qui n'ont jamais fait l'objet d'une interrogation d'ensemble et demandent une interprétation rigoureuse. En bref, l'historien de Paris doit se contenter de peu [21]. Il est d'ailleurs mieux servi par l'époque révolutionnaire où les recensements et surtout les cartes de sûreté, délivrées à partir de 1793, renseignent de manière plus exhaustive sur la physionomie sociale de la ville même s'il faut nécessairement prendre en compte les bouleversements du moment. Au total, deux questions sont à poser, Parisiens, combien ? Parisiens, comment ?

Les principales évaluations de la population entre la fin du XVII⁰ siècle et le début du XIX⁰ siècle fournissent des données concordantes mais peu sûres. Le tableau suivant donne les chiffres les plus connus.

POPULATION DE PARIS 1685-1789

Date	Evaluation	Source
1680-1700	500 000	Calculs de Bertillon
	23 000 maisons, soit × 20	
	460 000	
1684	92 000 chefs de famille,	Dénombrement fiscal
	soit × 4,5 :	
	416 000	
1695-1707	702 000	Evaluation de Vauban
1714	21 800 maisons soit × 20	Evaluation - Jean de la Caille
1714	: 436 000	
	509 000	Messance - à partir des naissances
		(× 30)
1715	800 000	Manuscrit Joly de Fleury
1720	166 665 Feux	Saugrain : Nouveau Dénombrement
1744	800 000	Deparcieux : évaluation
1766	576 630	Messance - à partir des naissances
		(× 30)
1766	658 000	Buffon : évaluation
1767	645 000 communiants	Denis : Pouillé du Diocèse
1770	576 639	Expilly Dictionnaire
1775	700 000	Buffon : évaluation
1778	640/680 000	Moheau : à partir des naissances
1779-1780	598 000	La Michodière
1780	600 000	Messance (1719 : 509 000, 1763 : 576 000)
1780	600 000	Lavoisier
1780	660 000	Le chevalier de Pommelles
1784	640/680 000	Necker
1796	556 000	recensement
1801	546 000	recensement. 1795 Meuriot 627 000
1807	580 609-659 555 (en temps de paix)	recensement
1817	714 000	recensement

Brion de la Tour dans son livre sur la population **en 1789 discute** les calculs proposés par ses contemporains : un auteur donne 500 000 ha, huit s'accordent entre 550 et 700 000 ha, huit autres entre 700 et 800 000, deux seulement dépassent 900 000, et sept vont jusqu'au million. Cette diversité montre la difficulté qu'il y a pour se faire une idée exacte, même approximative, dans la mesure où elle correspond à des résultats obtenus de façon souvent différente. Certains calculs sont fiscaux, mais comment évaluer la valeur réelle des feux et combien de personnes échappent-elles à l'impôt ? D'autres partent de la maison, d'autres encore procèdent à partir des baptêmes en utilisant des coefficients variés. Les meilleurs démographes du xviiie siècle ont un faible pour cette méthode en partie contestable dans une ville à forte population de célibataires, et à taux élevé de population marginale. L'imprécision est accrue par des facteurs nombreux : la question des limites jamais tranchée en clair, le sous-enregistrement des minorités religieuses, la mobilité saisonnière, les voyageurs provinciaux de passage et étrangers que l'abbé Expilly évalue à 25 000 et le recensement de 1817 à 20 000, l'incorporation dans le chiffre des naissances des enfants trouvés dont 10 % viennent de la banlieue proche et de l'Ile-de-France vers 1700, et 30 % à 40 % vers 1780. Au total, on hésite à conclure ; les chiffres plus assurés du début du xixe siècle sont difficiles à projeter dans les années prérévolutionnaires, les recensements révolutionnaires sont discutés, pour l'an II, M. Reinhard admet 560 000 ha au bas mot, mais P. Meuriot moins critique ou plus optimiste en reconnaît plus de 627 000. Bref, il est difficile de s'y retrouver, on peut tabler sur une fourchette entre 600 000 et 700 000 en 1789 même s'il faut tenir compte d'un pourcentage supplémentaire pour la population flottante au minimum de 10 %. Si l'on admet cette évaluation, on peut accepter une croissance minimum de 30 % pour le siècle à partir du 500 000 ha de 1700-1714 ; croissance qui s'est traduite dans l'extension spatiale que le mur des Fermiers généraux tente de fixer et dans laquelle les fluctuations annuelles et saisonnières ont eu une grande importance. La population de Paris concentre alors entre 2 % de celle du royaume au temps de Louis XIV et 3 % à l'époque de Louis XVI, elle connaît un accroissement sans doute inférieur à celui du xviie siècle quand elle est passée de 200 000 à 500 000, donc une mutation moins brutale et plus contrôlée. Si elle ne se stabilise pas complètement, si elle ne se parisianise pas comme on a pu le penser ; elle se diversifie qualitativement à moindre heurt. Toutefois son augmentation reportée à la courbe des naisssances et des sépultures prouve l'insuffisance du croît naturel [22]. L'importance des enfants parisiens morts en nourrice à l'extérieur augmente tous les ans le déficit et l'on admet habituellement que 30 à 40 % meurent la première année, déficit net difficile à combler. Donc la croissance parisienne repose sur les migrants, la ville ne pouvait se développer par ses seules forces [23] et l'on ne peut écarter l'hypothèse d'une émigration difficile à mesurer mais réelle. Le solde migratoire est sans doute moindre à la veille de la Révolution qu'au lendemain de la Fronde, son amplitude reste fondamentale même s'il s'avère impossible de savoir le nombre exact de ceux que retient, plus ou moins définitivement, la ville. La question est d'importance mais sans solution. A l'époque révolutionnaire, les relevés journaliers, mensuels, annuels que la police effectue dans les garnis enregistrent entre 8 000 et 11 000 personnes par mois en l'An III, soit à la fin de l'an près de 100 000 personnes de plus ! Si l'on ne peut projeter en arrière ces chiffres surévalués par les conditions politiques et militaires, économiques et sociales de la crise révolutionnaire, ils suggèrent en clair que la ville attire beaucoup plus qu'elle ne retient[24]. Paris au xviiie c'est le brassage, la mobilité, la fourmilière mais ce n'est pas que cela, car parmi les nouveaux venus un nombre important reste et fait souche. Entre Parisiens d'origine (une, deux générations ?), provinciaux de passage, provinciaux installés, des relations multiples se créent dans un état complexe où le stable et l'instable interviennent constamment au rythme des saisons, des difficultés économiques, des célébrations politiques, des initiatives des individus et des familles. C'est en grande partie ce mouvement incontrôlable qui explique les hantises des contemporains et justifient les initiatives de la Police. « Quels sont les instruments de ces calamités publiques ? Ce sont toujours des hommes dont on ne connaît ni le nom, ni la demeure : ce sont des individus qui semblent étrangers dans la ville même qui fournit leur subsistance ; des êtres qui ne dépendent que du moment et qui disparaissent avec la même facilité qu'ils se sont montrés, des hommes enfin qui ne tiennent à rien. » L'avocat Des Essarts se fait ainsi l'interprète d'une opinion généralisée et dont d'autres littérateurs, Mercier, Rétif, portent aussi témoignage[25]. Le fait incontesté rend compte du sentiment profond des différences qui traversent le peuple de Paris.

Peut-on évaluer le volume des migrants dans la population ? A partir des études sûres faites dans les sections révolutionnaires, on constate des taux proches de 60-70 %, dans le faubourg Saint-Marcel ; les provinciaux de naissance représentent près de 67 % de la population, dans le faubourg Saint-Antoine ; c'est encore 63 %, dans la section Fontaine-Grenelle qui correspond à l'ouest du faubourg Saint-Germain ; les nouveaux venus atteignent 78 % autour de la place des Vosges — section de la place des Fédérés — ; le taux des migrants est de 73 % encore ; dans la section de la Grange-Batelière, un sondage dans les registres des garnis donne encore 69 % ; près du Louvre section de l'Oratoire, près de la place Vendôme les mêmes documents fournissent des chiffres analogues. Ces pourcentages très élevés correspondent sans doute à l'afflux provincial après 1792, ils ne peuvent être retenus tels quels pour le siècle mais ils permettent plusieurs conclusions.

En premier lieu, si l'on tient compte des dates d'arrivée, il s'agit d'un apport constant dont le volume est de l'ordre de 7 000 à 14 000 par an, entre 1750 et 1790. On peut pencher pour la première évaluation si l'on pense que l'émigration des Parisiens est négligeable, la seconde hypothèse est vraisemblable si l'on admet le départ possible des Parisiens et la nécessité de tenir compte du fait que la ville ne retient pas tous les nouveaux venus. La question à résoudre est celle du caractère définitif ou temporaire de l'immigration et il faut par ailleurs accepter les leçons des études antérieures chronologiquement. Vers 1750, les contrats de mariage enregistrent seulement 53 % de migrants, chiffre minimum si l'on rappelle que près du quart des actes ne portent pas d'indication d'origine. A la même époque, un sondage portant sur 400 actes de mariage passés devant les notaires du Marais arrive à 50 % de nouveaux venus (20 % des actes sans mention). L'immigration est une constante pour le siècle et toute la ville. Les données des archives criminelles confirment les résultats. Bon an, mal an, un tiers seulement des prévenus jugés par le Châtelet de Paris domiciliés dans la capitale y sont nés, les étrangers et les provinciaux composent les trois quarts des voleurs d'aliments étudiés par A. Farge[26] ; ils sont encore 64 % des individus arrêtés pour rébellion et jugés par la Cour des Aides entre 1785 et 1789. Interrogés sur leur lieu de naissance, trois à quatre mille prévenus répondent au procureur du Roi de l'Hôtel de Ville qu'ils sont nés en province pour les deux tiers ; le phénomène paraît plus accentué vers 1789 qu'avant 1750. Dans tous les cas si l'on admet la dominante populaire des accusés, si l'on rappelle que délinquance et criminalité sont favorisées par le déracinement, on saisit toute l'importance de la mobilité pour des catégories que la capitale ne réussit pas toujours à conserver. Du côté des hôpitaux, les résultats sont équivalents. De 1762 à 1776, sur 2 000 malades hospitalisés à la Charité, plus des trois quarts sont des migrants. Deux registres de malades conservés pour l'Hôtel-Dieu donnent pour 1733, 1738 et 1744 une origine provinciale à plus des deux tiers des inscrits[27]. Au total donc, l'immigration compense l'insuffisance du croît naturel, elle constitue une population renouvelée et brassée dans des proportions difficiles à évaluer, variant selon que l'on admet une certaine stabilité d'un minimum de 33 % à un maximum de 60 % si l'on reconnaît l'importance des départs, la mobilité des Parisiens comme des non-autochtones, une probable inégalité de répartition selon les quartiers[28]. L'écart entre ces deux évaluations est à la mesure de nos ignorances et de l'effort qui s'impose pour rassembler les données nécessaires à une étude plus précise.

Deuxième leçon assurée des études actuelles : l'aire de recrutement de la ville reste stable du début du XVIII° siècle à la Révolution. Eliminons le problème des étrangers non régnicoles, ils ne sont pas à négliger car ils forment une part importante des voyageurs et composent parfois une proportion notable des sondages réalisés : 6 % des prévenus du Châtelet, 2 % de la population du faubourg Saint-Marcel, 5 % des accusés de l'Hôtel de Ville, 3 % des habitants du Marais, 4 % encore dans le faubourg Saint-Antoine. Ces proportions masquent des réalités bien différentes, d'une part une immigration de petites gens où dominent les contingents de l'Europe Germanique et de la Savoie, les « Juifs de Nation », les Suisses, les habitants des Pays-Bas autrichiens ; domestiques, gagne-deniers, décrotteurs y côtoient soldats de fortune et petits aventuriers attirés par le mirage parisien. D'autre part, un contingent non négligeable de professionnels qualifiés. Au sommet, banquiers, hommes d'affaires, négociants venus de Suisse ou d'Allemagne, de Bruxelles, de Vienne, composent une société cosmopolite, partiellement intégrée, partiellement renouvelée par les échanges que tisse la diaspora protestante en Europe et les liens de familles et d'affaires favorables aux hommes nouveaux. Ce monde se reconnaît en 1789 dans le succès de Necker. A la base, dans le domaine artisanal, le même phénomène existe et les étrangers sont souvent bien intégrés, c'est le cas des maîtres ébénistes : 250 dont un tiers d'origine étrangère principalement allemande. Cet apport germanique contraste avec la fermeture d'une autre corporation, telle que celle des menuisiers, il n'est pas récent, mais il a grossi dans les années prérévolutionnaires. Les relations professionnelles et familiales, les alliances matrimoniales et la très haute qualification technique expliquent ce caractère original dont il faudrait pouvoir apprécier l'importance pour d'autres métiers.

En ce qui concerne les migrants venus du royaume, la population recrute dans deux aires principales : une première zone allant jusqu'à 300 km fournit la majorité des nouveaux Parisiens, au-delà les flux sont moins abondants et la provenance plus variée. Dans le faubourg Saint-Antoine comme dans le faubourg Saint-Marcel, les deux tiers des provinciaux arrivent de la France du nord de la Loire. En tête, on voit les originaires de l'Ile-de-France, 15 % dans chaque quartier, suivis par ceux des départements du Nord, Aisne, Pas-de-Calais, Oise, Somme. Normands, Champenois, Bourguignons complètent avec des contingents d'importance comparable, de l'ordre de 8 à 10 %, la nouvelle population. La part des régions proches est considérablement renforcée dans les registres des garnis conservés pour une période critique 1693-

1699 : 60 % des logés arrivent de moins de 40 km, essentiellement des petites villes de la couronne urbaine parisienne, Dammartin-en-Goële, Crépy-en-Valois, Nanteuil-le-Haudouin, Le Mesnil-Amelot et Meaux, et il s'agit surtout de laboureurs, blattiers, marchands de grains venus commercer dans la capitale (50 % des logés des quartiers de la Grève et Saint-Martin). Le reste regroupe tous les milieux sociaux mais surtout des professionnels du bâtiment, de l'ameublement, de l'alimentation et des domestiques. Un siècle plus tard dans les garnis de la section de l'Oratoire et de la place Vendôme, on retrouve beaucoup plus de provinciaux venus du Nord, de l'Ouest et de l'Est. Socialement, les bourgeois, 300 sur 1 400, sont en minorité par rapport aux gens de métiers, aux compagnons tailleurs — 300 —, aux domestiques. La géographie des origines sociales varie sans doute beaucoup selon les circonstances et les moments, elle a ses constantes, la dominante des zones proches et septentrionales, des plaines limoneuses calcaires du Bassin parisien, des régions peuplées et alphabétisées.

Le reste des immigrés arrive de partout, chaque province donnant des flux d'importance inversement proportionnelle à la distance, caractère qui ne s'atténuera pas avant la fin du xixᵉ siècle. Ce trait permanent pendant deux siècles suppose que la population de Paris s'alimente par l'accroissement régulier des régions proches. Pour les zones situées à plus de 300 kilomètres intervient sans doute un effet cumulatif, les migrations se développant moins par la pression démographique des régions de départ que par l'appel des personnes originaires des mêmes provinces déjà installées à Paris et y faisant venir parents et amis. Cette interprétation devrait être confirmée par des études précises portant sur les réseaux familiaux et les structures de relations sociales dans les différents quartiers parisiens. Elle a le mérite d'expliquer le caractère permanent des courants établis et renforcés pendant de longues périodes. Il résulte de ces apports divers une image très bigarrée de la population nouvellement installée, Provençaux et Languedociens, Bretons, Poitevins, Gascons y côtoient Limousins et Auvergnats, gens du Dauphiné. Cette répartition géographique ne semble guère différente dans d'autres quartiers ou d'autres populations.

Parmi les nouveaux mariés, la part de l'espace proche est renforcée, les jeunes époux originaires de l'Ile-de-France signent le quart des contrats, ceux qui arrivent de Picardie, de Champagne, de Normandie et de Bourgogne près des deux tiers, ceux qui restent proviennent de l'entier Royaume où ne se distingue que le Massif central avec de bons contingents (6-7 %) comme dans les faubourgs (4-6 %). Les origines des prévenus du Châtelet comme de l'Hôtel de Ville sont tout à fait les mêmes. Le Bassin parisien fournit les gros contingents, l'Est et le Nord, la Normandie, la Bourgogne les apports principaux, au sud de la Loire les flux se raréfient à l'exception de ceux qui proviennent des provinces montagnardes, Auvergne, Franche-Comté, Dauphiné. A l'hôpital de la Charité, on retrouve le même brassage de population d'origine provinciale diversifiée avec une nette prédominance des diocèses d'Ile-de-France, les évêchés du Nord, de Normandie, de Lorraine et de Champagne fournissent le reste. A l'Hôtel-Dieu même image de la migration puisant sa force dans les régions septentrionales et proches. Au total, dans les salles des hospices, dans les geôles de la ville, comme dans les maisons, les hôtels et les garnis du centre et des faubourgs se retrouvent des populations colorées venues des mêmes régions, attirées par la même fascination de la ville, l'attrait de la liberté anonyme, l'espoir d'un travail assuré et de l'ascension sociale qui permet la compétition des talents urbains.

Reste qu'on aimerait mieux connaître les rapports qu'entretiennent entre eux ces nouveaux Parisiens et surtout ce qui les rapproche et ce qui les oppose à la population autochtone qui ne peuple pas. Le rêve urbain dont rendent compte les œuvres littéraires, Marivaux, Rousseau, Rétif, devait se concilier avec la réalité. Les archives judiciaires livrent quelques exemples de conflits : en 1763, sur les quais, un gagne-denier venu du Limousin se bagarre avec ses compagnons qui lui reprochent ses origines ; en 1772 dans un logement de la rue Saint-Denis une querelle violente oppose trois compagnons, l'un est né en Ile-de-France, l'autre arrive de Picardie, le dernier d'Auvergne. La coexistence de populations d'origines différentes avec leur culture, leur langue, leurs habitudes alimentaires et vestimentaires n'est pas sans problème mais c'est un sujet d'étude entièrement à défricher. Derrière ces heurts, ce sont tous les facteurs d'intégration — ou de refus — des migrants par la ville qu'il faut retrouver.

La domesticité parisienne, milieu important par le nombre de ces représentants — 15 % dans les contrats de mariage de 1749, près de 40 000 âmes recensées par Expilly d'après la capitation de 1764, milieu mobile et à fort recrutement provincial, que l'on va suivre tout au long de l'étude des faits matériels et culturels définissant le peuple parisien, fournit sans conteste un bon terrain pour tenter une première approche [29].

Géographiquement, la domesticité parisienne se recrute en province à plus de 90 %, 5,4 % de Parisiens parmi les domestiques accusés au Châtelet, 4 % seulement dans ceux qui décèdent à Paris Louis XIV et Louis XVI régnant. L'aire principale du recrutement, le vivier de la ville, se situe autour de la capitale entre 50 et 60 km de distance. De là viennent les gros effectifs puisés dans les bourgades paysannes de l'Ile-de-France, dans la Brie, du Vexin et complétés par l'apport normand, champenois, picard. Indice intéressant de la mobilité caractéristique du milieu, ils sont moins nombreux parmi ceux qui meurent à Paris (6 %) que dans le groupe des malchanceux ayant eu affaire à la justice (18 %) à venir de la région parisienne proche, ce qui suppose un certain nombre de retours, fortune faite ou non. Au total, c'est près de la moitié des domestiques qui proviennent de ce bassin d'émigration, ce qui laisse penser qu'il existe des filières permanentes d'attraction vers Paris et vers le service ancillaire. Peu d'entre eux sont originaires des villes (15 %) et celles-ci sont réparties dans tout le royaume avec une zone privilégiée, la France urbaine de l'Est où l'on trouve Reims, Metz, Strasbourg, Troyes, Besançon, Dijon. La part des citadins dans la zone qui entoure Paris jusqu'à 300 km est résolument plus faible (6 %), au-delà elle atteint le tiers. Le déplacement vers Paris intervient après une première migration de ruraux vers les villes proches. Notons aussi que les femmes viennent plus souvent des campagnes voisines que les hommes ; moins urbanisées, elles franchissent des distances moindres, et fréquemment elles retournent chez elles. L'immigration des domestiques est majoritairement un mouvement parti de régions riches et cultivées et dans la plupart des cas, c'est le fait de ruraux se déplaçant seuls, laissant leur famille au village. Leur aventure peut être dictée par la prospérité. C'est le cas de Jacob dans le « *paysan parvenu* » ou d'Edmond dans le « *paysan perverti* », ou par la misère ou les crises. C'est l'exemple de la fille de l'aubergiste dans *Jacques le fataliste*. Ce dont témoignent les archives mieux encore que les romans, c'est du pouvoir d'attraction de la ville pour des fractions notables de la population qui espèrent y trouver fortune, à tout le moins une condition. Beaucoup sont des déclassés ou des exclus par leur situation familiale ou sociale, errant suivant de multiples itinéraires avant de parvenir au port. Deux éléments jouent ici un rôle décisif : les relais sur la route de Paris et l'âge. Les villes-étapes sont autant de points de convergence d'itinéraires, de routes, par lesquels affluent les migrants venus de plusieurs provinces : Troyes pour les Lorrains, les Champenois, les Bourguignons, Versailles pour les Bretons, les Normands, les Manceaux. Les cheminements vers la capitale reprennent à partir de ces cités-relais et aboutissent à leur terme parisien après une série de marches et de contremarches. Plus les étapes se multiplient, plus l'indice d'un échec est avéré, les migrants n'hésitant pas à repartir si le marché du travail domestique est trop encombré. Marie Mercier partie à trente-trois ans de Neufchâteau en Lorraine s'arrête deux ans à Bréviande près de Troyes, puis dix-huit mois à Saint-Pouange qu'elle quitte pour travailler quelques mois dans la métropole champenoise de la bonneterie. Cette fille de maçon et de couturière arrive à Paris au bout de six ans et s'y fait arrêter pour mendicité. On peut voir dans l'irrégularité de cette progres-

sion exemplaire la traduction des aléas de la misère et de l'hési-
tation nés des possibilités inégales et problématiques d'emplois.
Elle s'achève par un insuccès mais pour d'autres la réussite n'est
pas impossible et surtout on ne peut négliger la propédeutique
culturelle et sociale acquise au long de la route. Paysannes et
servantes mal dégrossies peuvent se muer en soubrettes accortes
et en femmes de chambre expertes, valets de fermes et journaliers
inexpérimentés apprennent de nouveaux gestes et de nouveaux
savoirs. Les âges à l'arrivée confirment ce double enseignement.
La moitié des domestiques, hommes et femmes, gagnent Paris
entre 15 et 25 ans, l'autre moitié y parvient plus tard, dont près
du quart passé 30 ans. On vient donc assez tard au service
domestique parisien, souvent après un apprentissage plus ou moins
long à travers des situations diverses. C'est le résultat de l'accroissement démographique des zones de départ où les jeunes ne
peuvent s'intégrer tous, le résultat aussi de l'attraction urbaine où
l'engagement ancillaire peut être tout à la fois le recours ultime
contre la misère et le moyen de réaliser une aisance médiocre.
Les sources de la criminalité ne doivent pas masquer le fait
qu'au sein de la domesticité un certain nombre de réussites existent.

La domesticité parisienne est l'un des milieux caractéristiques
de l'immigration populaire et l'on souhaiterait que d'autres
strates sociales et professionnelles puissent lui être comparées
avec précision. Retenons trois traits principaux qui sont valables
pour la majorité de la population parisienne : l'âge, les manières
d'intégration, les aspects anthropologiques. La population migrante
est une population jeune, l'âge moyen à l'arrivée des hommes est
entre 22 et 24 ans dans le faubourg Saint-Antoine comme dans le
faubourg Saint-Marcel en l'an III sans qu'on puisse déceler de
variables régionales sauf pour les provinces éloignées dont les
scores d'âge sont plus élevés. Paris voit donc dominer la migration
d'apprentissage dictée par la recherche d'une activité professionnelle,
mais son mouvement ne se stabilise qu'entre 30 et 40 ans. Cette
juvénilité des nouveaux venus en fait la fragilité, au moins pour un
temps, car ils sont exposés à des maladies nouvelles plus fré-
quentes qu'à la campagne et contre lesquelles ils ne sont pas immu-
nisés. Les anciens comme les autochtones résistent mieux. Dans
les deux grands faubourgs populaires, les deux groupes apparaissent nettement, plus des trois quarts sont installés depuis
1755, plus des deux tiers depuis 1770. Les arrivées récentes sont
hypertrophiées par rapport aux années antérieures à la Révolution, à cause de la crise qui envoie à Paris les chômeurs provinciaux et parce qu'on a enregistré toute la population masculine
dont une fraction flottante difficile à déterminer. Cet afflux de
jeunes hommes a deux conséquences principales : il renforce le
caractère concurrentiel du marché du travail, il contribue à la

défense d'un taux de natalité fortement battu en brèche. L'un et l'autre aspect mettent en cause les possibilités d'intégration offertes par la ville.

La capitale retient son peuple par le métier. Le choix de celui-ci détermine souvent l'habitat. Dans les principaux secteurs professionnels, les niveaux de migration sont peu dispersés, tout le monde du travail et toute la société sont gagnés par elle.

En %	Faubourg Saint-Marcel	Saint-Antoine
Alimentation	76	79
Bâtiment	65	66
Bois	41	61
Métal	73	66
Gagne-deniers	85	75
Domestiques	93	91
Professions libérales	56	66
Rentiers	58	69

Les migrants sont partout ; bien sûr ils peuplent plus abondamment certains métiers, les professions non spécialisées, les activités de fatigue, les situations incertaines, ils fournissent les gros contingents des domestiques, des journaliers, des débardeurs des ports et des petits métiers de la rue qui sont quelquefois moyen d'attendre et d'espérer mieux. Aucune profession, comme on le dit trop souvent, n'est totalement dominée par un milieu provincial déterminé, on trouve des Normands et des Auvergnats dans tous les métiers, des Picards et des Champenois dans tous les secteurs. Toutefois une géographie traditionnelle du travail apparaît vivante au moins pour certaines activités et sans qu'on puisse réellement parler de monopole. Les nouveaux venus proches — arrivés de moins de 300 km — sont majoritaires dans toutes les fonctions non qualifiées avec en tête les gens de la région parisienne. Certaines tâches sont dévolues à des communautés provinciales précises, les porteurs d'eau sont auvergnats et pas seulement de l'Aveyron, les décrotteurs et les ramoneurs sont savoyards, les maquignons et les cochers arrivent du Perche et de Normandie, les flotteurs de bois, les bateliers, les débardeurs arrivent souvent du Morvan. Dans les professions qualifiées, libres ou réglementées, certaines provinces fournissent plus largement certains métiers que d'autres. Ainsi le Bâtiment, dans le faubourg Saint-Marcel, regroupe plus de 1 500 travailleurs, soit près de 10 % de la population active ; dans le faubourg Saint-Antoine, il rassemble près de 800 personnes, environ 7 % de l'ensemble, parmi ces professionnels il y a d'abord un fort noyau de Parisiens bon teint — le tiers — et les provinciaux arrivent de partout, trois régions dominant la masse, l'Ile-de-France (8 %), le Limousin (18 %), la Normandie (10 %). Normands, Limousins,

tailleurs de pierre, maçons, paveurs, plâtriers, arrivent à Paris
régulièrement et depuis longtemps mais comment savoir combien
y restent définitivement, combien y fondent une famille, combien
accèdent à la maîtrise ? Dans le textile et l'habillement, on note
une forte proportion de gens du Nord, de Lorrains, de Champenois ; la métallurgie recrute dans les provinces septentrionales
et frontières, l'alimentation en Bourgogne et en Normandie.

A cette intégration relative par le métier correspond une diffé-
renciation topographique. La population des quartiers populaires
du centre de la ville et celle des faubourgs n'est pas organisée par
une ségrégation de rues ou de quartiers, mais on constate des
regroupements localisés par région, par pays. Faubourg Saint-
Marcel, les Bourguignons s'installent rue Saint-Victor, rue d'Orléans,
sur les quais, ils y retrouvent des Lorrains et des Champenois
mais aussi des Normands. Les Limousins préfèrent la rue Saint-
Jacques, la place Maubert, les Auvergnats campent rue Mouffetard
et rue de Lourcine où ils cohabitent avec des Picards, des Flamands,
des Dauphinois. Faubourg Saint-Antoine, certaines rues sont partiellement colonisées par des groupes mêlés à la population
ancienne, les gens du Cantal et de l'Aveyron louent des logements
rue de Lappe, rue Saint-Antoine dans la cour Saint-Louis et la
cour du Commerce. Ces rapprochements se retrouvent dans les
vieux quartiers centraux, rue Saint-Denis, rue Saint-Martin, dans
le Marais où les Auvergnats colonisent la rue Jean-Beausire et la
rue des Tournelles, on les constate dans les voies populaires et
les ruelles orientales du faubourg Saint-Germain, et les garnis des
sections de l'Oratoire, de la place Vendôme, de la Grange-
Batellière. Le Paris des migrants ne diffère pas du Paris des
autochtones et la ségrégation géographique n'intervient pas plus
que la ségrégation sociale même si des facteurs de cohésion favorisent les regroupements partiels : relations familiales, solidarité de
métier, communauté de langue et de coutume, pratiques alimentaires et gestes quotidiens. Nul doute toutefois que cette diversité
ne tende à s'atténuer avec l'âge et le temps, au moins pour ceux
qui restent, mais de nouveaux venus à intégrer contribuent à
l'entretenir vivante

Une reprise de l'étude d'ensemble des contrats de mariage
devrait permettre de préciser la nature, les rythmes, les conditions
de la fusion dans la société parisienne. En 1749, on constate que
les nouvelles épouses sont moins provinciales que leur futur ;
dans le Marais, rue Saint-Denis, 40 % des épouses sont filles de
Parisiens. Certes, le contrat de mariage sous-estime la proportion
des humbles mais il semble bien que le choix d'une épouse soit
déterminant à la fois pour confirmer une situation partiellement
stabilisée et pour favoriser une ascension sociale restreinte. L'endogamie socioprofessionnelle est, on le sait, la règle, mais on souhai-

terait savoir comment elle se combine avec les relations régionales
et les solidarités de voisinage. Le phénomène concerne toute la
population. Deux questions fondamentales lui sont liées, celle du
rôle déculturant de la ville qu'il faut réinterroger car on ne peut
se contenter aujourd'hui de reprendre les affirmations des contemporains dénonciateurs des malfaisances urbaines, celle de la
nature de la migration qui, par le choix, peut n'être que temporaire et refuser l'acculturation urbaine donc parier sur le retour au
pays natal, c'est le cas des Auvergnats dont les déplacements sont
organisés solidement vers Paris comme vers d'autres horizons
le Languedoc, l'Espagne. Certains migrants vivent leur relation à la
ville dans la liminalité et sans frustration par une sorte de pacte
temporaire plus ou moins longtemps confirmé. L'assimilation peut
signifier la coupure avec les origines et celles-ci constituent dans
le vécu quotidien comme dans les représentations un idéal plus
riche que l'établissement définitif à Paris [30].

Pour le plus grand nombre, migrants temporaires, travailleurs
saisonniers, dont l'importance est incontestable mais que l'on n'arrive guère à saisir, nouveaux venus installés et plus ou moins
intégrés, les différences avec les autochtones se maintiennent
longtemps. Les témoignages littéraires, Marivaux, Mercier et
Rétif nous ont familiarisés avec ce contraste qui est d'ordre anthro-
pologique. Citadins anciens et ruraux fraîchement débarqués
s'opposent dans leurs apparences comme dans leurs manières.
Les premiers sont gros et dodus, roses et blancs, leur teint n'est
pas gâté par le travail des champs et leur idéal physique s'accommode des rondeurs bedonnantes du citoyen embourgeoisé habitué
à une bonne nourriture et que ne fatiguent pas les travaux manuels.
Les patronnes d'auberge et de bordel sont toujours fraîches et
pâles, les vrais Parisiens ignorent et n'aiment pas le soleil qui
pénètre peu dans les rues étroites des vieux quartiers. Le citadin
se lave et dans la bourgeoisie accède quelquefois aux délices de
l'hygiène aquatique. Les nouveaux venus sont maigres et basanés,
recuits par le soleil des champs et de la grande route, leur corps
est gâté par les travaux de force, leurs vêtements négligés et
sales, ils ignorent les délicatesses de la propreté, se contentant
d'un rinçage hâtif à la fontaine, dans l'aube, aux heures qui
précèdent le travail et qu'aiguillonne le petit verre d'eau-de-vie
avalé vite fait au cabaret proche. On aurait toutefois tort d'exa-
gérer ce contraste. Pour une part bien sûr, il est entretenu par la
permanence des migrations, par le fait aussi que la ville maintient
les citadins novices dans les situations les plus médiocres et
qu'elle sécrète une pauvreté autre, mais la cité n'est pas
entièrement déculturante, elle retient et transforme les hommes,
elle leur fournit des modèles nouveaux de comportement alimentaire et vestimentaire, elle leur donne des occasions neuves

de se cultiver et de rêver. Pour tous les Parisiens, anciens et nouveaux, le changement passe avant toute chose par un rapport à l'espace.

La ville du xviii° siècle est en continuel désordre et pour ses habitants la perception des changements n'a pas manqué d'être fondamentale. Deux urbanismes complémentaires, parfois contradictoires, imposent une morphologie nouvelle de l'étendue sociale. D'abord, la monarchie et ses agents développent par suite du renforcement continu des rôles de Paris comme capitale, une édilité de la magnificence et du décor, contrôlée, triomphale. D'autre part, un urbanisme sauvage et libre, ouvert aux initiatives des particuliers et aux tentatives des spéculateurs contribue à bouleverser la physionomie des anciens quartiers et à construire de nouveaux ensembles immobiliers. L'un et l'autre renforcent la mobilité urbaine par leur besoin de main-d'œuvre et fixent la population.

Le premier est bien connu. Il plante les décors monumentaux, mobilise les grands architectes, façonne un théâtre immense où le peuple est rarement acteur sauf à donner sa force de travail. Les portes monumentales, les places achevées ou nouvelles, la place Vendôme, la place Louis XV, les édifices administratifs modifient progressivement la vision quotidienne du Paris des Parisiens. Toutefois, les bâtiments somptuaires, la Monnaie, l'Ecole de Médecine, les théâtres, la reconstruction du Théâtre français par Charles de Wailly, l'Ecole de droit et le Panthéon de Soufflot, ont une incidence sur la structure sociale et le bâti des quartiers anciens où ils s'implantent, surtout s'ils accompagnent de véritables opérations de remodelage du site. C'est le cas pour la rive gauche et les différentes interventions qui s'articulent autour de l'Odéon, de l'Ecole de médecine, des lotissements d'une partie du Luxembourg. Une organisation unitaire de l'espace où les rapports entre l'édifice public, la place, la rue, les immeubles changent, suggère une vision théâtrale du paysage urbain, où les citadins vivent un ordre social nouveau [31]. Parfois les monuments et les constructions récents contribuent à ancrer des développements futurs, c'est ce qui se passe aux alentours de l'Ecole militaire et autour des bâtiments du garde-meuble rue Royale.

L'intervention architecturale de la monarchie s'accompagne d'un urbanisme de la circulation qui progressivement modifie la vie de tous. Le Siècle des Lumières ne change pas l'idéal édilitaire du xvii° siècle, il le réitère avec une conscience plus forte de la ville comme lieu d'échange, des trafics, des marchandises, des hommes, il le généralise avec un projet plus économiste et plus fonctionnaliste. La surveillance et l'intervention utilisent textes et règlements rédigés au temps de Louis XIV, en forgent de nouveaux, tentent de les appliquer. Tous les domaines sont mis en cause, la voirie, les constructions et l'alignement. Le grand règle-

ment de 1783 imposera l'obligation de ne plus ouvrir de rue
ayant moins de 30 pieds ; les ponts, l'éclairage — le réverbère
à huile remplace les lanternes à chandelle —, la numérotation des
rues, le nettoyage et l'eau. A la fin du xviii° siècle, des progrès
décisifs ont été réalisés qui habituent la population entière à
l'usage d'infinies commodités. Malgré ses encombrements, ses accidents, qui au-delà de la rhétorique des « embarras » continuée
depuis Horace, révèlent les points chauds de la croisée au centre
de la ville ; malgré l'absence de trottoirs, les boues, la poussière, Paris est une ville où l'on circule. La présence de la Police
assure un contrôle d'ensemble. Paris est contenu.

L'intervention de l'urbanisme privé offre d'autres perspectives. La hausse continue des loyers, la spéculation à l'échelle de
la maison individuelle ou du lotissement entretiennent la fièvre
de construction tant aux périphéries qu'au cœur de la ville. Le
peuple travaille sur de multiples chantiers mais il dépend ici des
initiatives additionnées de nombreux acteurs. La noblesse qui
exprime dans ses nouveaux hôtels son goût du faste et son sens
du pouvoir, un nouveau mode de l'appropriation spatiale sur des
terrains vastes et aérés, partiellement gaspillés, un sens de l'isolement par rapport à l'habitat ancien. Les aristocraties remodèlent
les faubourgs de l'ouest où se construisait une ville qui pétrifie
le prélèvement seigneurial, l'assistance de l'état, le profit des
finances. Le clergé, dont les biens fonciers parisiens énormes mobilisent par les bâtiments et les jardins des terrains qui servent de
poumons et de réserve immobilière, intervient à son tour. Il
valorise son patrimoine en immeubles de rapport, il s'associe à la
finance — ainsi faubourg Montmartre — pour gagner dans l'immobilier. Les spéculateurs enfin, où l'on retrouve associés dans
l'entreprise de construction des quartiers neufs, les bâtisseurs, de
Robert de Cotte à Brongniart, les capitalistes, les banquiers, financiers, fermiers généraux qui achètent, gèlent, lotissent, bâtissent
les emplacements libres, mais aussi les aristocrates avec à leur
tête les princes, Orléans, Artois, Provence, Condé, Conti, les
grandes familles, leurs agents, manieurs d'argent et hommes d'affaires. Tous ces personnages jouent gros dans des initiatives qui
bouleversent moins le parcellaire ancien qu'elles ne fondent dans
des opérations juteuses et limitées dans le centre, profitables et
étendues à la périphérie, une nouvelle organisation de l'espace
parisien.

Ainsi Paris s'étale au cours du siècle ce qui globalement signifie
un peu moins d'entassement mais correspond surtout à une
inégalité nouvelle devant l'espace disponible [32]. Deux villes
coexistent qui occupent sensiblement la même surface, au centre
le vieux, le vétuste Paris résultant des extensions urbaines du
xvi° au xvii° siècle, ville dense et industrieuse où s'entassent

le peuple laborieux, les bourgeoisies du commerce et de l'artisanat ;
aux frontières du non-urbain, pris au filet de l'enceinte fiscale,
les quartiers lancés vers l'avenir, le Paris neuf des classes oisives
et de leur domesticité, aussi le Paris cahoté et bricolé des faubourgs travailleurs.

Dans la première de ces cités se mesurent les fortes densités,
1 300, 1 000 habitants à l'hectare, 500 à 800 au minimum dans les
paroisses du centre ancien, Saint-Jacques-le-Majeur, Saint-Germain-
l'Auxerrois, Saint-Gervais, Saint-Leu, Saint-Gilles, Saint-André-des-
Arts. Là se rassemblent les indigents secourus dans les premières
années de la Révolution (plus de 20 % des habitants). Partout
ailleurs, la population est moins entassée, au maximum 100 habitants à l'hectare, au minimum 25. Au faubourg Saint-Antoine,
le quartier Popincourt et celui des Quinze-Vingt n'atteignent pas
80, densité que l'on retrouve aux Champs-Elysées, aux Invalides,
vers l'Observatoire dans le faubourg Saint-Marcel, mais dans les
deux grands faubourgs populaires le nombre des pauvres secourus
est presque aussi élevé que dans le centre de la ville. En bref, la
géographie sociale ne recoupe pas celle de l'urbanisation. Le témoignage des contemporains confirme le fait en soulignant fortement
les oppositions et les contrastes partout imbriqués : extrême
richesse, extrême pauvreté, luxe et indigence, travail et chômage, loisir et activité, sûreté et désordre. Le Paris ancien où la
ségrégation sociale n'existe pas mais s'amorce suggère une ambiance
culturelle très différente de la ville postindustrielle. La coexistence
des classes a, sinon des vertus politiques, du moins ses enseignements dans le domaine de la civilisation des mœurs et plus simplement encore ses implications pour la culture matérielle. Paris est
à la veille de la Révolution la ville des hiérarchies subtiles et des
intermédiaires culturels même si les transformations des années
1770-1789 ont vu durcir les difficultés donc les antagonismes, ce
qui facilite les émotions du peuple et sa mobilisation politique.
Ainsi le centre s'appauvrit, son patrimoine immobilier — celui
des vieilles bourgeoisies parisiennes — perd de sa valeur, sa
population se densifie et les migrants s'y installent, de surcroît
il se prolonge dans toutes les directions de l'espace par des
zones de paupérisations, qui le joignent aux faubourgs des deux
rives. Dans ses rues étroites aux maisons surélevées, les mal-
logés dominent. Sans l'être entièrement, c'est en grande partie le
Paris du peuple. Alentours, la ville dirigiste des Rois avec ses
places, ses monuments, ses hôtels, s'étend et se densifie sur la
lancée de l'urbanisme louis-quatorzien, la population change, le
Marais aristocratique devient parlementaire voire populaire, le
faubourg Saint-Germain voit dans ses rues mieux tracées hôtels et
maisons bourgeoises se mêler. Le peuple traverse plus souvent ces
beaux ensembles qu'il n'y habite, même s'il peut y avoir ses

îlots, ses retraites. Au-delà encore, la ville de la croissance spécu-
lative, vers les Champs-Elysées, les collines de Monceau, l'Opéra,
lieu de l'argent et de la dépense improductive, prélude à la naissance des beaux quartiers. Ce sont ces quartiers qui symbolisent
à nos yeux le Paris urbanisé, raffiné, cultivé de l'âge des Lumières
mais c'est l'ensemble des faubourgs et les zones centrales qui par
leur travail paient la croissance. Du haut des tours de Notre-
Dame, Sébastien Mercier invite ses lecteurs à admirer la ville
« ronde comme une citrouille » dans le méandre du fleuve, couverte
des fumées de ses innombrables cheminées « comme une marque
de transpiration », largement ouverte aux campagnes par le système de ses nouvelles avenues flottant dans le vide des champs.
Sa vision, que guident en esprit tous les présupposés de l'esthétique du temps, constate les juxtapositions, additionne les
contraires. Le Paris du peuple est fait de ces heurts.

Notes du chapitre I

1. Rétif de la Bretonne, *Les Nuits de Paris ou le spectateur nocturne*, Londres (Paris), 1788, 7 vol., 14 parties, 3 359 pages, pp. 2493-
2494.
2. MS 768 — BHVP — p. 28 — Mémoires de Ménétra, nous pré-
parons l'édition critique de ce texte.
3. Rétif de la Bretonne, *Monsieur Nicolas, ou le cœur humain
dévoilé*, Paris,1959, 6 vol., pp. 175-185.
4. « La ville au XVIIIe siècle », colloque d'Aix-en-Provence, 1973,
Aix-en-Provence, 1975.
5. Rousseau, J.J., *Les Confessions*, in *Œuvres Complètes*, Paris,
1962-1969, 4 vol. t. 1, p. 154.
6. J.-C. Perrot, *Genèse d'une ville moderne*, Caen au XVIIIe, Paris,
1975, 2 vol., t. 1, p. 25.
7. M. Reinhard, *Paris pendant la Révolution*, CDU, Paris, 6 fascicules, 1962-1963, fasc. 1, pp. 14-19.
8. L.-S. Mercier, *Le Tableau de Paris*, Amsterdam, 12 vol., 1781-
1788, t. 1, p. 13 sq.
9. L. Marin, *Utopiques : jeux d'espace*, Paris, 1973, pp. 257-290.
10. B. Fortier et B. Vayssière, *L'architecture des villes. Espaces,
cartes et territoires*, in Urbi, 1980, pp. 53-63.
11. F. Braudel et C.-E. Labrousse, *Histoire Economique et Sociale de
la France*, t. II, 1970, pp. 529-562.
12. R. Descimon et J. Nagle, « Espace et fonction sociale : les quartiers de Paris du Moyen Age au XVIIIe siècle », in *Annales*, E.S.C.,
1979, pp. 966-983.
13. M. Poète, *Formation et évolution de Paris*, Paris, 1910, pp. 145-
148.
14. J. Pronteau, « Le travail des Limites de la ville et faubourgs de
Paris... », in *Annuaire de l'Ecole Pratique des Hautes Etudes*, IVe section,
1977-1978, Paris, 1978, pp. 707-745.
15. O. Zunz, *Le quartier du Gros Caillou*, in *Annales*, E.S.C., 1970,
pp. 1024-1065.

16. M. Gallet, *Demeures parisiennes, l'époque Louis XVI*, Paris, 1964, pp. 17-18.

17. L. S. Mercier, *op. cit.*, t. 1, pp. 17-18, pp. 222-223, pp. 263-269.

18. H. Burstin, *Le faubourg Saint-Marcel à l'époque révolutionnaire*, Thèse 3ᵉ cycle, Paris, 1977, pp. 30-50.

19. R. Monnier, *Les classes laborieuses du faubourg Saint-Antoine sous la Révolution et l'Empire*, Thèse de 3ᵉ cycle, Paris, 1977, pp. 15-20.

20. L. Chevalier, *Classes Laborieuses et Classes Dangereuses*, Paris, 1958, pp. 257-258.

21. D. Roche, « Les migrants parisiens au xviiiᵉ siècle », in *Cahiers d'Histoire*, 1980, pp. 5-20 (donne l'essentiel des sources).

22. E. Charlot et J. Dupaquier, *Mouvement annuel de la population de la ville de Paris de 1670 à 1821 ; Démographie Historique*, 1967, pp. 511-519. Au total l'excédent des naissances sur les décès n'atteint pas 20 000 pour le siècle, sans prendre en charge les nourrissons décédés hors la ville.

23. M. Reinhard, *op. cit.*, fasc. 1, pp. 35-41.

24. S. Lartigue, *Les populations flottantes à Paris au XVIIIᵉ siècle*, Mémoire de maîtrise, Paris-I, 1980, pp. 124-127.

25. Des Essarts, *Dictionnaire de la Police*, Paris, 1786-1788, 7 vol., t. VII, pp. 458-463.

26. A. Farge, *Le vol d'aliments à Paris au XVIIIᵉ siècle*, Paris, 1974, pp. 118-119.

27. M.-C. Lorang, *L'Hôtel-Dieu de Paris au XVIIIᵉ siècle*. Thèse de l'Ecole des Chartes, ex. dactylographié, Paris, 1975.

28. L. Henry, *Deux analyses de l'immigration à Paris au XVIIIᵉ siècle*, Population, 1971, pp. 1075-1092.

29. M. Botlan, *Domesticité et domestiques à Paris dans la crise (1770-1790)*, Thèse de l'Ecole des Chartes, ex. dactylographié, Paris, 1976.

30. F. Raison, *La colonie auvergnate de Paris au XIXᵉ siècle*, Paris, 1976.

31. D. Rabreau, in *Charles de Wailly, peintre et architecte de l'Europe des Lumières*, Paris, 1979, pp. 64-69.

32. P. Chaunu, *La Mort à Paris, 16ᵉ, 17ᵉ, 18ᵉ siècles*, Paris, 1978, pp. 197-210.

33. L. Bergeron, « Croissance urbaine et société à Paris au xviiiᵉ siècle », in *La Ville au XVIIIᵉ siècle*, Aix-en-Provence, 1975, pp. 127-134.

Chapitre II

Connaître le peuple

« Le petit peuple est inaccessible à
la raison. »

FONTENELLE.

Depuis une décennie au moins, les études sur le Peuple, celui
de la France d'Ancien Régime, celui du Paris pré-révolutionnaire,
s'intéressent surtout aux frontières. Classes laborieuses, classes
inférieures sont étudiées dans le rapport qu'elles entretiennent
avec les normes sociales ; ce que l'on interroge c'est leur marginalité, c'est leur instabilité, c'est leur pauvreté. Criminels,
déviants, exclus, marginaux, occupent le devant de la scène[1]. La
perspective est légitime dans la mesure où l'Histoire cessant de
privilégier les premiers rôles donne la parole aux hommes obscurs.
Elle se justifie aussi par le fait même que le discours des dominants et les archives de la répression constituent un aveu sur la
société elle-même, révélateur de la manière dont les peurs et les
refus façonnent un consensus, et, à travers la législation et son
application, fabriquent l'exclusion[2]. Les images du peuple deviennent alors aussi précieuses pour la compréhension des rapports
sociaux que la réalité reconstituée à travers des filtres multiples
dont nos propres préjugés ne sont pas à exclure. Comprendre le
peuple parisien, c'est à la fois imaginer ses caractères et ses comportements mais c'est aussi reconstituer une identité sociale à
travers le système des représentations qui tente de l'exorciser
pour la contenir. En d'autres termes, il s'agit d'interroger des
stéréotypes et des mythes. Mais pour cela l'investigation historique — dans laquelle nous faisons largement place aux réflexions
des historiens de la Littérature sur le texte — s'avère bien incertaine. Travailler sur les images, les discours, les représentations
n'est pas moins légitime que de réfléchir sur la réalité tout à la
fois probable et indécise que l'historien élabore dans ses analyses
d'archives. Connaître le peuple de Paris c'est d'abord tenter
d'évaluer des manières de parler du peuple donc saisir un

système de perceptions sociales qui, par un jeu de miroirs, questionne la réalité reconstruite de l'historien.

En même temps, étudier le peuple de Paris au XVIIIᵉ siècle, c'est aborder un sujet historique légendaire et mythique car la finalité révolutionnaire des classes laborieuses et dangereuses encombre le terrain. Les classes populaires dominent la Révolution « pour le bien et pour le juste sous la plume de Michelet, pour l'inepte et pour le mal sous celle de Taine [3] ». Exclues de la puissance et de la culture, elles sont la « canaille » des seigneurs émigrés, la « vile multitude » de M. Thiers, et elles comptent d'autant plus aujourd'hui qu'elles ne comptaient pas autrefois, malgré leur nombre, parce qu'elles se chargent de toutes les potentialités du futur. Or, l'important est de comprendre pourquoi les masses parisiennes ont pris une part active à la Révolution bourgeoise, comment elles sont parvenues à une prise de conscience politique au moins partielle, comment elles ont pu suivre les chefs de la sans-culotterie révolutionnaire [4]. Ce faisant, et cela s'impose, ne risque-t-on pas de réécrire l'histoire à notre manière, c'est-à-dire dans la perspective d'un avenir nécessaire [5] ?

Toutefois, écrire sur le peuple c'est choisir son camp. Sans pénétrer plus avant dans une polémique née avec la Révolution elle-même et qui n'a pas sa place ici, il faut d'entrée de jeu montrer ses cartes. Le débat qui divise l'historiographie française sur la nature de l'événement révolutionnaire a fini par faire oublier qu'en deçà des interprétations globales, la Révolution avait des acteurs et que l'événement a d'abord été fait d'une série d'actes quotidiens répondant à des situations quotidiennes. La gravité des questions que pose l'intervention populaire entre 1789 et 1794 pour les consciences françaises de notre temps exige qu'on s'interroge sur les modes d'existence du peuple et le fait qu'il s'intéresse à des théories « visant plus bas que le gouvernement et s'efforçant d'atteindre la société qui lui sert d'assiette », pour parler comme Tocqueville [6]. En d'autres termes, il importe de voir comment les classes laborieuses par leur pauvreté, la précarité plus ou moins contraignante de leurs manières de vivre, par leur culture différente posaient aux classes dirigeantes, privilégiées et bourgeoises, l'importante question de l'égalité sociale bien au-delà du juridisme. Bref, il s'agit moins de participer une fois encore à la consolidation d'une image historique fermement établie, la Révolution fille de la misère avec Michelet, que de retrouver la complexité de la réalité sociale, la Révolution fille de la prospérité, avec Jaurès ; soit comprendre ce que signifie la vie ordinaire d'un peuple qui n'a pas vécu l'entier XVIIIᵉ siècle dans la préparation des lendemains qui chantent. Cette option résolument partiale et partielle, ne postule pas qu'on puisse réconcilier les contraires mais que le métier d'historien accepte l'ambigu et le contradictoire, l'instabilité matérielle et les indices d'amélioration, la misère morale et les manifestations d'un bonheur simple, les phénomènes de passivité et les faits de protestation qui ne conduisaient pas nécessairement à l'explosion révolutionnaire. En tout cas, s'il est nécessaire de se déprendre du fantasme des origines quand on voit le peuple entrer en révolte, il n'est pas inutile non plus de s'interroger sur son inertie séculaire, la rareté et le manque d'ampleur des séditions, au-delà peut-être sur l'hétérogénéité de sa conscience, de ses aspirations. Cent ans de calme ou presque, ne suffisent pas à proclamer l'extinction du paupérisme mais peuvent justifier l'étude des pratiques de détournement par lesquelles le peuple fait partiellement sien le patrimoine culturel des autres classes, l'analyse des mesures de contrôle social qui ont pu contribuer à constituer un climat de calme en dépit des problèmes posés par la croissance. Les explosions fugitives, les alertes brèves, les gestes de protestation, qui ponctuent de leurs brefs clignotements « le grand silence populaire du temps long [7] », ne seront pas ici au premier plan. C'est là un choix volontaire. Mais, au total, la vérité risque d'être tiède, c'est le danger à courir. Entre le peuple chaud de l'histoire militante et le peuple froid d'une histoire trop pensée, il faut tenter de retrouver l'identité spécifique d'une classe qui se constitue.

Michelet nous y invite. « Oh, qui saura parler au peuple ?... sans cela nous mourrons » disait-il à Béranger, signifiant ainsi l'existence d'un état populaire originel qui pour lui était la terre promise et qu'il fallait retrouver [8]. Au moment où s'amorcent en clair les premières conséquences de la Révolution industrielle, l'écrivain se doit de témoigner et de donner la parole « aux masses profondes ». De ce fait, l'intervention du peuple remet à sa juste place la part des événements et dans leur juste perspective les institutions [9]. Si le peuple de Paris rejette la monarchie pluriséculaire, c'est qu'elle s'est disqualifiée à ses yeux et que désormais la Nation dessine son destin. Mais en même temps, le peuple de Michelet n'est pas seulement l'objet d'une démonstration historique. C'est aussi un personnage familier, observé le dimanche aux barrières de Paris, entendu dans le témoignage d'une grand-mère perspicace et qui se souvient des années noires comme des bons moments, interrogé dans l'atelier, sur le chantier, au cabaret. Michelet, historien de l'immédiat, montre comment il faut confronter les écrits des observateurs, Villermé, l' « estimable M. Buret » auteur de *La Misère*, Hippolyte Passy, Victor Gasparin, Léon Fauchet dont les notes rappellent le souvenir, avec les perceptions simples et quotidiennes, « le je sentis tout cela quand... ». Pour l'Historien du dernier quart du xxᵉ siècle, toute la difficulté est là. L'unanimité sensible qui fonde la cohérence du Peuple romantique peut-elle être projetée sur le monde laborieux qui s'entasse dans le

Paris des Lumières ? Oui, dans une certaine mesure, si l'on essaie de confronter l'observation du dedans et celle du dehors, si l'on admet que les changements dans les classes inférieures sont bien plus lents qu'en haut, si l'on concède aux petites gens le droit à l'étrangeté que leur refusent en tous temps les hommes d'ordre. La recherche d'une définition du peuple exige pour être pleinement heuristique qu'on ne s'enferme pas dans des préalables. En revanche, il faut confronter trois cheminements possibles pour arriver au but : d'abord, voir comment les observateurs moraux — catégorie commode pour regrouper tous ceux qui regardent vivre le peuple, méditant de l'améliorer, écrivains, publicistes, gens de bien — lèguent une certaine vérité des milieux populaires ; ensuite, comparer cette première image où la représentation des classes laborieuses est indissolublement liée à une conception de la ville, avec d'autres, livrées en vrac par les typologies reconnues des groupes inférieurs mais saisies dans la hiérarchie globale de la société parisienne, en bref peut-on évaluer le peuple ? Enfin, montrer qu'il est possible dans certains domaines, ceux de la culture matérielle, ceux de la culture tout court, d'aller plus avant en utilisant à la fois les témoins et les archives dormantes, principalement celles que les notaires ont laissées.

Les observateurs du peuple s'organisent en trois strates principales, celle des Littérateurs, celle des économistes moraux, celle des médecins. La première — ensemble vaste et imprécis mais commode pour rassembler textes majeurs et œuvres du second rayon est bien sûr impossible à interroger en entier, indirectement on peut voir ce que les historiens de la littérature disent des « Images du peuple », directement il est loisible de regarder un modèle précis, ayant mis le peuple en scène : le genre poissard. La seconde strate est bien connue, plus accessible d'une certaine manière, et illustrée d'un éclat exceptionnel à la veille de 89 par deux piétons de Paris : Sébastien Mercier et Nicolas Rétif. Enfin, la troisième, avec les topographies médicales et les enquêtes scientifiques, traduit la double montée d'une pensée médicalisée et d'un sentiment commun aux élites savantes définissant un véritable idéal clinique urbain. L'ensemble, témoignages et réflexions, replace le peuple parisien au cœur d'une méditation générale sur la croissance dont les figures principales sont la Ville et l'Individu urbanisé.

A l'évidence, le peuple tient dans les œuvres d'un grand nombre d'auteurs une place de plus en plus grande [10]. Raison et paternalisme, peur et intérêt de classe, sensibilité et générosité poussent les écrivains à s'y intéresser et le miroir qu'ils nous tendent est révélateur d'une manière de voir — sinon d'une définition —, ainsi que de la façon dont joue esthétiquement une présence sociale. Deux frontières principales se dessinent. La première

situe le peuple dans la hiérarchie d'ensemble de la société, la
seconde proclame l'unanimité du clivage au sens large, car mœurs
et comportements ont autant sinon plus d'importance dans la
littérature que la fameuse culture populaire. Sur le premier
front, les écrivains du xviiie siècle distinguent toujours le peuple
de ce qu'il n'est pas. Le critère principal, retenu par une majorité
d'auteurs, est alors le travail, la participation à l'effort productif
dont on ne contrôle pas les moyens. En quelque sorte, le Siècle des
Lumières pense spontanément marxiste. L'abbé Coyer, le Chevalier
de Jaucourt, le Marquis d'Argenson et quelques autres, Rousseau
lui-même [11], n'omettent jamais ce caractère. L'effort de réflexion
de Condorcet et de quelques patriotes tendra pendant la Révolution à exalter ce rôle, le moment permet de faire du Sauveur lui-
même, le premier des Sans-Culottes, nombre de prêtres à l'exemple
du prédicateur François-Léon Réguis ne croient plus qu'en
naissant fils du charpentier Joseph, le Christ ait choisi la plus
ignominieuse des conditions, mais au contraire celle où se trou-
vaient la vraie vertu et la vraie humilité, parmi les artisans et les
humbles [12]. L'opposition du capital et du travail tend à se substituer au traditionnel clivage des ordres. Pour les écrivains, le
labeur est signe distinctif des classes populaires mais aussi moyen
d'évasion et de mobilité. Les héros des drames bourgeois et popu-
listes, qui dans « leur langage mouillé et exclamatif » (G. Lanson)
proposent au public de Paris l'image rêvée et sensible d'une société
bonne où la vertu est fait de civilisation, s'élèvent toujours par le
travail, symbole d'infériorité mais aussi de dignité nouvelle.
Drames et comédies respectent le moralisme laborieux de la petite
bourgeoisie et du peuple spectateurs. A l'inverse, les penseurs les
plus réactionnaires (ils deviendront vite contre-révolutionnaires)
maintiennent toutes choses à leur place, même s'ils retrouvent des
critères identiques pour justifier l'équilibre des tâches au sein
d'une société organisée par la Providence, leur imaginaire social
se nourrissant encore des vieux partages médiévaux. Pour tous,
le travail c'est la santé des sociétés car sans dominé, pas de
dominant, sans peuple pas de bourgeois. Marivaux peut écrire à
propos des citoyens oisifs de Paris et des classes populaires : « Tous
vivotent, mais ceux-là travaillent : eux se piquent de faire travailler les autres... »

L'unanimité de ce premier constat suppose toutefois autre
chose : reconnaître au peuple son utilité autonome exige qu'on
élimine ceux qui ne lui appartiennent pas. La frontière d'un
cinquième état devient nécessité conceptuelle. Au-dessous du peuple,
exclu de tous pouvoirs mais rassemblant des sujets fidèles et raisonnables, travailleurs et utiles, somnole la populace, le monde
des chômeurs et des mendiants, la masse des désœuvrés, des ratés,
des prostituées, l' « underground » des Lumières toujours prêt au

tumulte. Chez beaucoup, on pressent la hantise des bas-fonds où le peuple déshumanisé par la misère perd sa qualité, où l'Opéra des Gueux n'est qu'un signe de la mutation des classes laborieuses en classes dangereuses. Sans doute les penseurs du temps trouvent remède à ces contradictions, la répression attend les uns, un bonheur simple et sage les autres, récompensés de leur bonne volonté : on y veillera. Les événements de 1789-1792 auront le mérite de proposer au monde un modèle d'avenir : « Les hommes en société ne seront jamais libres, heureux et bons, tant qu'il y aura parmi eux beaucoup plus de populace que de peuple [13]. » La Révolution a fait naître le peuple à la conscience. Le regard ironique ou inquiet d'un Marivaux, l'anxiété d'un Prévost, la compassion révoltée d'un curé Meslier ou le républicanisme à l'antique de l'abbé Coyer ne nous renseignent guère sur la lente germination du citoyen mais montrent bien comment le peuple, relevé par son travail, demeure inférieur pour raison de culture. A l'heure où les déblocages culturels sont en cours avec une prodigieuse avance dans les villes, la fiction retarde sur la réalité.

Le peuple des écrivains est une majorité qualifiée par les signes irréfutables de son retard intellectuel et moral. Le peuple c'est l'ignorance, plus souvent le silence de qui ne peut parler, pour quelques-uns et non des moindres, c'est la conscience trompée — par les prêtres accuse Meslier —, « on le berce de fables », écrit l'abbé Coyer ; accablé de travaux s'instruire pour lui est impossible. Son univers est celui du caprice, de la déraison, de la crédulité, des préjugés de tous ordres. La passion, l'irritabilité, la violence sont le lot commun des gens de peu ; les constellations lexicales entrevues chez plusieurs auteurs du temps rassemblent un vocabulaire de bruit et de fureur : le peuple est aveugle, vicieux, turbulent, déchaîné, dangereux. En ce cas, faut-il l'instruire pour le sortir des ténèbres ?

La question est posée aux élites académiques en 1780 par le concours lancé de Berlin [14]. Dans les réponses s'affrontent deux conceptions du peuple. Répondre oui, c'est accepter une politique neuve, une société autre, plus égale et plus juste ; répondre non, c'est rester fidèle au statu quo, où d'ailleurs l'équilibre social exige la promotion filtrée des meilleurs. La fonction politique du *Sapere Aude,* bientôt reprise par Kant, exprime la peur de l'anarchie, la croyance aux réformes lentes et tranquilles, la méfiance. Les conditions réelles du travail urbain, la misère du plus grand nombre, l'amorce limitée du progrès, les mœurs rudes, brutales des hommes du quatrième — le peuple travailleur — et cinquième — la population redoutée — états, un ensemble indistinct de mouvements incontrôlés, de passions collectives aisées à enflammer, dans lequel les honnêtes gens voient nécessairement le témoignage de leur propre excellence. Il faut donc d'abord abreuver le peuple de pieuses lectures et sa soif sera apaisée, ses instincts brûlants calmés. Là — c'est le cas à Paris — où le peuple est plus instruit, là où il a en tout cas plus d'occasions de s'instruire, par le théâtre, les libraires, le colportage, la culture des classes laborieuses doit être moralisée. Les écrivains révèlent à leur public l'existence d'une barbarie redoutable et qu'il faut civiliser. Face aux troubles qu'on doit contenir, répression et communion, éducation et assistance sont les remèdes continuellement évoqués par les auteurs comme par les penseurs politiques. De surcroît, une véritable mythologie populaire se forge qui trouve ses racines chez Marivaux, Rousseau surtout, et quelques autres. Par opposition aux forces populaires urbaines chaotiques et violentes, la « mer agitée » dont parle avec bonheur Marivaux, la vérité du peuple se réfugie dans les campagnes. Le siècle s'achève, les bons paysans face aux méchants citadins, incarnent un nouvel exorcisme. Les coutumes qui sont pour Rousseau « la morale du peuple », les fêtes rustiques idéalisées, les chants qui passent dans le grand répertoire, promettent une autre fraternité. Au temps pré-révolutionnaire où triomphe la romance, quand Marie-Antoinette berce ses moutons et quand Louis XVI brosse ses serrures, la poésie académique elle-même chante le peuple en vers fugitifs. L'Arcadie est l'avenir de l'homme et l'image neuve d'une population plus heureuse, meilleure, car plus proche de la nature fait son petit bonhomme de chemin. Toutefois, le peuple est-il jamais lui-même, insaisissable, partagé et tiraillé qu'il est entre les vertus champêtres et l'immoralité urbaine ? Les enseignements de l'exotisme sont toujours ambigus et le succès des mythes poissards dans la seconde moitié du XVIII° siècle tend à le prouver clairement pour Paris [15].

L'intérêt d'un genre qui puise ses leçons dans la tradition burlesque du siècle précédent et se nourrit quotidiennement des enseignements de la comédie italienne et de la parade de foire, tient au fait qu'il met en scène le petit peuple. Prose et vers, comédies et nouvelles, scénettes et almanachs [16] restituent d'abord un langage, les façons de parler et le vocabulaire qu'on prête aux dames de la Halle, aux harengères, aux écosseuses, aux blanchisseuses, aux ravaudeuses, les mots placés dans la bouche des cochers de fiacre, des portefaix, des bateliers, des gagne-deniers, des porteurs d'eau, des charbonniers, des colporteurs, des raccoleurs et des soldats et autres batteurs de pavé. Expressions basses, injures, paroles grossières, tournures bizarres, accentuations déformées et grammaire désinvolte définissent peut-être la vérité du langage populaire mais aussi la convention d'une esthétique habile. Le peuple est observé comme objet de divertissement et sa maladresse langagière est un ressort comique. On riait de Cataud la blanchisseuse et de Mams'elle Godiche aux « dîners du bout du banc » qui rassemblent les amis du Comte de Caylus, on trépignait de joie à l'Académie des Colporteurs ou aux séances des Joyeux Sociétaires de Montmartre. Voisenon, Vadé, Duclos, de Cury, Mademoiselle Quinault, la Comtesse de Verrue, le Comte de Tressan, bref tout un monde, se réjouit des facéties du bon peuple qui n'est jamais ni misérable, ni dangereux. L'ironie confère valeur suffisante et nécessaire à ses registres favoris : la colère — l'engueulade chère à Mme Engueule mère de Mme Angot —, l'invective contre le bourgeois, la verve triviale, le sentimentalisme un peu niais. Le Paris poissard est un spectacle qui relève de l'ironie moqueuse et de l'attention au pittoresque beaucoup plus que du réalisme. La recherche de l'effet peut toutefois traduire — ainsi avec Vadé — la fidélité au modèle.

Cette première distanciation se double de la mise en perspective, par l'étrangeté des mœurs et des manières, d'une ethnologie involontaire mais précieuse. Les épisodes poissards placent leurs héros en situation divertissante ; l'échange amoureux (voir les Lettres de la Grenouillère) la rencontre propice à la sociabilité des petites gens. Ces étranges animaux affectionnent le cabaret, les barrières, le plein vent de la rue, l'auvent de la boutique, les berges du fleuve et les guinguettes périphériques, décors où les auteurs prouvent moins leur volonté d'être réalistes — ils se gardent bien de montrer le peuple au travail — que leur intention d'exotisme immédiat. Sous nos yeux le peuple joue encore la même comédie bruyante et confuse, qui fascinait les grands seigneurs. Il est agité et braillard, facétieux et immoral, porté sur la chopine et le tabac, emporté mais pas méchant. De bons sauvages en somme ! Les beaux esprits, les aristocrates dans leur petit théâtre, les amateurs dans leur cabinet, les petites maîtresses dans leur boudoir, ne s'y trompent pas qui s'amusent de « ces gens-là », si étonnants et si conformes au rôle que la providence leur a tracé.

Reste une dernière dimension moins bien connue quoi qu'aisément perceptible et qui interdit de voir dans la littérature poissarde un témoignage réaliste sur les mœurs populaires ; le genre prend le peuple comme cible politique, et ainsi donne une leçon de conformisme. Tous les auteurs poissards, sauf Caylus, sont proches des classes laborieuses, Fleury dit l'Ecluse acteur et charlatan, Cailleau libraire un peu pornographe, Taconnet, charpentier puis comédien, Vadé fils de marchand, coqueluche des cabarets, secrétaire du duc d'Agenais, Dorvigny fils naturel et comédien. Ce sont des intermédiaires qui apprivoisent la sauvagerie pour les gens de bien, ce sont des propagandistes, serviteurs rarement critiques de l'ordre. Nombreuses sont leurs œuvres qui s'achèvent sur la proclamation des fidélités éternelles et la louange des bons rois. La glorification de l'homme simple s'accompagne d'un message de concorde et d'harmonie. « Buvons, puisque notre bon Roi le veut ! » Il est alors aisé de comprendre comment, retrouvant la verve des libelles et des mazarinades poissardes destinées au public frondeur, brochures et manifestes de l'époque révolutionnaire réutilisent les mêmes procédés, parlent le même langage et font discourir sur les événements les mêmes personnages. Des *Cris du cœur sur l'édit de 1774,* de Cailleau, aux *lettres bougrement patriotiques du Père Duchesne* la conscience politique populaire a pris forme mais elle s'exprime avec d'anciens moyens détournés de leur finalité primitive.

Le fils de l'armurier parisien Sébastien Mercier et celui du laboureur bourguignon emparisianisé Nicolas Rétif offrent à travers leurs œuvres pléthoriques une autre occasion de s'interroger sur les passeports historiques du peuple de Paris. Accepter tels quels leurs discours c'est admettre un peu vite que leurs œuvres se veulent témoignage avant d'être littérature. Pour Mercier c'est clair, les *Tableaux de Paris* sont écrits après qu'il ait tracé sa voie dans le monde des lettres et qu'il ait gagné une réputation solide d'homme de théâtre. L'écriture des impressions parisiennes est à la fois acte critique, affirmation d'une volonté réformatrice, appel à l'indépendance de soi et des autres mais c'est aussi choix, commentaire en marge des lectures faites des anciens et des modernes, effort pour saisir par les mots une vérité sociale. Le titre ne trompe pas, Paris, son peuple, sont en représentation, mis en scène [17]. Pour Rétif, c'est indiscutable : chacun de ses ouvrages se présente comme totalité reconstruite qui établit entre la réalité vécue, l'expérience réelle, et le récit qu'elle en donne une distance notable. Ni *Monsieur Nicolas,* ni *Les Nuits de Paris* ne sont le témoignage autobiographique que l'auteur proclame avoir voulu donner [18]. Le romanesque et le fantasme, la critique sociale et l'érudition autodidacte s'y entrelacent pour faire, comme chez Mercier, d'une réalité incohérente un système homogène ; une commune passion fait de ces deux Parisiens, promeneurs infatigables et observateurs originaux, des témoins irremplaçables du peuple parisien mais dont les présupposés moraux, le mélange de fiction et de réalité, l'effort de transposition pour rendre compte de la manière dont vivent les gens de peu permettent de s'interroger sur le lien par lequel l'observation morale communique avec l'Histoire. Leurs œuvres ne peuvent coïncider quoiqu'on pense [19], avec le regard des classes laborieuses sur elles-mêmes, témoins du peuple ils parlent à sa place.

Certes il y a le « réalisme », le populaire de Rétif et de Mercier accède à une vérité autre que les écrivains poissards, il se débarrasse partiellement de sa livrée populiste, il s'anime par des ressorts qui mettent en cause les tensions sociales, il permet une sociologie rétrospective des gestes, des manières de sociabilité. Mais, il ne faut pas oublier que l'intrusion de la réalité triviale est une façon de l'époque pour se libérer du discrédit de l'imaginaire et qu'il s'agit de donner au lecteur une image plus exotique que familière. Pour Mercier comme pour Rétif deux ou trois biais infléchissent l'observation et notre lecture. La volonté moralisante, qui justifie la peinture contrastée des ombres et des lumières, le goût de l'intéressant et du pittoresque, le sens du « piquant », et surtout l'attitude qui mêle observation et pédagogie. Les mœurs n'ont d'intérêt que pour l'espèce humaine entière. « De tous nos gens de lettres, je suis peut-être le seul qui connaisse le peuple, en me mêlant à lui, je veux le peindre, je veux être la sentinelle du bon ordre. Je suis descendu dans les plus basses classes afin d'y voir tous les abus », écrit Rétif dans *Les Nuits,* propos que Mercier ne désavouerait pas.

Au total, il s'agit toujours de l'humaine nature et non de la réalité concrète des existences, la conversion du peuple est au bout du chemin. Le « naturalisme » incontestable des observateurs moraux s'accommode parfaitement d'un parti pris édifiant donc réducteur. Ils font de la réalité un décor, le support pour des aventures, le point de départ de l'imagination, le matériel d'une instruction pour la transformation des mœurs populaires qui restent partiellement étrangères et incomprises. La plongée dans les bas quartiers est de même nature que la traversée des campagnes, le voyage étranger, l'aventure utopique, elle permet de convaincre et d'édifier par la découverte d'un dépaysement. C'est pourquoi les observateurs moraux voient dans les manières nouvelles du peuple la preuve de l'imminence d'une catastrophe — rien ne va plus, les gens de peu murmurent contre les riches — et la confirmation de la nocivité du spectacle urbain corrupteur. La Révolution génératrice de peur sociale prouvera définitivement une appréhension qui n'est pas isolée dans les années quatre-vingt. La connaissance et même la sympathie mitigée pour le populaire se concilient parfaitement avec la terreur de la populace et conduisent inévitablement la réflexion à la recherche des remèdes. Rétif et Mercier partagent en cela une identique destinée comme ils ont en commun la passion de Paris et l'amour fou de l'écriture. Ils sont solidaires dans une même histoire posthume qui voue leurs écrits abondants au morcellement douteux des anthologies, aux choix triés pour leur pittoresque. Ils sont aussi unis dans une ambiguïté fondamentale face à la « Ville des hommes », eux qui à tous moments se perdent dans les mœurs de la cité en quête d'une vérité insoucieuse des vraisemblances, où l'exercice de l'écriture rend souvent imprécise les frontières du réel et de l'imaginaire. L'historien du peuple parisien y trouvera moins confirmation de ce qu'il connaît par ailleurs qu'un repérage des

gestes ordinaires moins attendus, révélateurs du rapport des
hommes à leur environnement, « donc de pratiques sociales immé-
diates qui sécrètent représentations et attitudes en même temps
qu'elles sont informées par elles [20] ».

La démarche des médecins doit susciter une interrogation comparable. Le discours sur la capitale et sa population que développent Hallé, Audin, Menuret de Chambaud, Lachaise et quelques autres s'inscrit dans la montée des topographies médicales
rurales et urbaines [21]. Il a donc valeur de témoignage d'autant
mieux informé qu'il traduit une pratique professionnelle aux
contacts des lieux et des hommes. Mais en même temps, il relève
d'un code culturel où le néo-hippocratisme bascule souvent dans
l'idéologie anticitadine et l'utilitarisme réformateur. Le foisonnement des interrogations permet de mesurer des obsessions et des
préoccupations normatives car, pense le monde médical, ce sont
des médecins seuls que les magistrats apprendront l'art d'aménager les villes [22]. Paris, les Parisiens ne sont qu'un exemple
parmi des milliers d'autres dans l'Europe des Lumières, de la
manière dont l'enquête médicale doit s'accrocher au réel selon un
schéma ancien, revu et corrigé par la Société Royale de Médecine
vers 1776. « /on s'informera/ du tempérament des habitants,
de leurs boissons, de leurs manières de se nourrir et de se vêtir,
de leurs habitudes, de leurs mœurs, de leurs occupations, de la
construction de leurs maisons, des maladies les plus ordinaires...
en faisant une attention plus particulière aux maladies dont
certains ouvriers sont affectés... [23] ». Vaste programme et ques-
tionnaire difficile à remplir ! Voici comment Menuret de Chambaud y répond en 1786 : Introduction et considérations générales,
11 pages ; du Soleil et du feu, 8 pages ; de l'air 9 pages ; de
l'eau 30 pages ; de la terre, 14 pages ; Histoire physique de la
ville, 26 pages ; Considérations sur l'homme physique et moral,
30 pages ; Effet des saisons, une trentaine ; sur la petite vérole,
une quarantaine ; sur l'inoculation, trente encore. La réalité physique et humaine du peuple de Paris disparaît derrière l'image de
l'organisme urbain entrevu dans le découpage hippocratique,
l'homme du peuple cède la place à un être anonyme et médica-
lisable. Certes, une injection mesurée de soucis économiques et
philosophiques confèrent aux topographies médicales une dimension sociologique intéressante mais elle justifie un conservatisme à
peine tempéré par quelques propositions d'amélioration et de
réforme. Ni les inégalités sociales, ni les tensions entre groupes
sociaux, ne mobilisent réellement les réformateurs médicaux
parisiens. « Combien notre sensibilité n'est-elle pas émue, dans
ces pénibles circonstances (la découverte des misérables) ; on voit
le mal, on ne voit pas le remède, tandis que la cause est permanente. On ne peut hélas que les plaindre... »

Toutefois, la topographie médicale par ces allers et retours entre le milieu et le sujet de la médecine découvre que comportements physiques, habitudes et mœurs sont liés. Une réalité nouvelle surgit où les médecins retrouvent les obsessions des écrivains et des observateurs sociaux, l'environnement dépravé ; l'écologie médicale en échappant aux lieux communs des constitutions météorologiques glisse vers la morale. L'essentiel est la prise en charge de l'espace urbain pour expliquer l'apparition des maladies — non plus les manifestations contagieuses et épidémiques, qui d'ailleurs épargnent Paris depuis la fin du XVIIᵉ siècle [24], victorieux de la peste, « ces fléaux terribles qui dévastent une contrée entière » (Audin Rouvière) — mais les phénomènes voilés, permanents, tenaces, les endémies, les maladies du travail et de la misère. Dans le Paris des topographes médicaux l'intérêt se déplace vers la ville comme espace pathologique, producteur de maladies qui traduisent un dérèglement physique et moral. Alors les contrastes sociaux retrouvent leur place, le peuple et sa misère deviennent la cible d'enquêtes, d'instructions, de mises en garde. « C'est un besoin sans doute que de prévenir le désordre et le malheur où l'excès de misère peut entraîner la classe la plus nombreuse de la société. C'en est un autre que de veiller à la conservation de cette immense et précieuse pépinière de sujets destinés à labourer nos champs, à voiturer nos denrées, à peupler nos manufactures et nos ateliers [25]. » L'utilité médicale coïncide donc avec l'utilité de la société. Le peuple lui-même ne peut prendre en charge sa sauvegarde car livré à l'ignorance et aux préjugés, « trop incrédule et trop accoutumé » ; pour les élites médicales et savantes, l'administration des corps exige la mise en ordre de l'espace, à terme, par une finalité de morale sociale, elle conduit à la police des âmes. Il s'agit moins ici de constater la naissance du « Pouvoir médical » que de noter le détournement d'une rationalité scientifique confrontée au social.

Littérateurs et publicistes, observateurs moraux et médecins ont en commun une vision pathologique de la ville, de Paris. Tout un mouvement de pensée remet en cause la croissance urbaine accusée d'être à l'origine des malheurs de la société et ainsi dégage la spécificité du peuple citadin dans une opposition balancée avec le peuple des campagnes. « Heureux habitants des Alpes », s'écrie Mercier, et combien de mauvais vers ont chanté alors le vrai bonheur des campagnards. D'un dossier souvent ouvert et bien connu, contentons-nous de regarder quelques figures.

Premier point du débat : l'homme même, individu privé et personnage social. Pour beaucoup, la ville l'aliène profondément et son action déculturante s'exerce plus fortement encore sur les classes populaires et sur les pauvres. « D'où vient que l'Homme se dénature-t-il si facilement ? doit-il, comme l'arbre ou comme l'animal, habiter toujours le sol où il est né, je le crois », proclame Rétif. En ville, la déchéance est quasi fatale, le chemin de la prison et de l'hôpital tout tracé car l'homme y a rompu le pacte qui le liait à la Nature. Comme Rousseau l'a bien fait sentir, quitter la campagne c'est abandonner une sensibilité aux saisons, au climat, aux choses, un déracinement au sens plein, qui se traduit par un rapport aux êtres moins chaleureux et moins vivant, le plus souvent une solitude. Le poids de l'entourage sur le moi s'exerce au détriment de la personne, l'homme urbanisé est un être de qualité moindre que l'homme de la nature. Il faut donc encourager les peuples à fuir les cités « au lieu de les exciter à s'entasser dans les villes, les porter à s'étendre également sur le territoire pour le vivifier de toutes parts [26] ». Pour les médecins, une attitude comparable les pousse à chercher l'homme en bonne santé au sein des campagnes et à dénoncer la pathogénie citadine. Il en résulte que l'homme isolé dans la cité doit être sauvegardé par la chaîne de l'assistance et de la médicalisation. L'hygiène des corps et des aliments, les maladies professionnelles, les maladies vénériennes, deviennent pour les médecins parisiens l'objet d'une interrogation anxieuse et entraînent l'idée de la prise en charge des individus par la collectivité. Les procédures d'enquêtes, les statistiques démographiques, les comptages nosologiques prennent dans leur filet des personnes isolées et irresponsables. La médicalisation des hommes s'avère inséparable de leur surveillance et rejoint les conséquences de l'urbanisme de circulation. Les Parisiens seront comptés, identifiés, mieux connus, mieux contrôlés parce que toute une série de mesures tendent à rendre l'espace urbain plus lisible et plus clair. Les projets de Piarron de Chamousset pour une réorganisation de la livraison du courrier, la mise en place du numérotage des maisons, la levée nocturne du Plan de Paris par l'ingénieur Verniquet soucieux d'éviter les incidents avec le peuple qui voit dans l'opération une menace, les réflexions des policiers pour le contrôle des identités et l'élaboration d'un fichier central permettant de connaître tous les individus, définissent le rêve d'une cité transparente aux regards. Connaissance des mouvements, surveillance des délinquants, contrôle des maladies cernent une politique dont le peuple est l'enjeu. « Au premier coup d'œil que l'on jette sur le peuple de Paris, il paraît tout le contraire de nos citadins de province ; chez nous c'est l'apathie, la nonchalance, la tranquillité, ici l'on voit une activité, un air d'affaire ; on ne marche pas, on court, on vole ; nulle attention les uns pour les autres, très peu d'égards dans les occasions mêmes qui le demandent. On voit que tous ces gens-là sont des pièces séparées qui ne forment pas un tout. Je crois que la politique y gagne mais l'humanité y perd sûrement... [27]. » Rétif montre bien ici comment la reprise en main de la ville passe par le maintien de l'aliénation personnelle subordonnée aux principes de la sphère publique [28].

Deuxième figure des discussions, la pathologie de la ville. Dans son désordre le peuple se perd, dans sa réorganisation il ne se retrouve pas. L'essentiel est qu'aux images de l'inculture et de la sauvagerie se superposent tous les thèmes de la décomposition et du mal. « Si l'on me demande comment on peut rester dans ce sale repaire de tous les vices, et de tous les maux, entassés les uns sur les autres, au milieu d'un air empoisonné de mille vapeurs putrides, parmi les cimetières, les hôpitaux, les boucheries, les égouts... au milieu de la fumée continuelle de cette quantité incroyable de bois, au milieu des vapeurs arseniales, sulfureuses, bitumeuses, qui s'exhalent sans cesse des ateliers où l'on tourmente le cuivre et les métaux ; si l'on me demande comment l'on peut vivre dans ce gouffre dont l'air lourd et fétide est si épais qu'on en aperçoit et qu'on sent l'atmosphère à plus de trois lieues à la ronde, ... comment l'homme enfin croupit dans ces prisons tandis que s'il lâchait les animaux qu'il a façonnés à son joug, il les verrait guidés par le seul instinct, fuir avec précipitation... [29]. » Dans ce texte magnifique chargé de toutes les métaphores de la corruption physique et morale, Sébastien Mercier traduit parfaitement le destin du peuple dénaturé dans la ville tombeau. L'omniprésence de la morbidité rayonne à partir de foyers localisés, les prisons, le Châtelet, le Fort-l'Evêque, Bicêtre, les hôpitaux, l'Hôtel-Dieu, la Salpêtrière, les quartiers populaires où s'accumulent dans les rues étroites et sans air les ateliers et les métiers malsains, les cimetières, le charnier des Innocents, le cloître Saint-Gervais [30]. Paris est à la fois cloaque et enfer, domaine de la mort à chaque instant présente, dans les cadavres exposés de la morgue, dans les charrettes des croque-morts de l'Hôtel-Dieu, dans les salles de dissection des chirurgiens, dans les mœurs des professions mortifères, bourreaux, fossoyeurs, carabins [31]. C'est un théâtre d'ombres que l'infection menace, où le sol ruisselle d'eaux boueuses et polluées, de sang et d'excréments, de la noire marée des gadoues. L'eau et l'air sont infectés, l'obsession du poison règne. Le Paris du peuple est une ville nécrophile et coprophage qui inspire terreur et dégoût. Rétif conforte les mêmes images qu'il développe dans le registre des pulsions sexuelles. *Monsieur Nicolas* et *Les Nuits* donnent à voir une ville du mal où règnent le chaos et la mort, un vaste lieu de pourriture. Les boues, les immondices, l'obscurité sont autant de symboles du vice [32], les régiments de prostituées menacent la vertu et l'avenir de l'espèce. La rencontre partout attestée de ces deux thèmes, aliénation de l'individu par la ville et pathologie de l'espace suffit-elle à prouver la désespérance totale du destin populaire parisien ? La réponse est difficile à donner.

Avec Jeffry Kaplow[33], on ne peut douter que toutes ces observations n'aient leur part de vérité, les enquêtes médicales, les chiffres des démographes anxieux de mesurer l'effet de l'urbanisation le prouvent cruellement. La vie ordinaire des Parisiens du peuple se déroule dans un biotope en pleine crise du fait même d'une croissance qui fait de la grande ville le point de confluence des hommes donc des agressions microbiennes et virales. L'espérance de vie du plus grand nombre y est limitée vers 1770 à 29 ans pour 1 000 nouveau-nés et pour les 2/3 qui survivent au bout d'un an, à moins de 40 ans. La mortalité infantile y est terrible, la mortalité générale sans doute de l'ordre de 35 à 45 ‰, l'insalubrité et les pollutions y contribuent largement. Les maladies endémiques, varioles, typhoïdes, fièvres multiples sont sans remède efficace et les topographies médicales rendent compte de l'existence d'affections populaires particulièrement mortifères, le scorbut, les phtisies, les hydropsies, les pleurésies, auxquelles s'ajoutent les maux et les indispositions récoltées dans un travail souvent dangereux[34]. Le menu peuple, en restant fidèle à ses médications familières malgré l'offensive des médecins contre les « préjugés », n'arrangeait certainement pas les choses. Dans ces conditions, non seulement l'accroissement naturel de la population était impossible, mais l'atmosphère sanitaire du Paris populaire devait être déplorable.

Cependant, outre le fait qu'on n'a pas de système de mesure plus efficace pour mesurer les effets de la misère qu'on n'en a pour ceux du plaisir et de la douleur, il importe de se déprendre du catastrophisme des contemporains, et ceci pour deux raisons. La première est que leur méthode de description du peuple et de la ville impose en elle-même le misérabilisme. Elle relève d'une technique du plaidoyer et de la différence qui postule le caractère quasi définitif de la pathologie populaire. Les gens de peu, dangereux, malades, vicieux sont irrécupérables, à jamais incultes, enfoncés dans leur misère, incontrôlables malgré tous les efforts. C'est la conscience de la menace qui doit l'emporter faute de politique urbaine réellement efficace. « La "partie basse" de la population fermente quand les autorités ne font que s'agiter » pense Rétif. « Je m'étonne qu'il n'en sorte pas des dévastateurs qui vous renversent et qui vous fassent marcher la tête en bas, les pieds en haut... » « Souvenez-vous de la guerre des Jacques... [35]. » En second lieu, il faut prendre conscience que penser le peuple dans l'opposition du sain et du malsain, c'est aussi s'enfermer dans une certaine économie du savoir et adhérer à une lecture codée par tous les présupposés des hommes des Lumières devant les pratiques sociales. Plutôt qu'adhérer à cette politique, il importe de la comprendre comme un élément constitutif de la modernité du siècle. Mais, suivre sans précaution préalable les observateurs, c'est prendre pour description sociologique ce qui est exercice social de la science et de la fiction, c'est risquer de manquer la cible. En effet, les textes restituent tout autant la conscience des classes dirigeantes attentives au destin du peuple car elles savent que leur sûreté et leur richesse en dépendent, que la condition réelle des classes laborieuses. Celle-ci est pour une grande part déshumanisée, mais cela n'exclut pas une attitude mentale riche et une capacité culturelle spécifique d'autant plus difficile à reconstituer que le peuple est changeant, mouvant, mais aussi déformé dans le prisme des témoignages. Quand on écrit sur les gens de peu, il ne s'agit plus d'épater le bourgeois par la terreur pittoresque, d'émouvoir le militant confirmé dans ses certitudes historiques, de faire pleurer l'homme sensible persuadé de la permanence de la misère et de la répression mais de laisser entendre d'une autre manière un autre langage. Ce qu'il faut tenter de voir c'est l'ambivalence, à côté de la pauvreté, à côté de la déculturation, les petits faits prouvant l'intelligence, la richesse culturelle, les menus progrès sociaux, tout ce qui fait qu'à aucun moment un objet historique ne peut se réduire à une image unique et simple.

La difficulté commence dès qu'il s'agit de donner une définition et une évaluation précises des classes populaires. Comment en tracer les frontières convaincantes vers le haut et vers le bas alors que trop d'éléments manquent au dossier — rien ou presque sur le travail, rien sur l'économie parisienne, pas grand-chose sur l'éducation et les attitudes religieuses si l'on excepte le *Mourir à Paris* de Pierre Chaunu — et que toute notre connaissance du peuple vient des archives policières ou porte sur la période révolutionnaire que les sources permettent de mieux étudier [36]. Peut-on résolument projeter les faits clairement mis en valeur pour l'état social parisien en 1789 sur l'époque de la Régence ? Il est permis d'en douter. En attendant que les chantiers s'ouvrent, on peut simplement esquisser quelques remarques [37]. Les contemporains nous y aident par leur réflexion sur les classifications sociales urbaines. A travers les divisions admises l'une se révèle complètement inefficace dès le départ, le peuple parisien n'est pas un ordre, il prend rang dans le tiers état où se mêlent pauvreté et richesse, inégalité des fortunes et des chances. Les classes laborieuses constituent une cascade d'états dont le moins qu'on puisse dire est qu'elle n'est pas homogène car mêlant de manière impondérable des jugements de valeur et de dignité sociales et des réalités économiques. De l'avis même de son plus pugnace défenseur, Roland Mousnier, la société d'ordre ici s'émiette en une multiplicité de « strates » où la hiérarchie s'opère selon les possibilités que les hommes ont de s'approprier un capital en contrôlant le travail d'autrui et en prenant pied sur le marché des produits. L'économique l'emporte dans les changements du XVIIIe siècle dont les manifestations urbaines sont les grèves et les émotions des travailleurs [38].

Le fisc ne vient pas beaucoup mieux à notre aide, outre que l'essentiel de la documentation ait disparu à Paris, les informations que révèlent les bribes conservées de la capitation ou de la taxe pour les pauvres, ne sont guère étonnantes. Rangé parmi les 22 classes de capités, le peuple occupe de par ses professions, son état et ses qualités, les bas niveaux. Les imposés à 13 sous rassemblent dans les registres des commissaires de paroisses, la majorité des salariés dont la profession n'est pas définie ou provisoirement sans travail et les gens de métier qui n'ont presque jamais la qualification de maîtres ou de marchands, rarement celles de compagnons, soit la masse des ouvriers de l'artisanat et des commis de la boutique [39]. Près de 20 000 contribuables en 1743 se rangent dans cette catégorie (53 % du total des taxés) qui ne réunit qu'une minorité du salariat, car échappent à la taxe des ouvriers à domicile, nombre de petits emplois insaisissables, et la masse de la population flottante vivant d'un salaire irrégulier ou sans travail. Les plus nantis se retrouvent dans la catégorie immédiatement supérieure imposée à 1 livre 6 sous, près de 12 000 personnes dont la plupart sont des maîtres de corporation et des marchands. La frontière du populaire passe dans ces groupes qui regroupent 86 % des imposés et que dominent le monde des métiers, du travail, de la marchandise. Le seuil des 2 livres 12 sous est pratiquement infranchissable pour les hommes de peu. Les domestiques qui constituent une part essentielle du salariat urbain sont absents des registres. Il faut les retrouver parmi les capités où l'on en compte plus de 40 000 [40]. Au total et si l'on compare capitations et taxe des pauvres, c'est sans doute largement plus des trois quarts de la population qui constituent les classes laborieuses soumises à l'impôt lequel ignore la masse de la population flottante. L'analyse des contrats de mariage de l'année 1749, qui sous-estime également les niveaux inférieurs mais couvre plus de 60 % de la nuptialité parisienne confirme cette conclusion. Le peuple s'y retrouve dans les 85 % des apports inférieurs à 15 000 livres, et compose l'essentiel de la classe des dotés à moins de 2 000 livres, soit 50 % du total des nouveaux mariés. Domestiques, compagnons, ouvriers à domicile, manouvriers, gagne-deniers, petits métiers des rues et gens de métiers dont le statut est indéterminé constituent cette assise inférieure de la société parisienne [41].

Les besoins de la compréhension sociale ont conduit les observateurs à proposer leur hiérarchie. Pidansat de Mairobert n'est guère utile, dans sa classification consacrée surtout aux classes dirigeantes, il fait une place au tiers état mais sans y incorporer le peuple curieusement absent [42]. Les topographies médicales de Paris ne retiennent qu'une opposition entre les nantis et les pauvres où se retrouvent pêle-mêle le peuple des ouvriers et des misérables [43]. Des nuances brutales et rapides soulignent quelques contrastes majeurs : inactifs et actifs, aisés et indigents, honnête indigence et misère, peuple et populace ; critères du métier, du chômage, du revenu, et caractères physiologiques et mentaux s'y combinent diversement. Le flou et le tâtonnant caractérisent bien une pensée préoccupée d'exclusion et incapable de dominer le social. Il s'agit d'amputer le corps du peuple de ses membres malsains, pauvres, mendiants, fous, malades. On le voit clairement dans tous les projets que suscite la reconstruction de l'Hôtel-Dieu. En revanche Sébastien Mercier et Rétif s'avèrent tous deux plus utiles car plus perspicaces. Le premier propose de diviser la population de Paris en neuf classes, le peuple occupe les trois derniers échelons — manouvriers, laquais, bas peuple — et sans doute partie du quatrième — les artisans —, dans cette hiérarchie qui se fonde sur la profession, l'utilité sociale et la richesse plus que sur la dignité du travail. On retrouve là un trait caractéristique de la pensée des économistes du temps, démographes comme Messance ou administrateurs comme Turgot [44]. Les classes laborieuses y sont vues selon deux grands principes, celui de l'utilitarisme qui privilégie les producteurs — le peuple au travail — celui de l'exclusion qui chasse de la cité les inutiles — la populace, les mendiants, les pauvres oisifs ou criminels. Mais Mercier conclut non sans pessimisme « On dit à Londres, la majesté du peuple anglais : on ne sait à Paris comment nommer le peuple [45]. » Ce qui le conduit à superposer à ses premières classifications un troisième modèle où ce n'est plus l'activité et la réalité financière embusquée derrière chaque niveau qui classe les hommes mais le comportement social et culturel [46]. Le populaire remplit les trois échelons inférieurs comme dans la première classification : la petite bourgeoisie, le peuple, la populace. Une série de tableaux enchâssés dans le portrait d'ensemble caractérisent ces espèces sociales par des manières de vivre, des attitudes mentales, des façons de parler, des modes de sociabilité, des pratiques vestimentaires et alimentaires. L'impressionnisme de la démarche et l'ampleur de l'observation n'excluent pas l'efficacité des partages et des relations mis en scène. Au total, ce qui compte c'est de saisir le rôle de la mobilité et du brassage, les capacités d'accueil et de refuge de la ville, le sens des changements séculaires qui montrent l'importance croissante de l'argent, la dissolution des vieilles solidarités verticales, l'affrontement grandissant des nantis et des pauvres. Dans le Paris de Mercier, dans le Peuple du Tableau, des catégories sociales, des groupes de sociabilité et de rencontre se côtoient étrangers et proches, « ils n'ont aucune connexion matérielle »,

« la haine s'envenime, l'état est divisé en deux classes ». La ville fabrique massivement de l'inégalité et furtivement de l'égalité. Beaucoup y vivent plus pauvres mais aussi plus libres et trouvent un nouvel équilibre social « dans la confusion des rangs [47] ». Ouvertement s'annonce le citoyen de l'âge des Révolutions [48].

Avec d'autres artifices Rétif de la Bretonne propose une lecture comparable et permet une conclusion analogue. Chez lui fonctionnent à plein les oppositions simples peuple-populace, nantis-démunis, riches et pauvres, d'autant plus peut-être que son itinéraire personnel l'éloigne des uns et le rapproche des autres. Passé 1765-1770, l'auteur, l'homme de lettres, fréquente le beau monde et c'est pour lui qu'il observe les mœurs populaires [49]. La structure et l'écriture des *Nuits* reposent sur cette intention de récit et d'instruction. De fait, on n'y trouvera pas une taxinomie sociale élaborée mais un parcours tout à fait semblable à celui de Mercier qui met en valeur moins la fixité des catégories que la mobilité des groupes, la complexité des rapports sociaux et les nuances du changement des usages, des conduites, des manières d'agir. « Une chose qui frappe encore tout d'un coup à Paris, c'est la gradation de tous les rangs ; on voit l'homme s'élever de la fange où il git au-dessous des animaux jusqu'à la divinité... [50]. » « Après l'artisan aisé viennent les manœuvres, les journaliers, les crocheteurs, les gens de métier qui sont dans la misère : le ménage (entendons l'ensemble des pratiques domestiques) de ceux-ci n'a pas plus de consistance qu'une mer orageuse ; tantôt quand la disette se fait sentir, ils s'injurient et se gourment, tantôt lorsque la monnaie vient les ranimer, ils se régalent à leur manière et ribotent ensemble [51]. Le texte révèle entre autre chose l'importance des relations conjugales et le rôle des femmes qui va se développer dans *Les Contemporaines* et, plus intéressantes pour notre propos, dans *Les Parisiennes* [52]. Les gravures montrent d'abord une hiérarchie vestimentaire : costume ordinaire des filles de province, bourgeoises des villes de province, demoiselles de qualité à la Cour, filles de marchands, filles de la populace. Les oppositions Paris-province, cour, ville, populace, expriment une caractérologie sociale simple qui renvoie aux nuances du naturel et du luxe. Elle se complète sans grande précision dans la série des estampes suivantes qui tracent les grands traits de la physionomie morale des femmes de Paris. L'intéressant réside dans le redoublement des images par le texte où se déploie largement la phénoménologie éthique selon l'échelle de l'éloignement de la campagne et du rapprochement des valeurs citadines, l'éventail des situations sociales concrètes, l'apprentissage à l'atelier, l'éducation au couvent, les relations familiales dans le mariage, le célibat, les rapports parents-enfants, enfin dans l'échelle des émotions, le rire, les larmes, la douleur, la joie. Les Parisiennes sont largement dominées par les filles de la bonne société « bien nées », « aisées », « fortunées » ; traits précis, qui dénoncent ce qui manque aux absentes. Toutefois un tableau introductif donne une cartographie sociale plus explicite [53]. Douze classes sont nécessaires pour nuancer les caractères généraux des Parisiennes, légères et futiles car donnant une importance excessive aux productions des arts, sans préjugé de condition. On retrouve là l'égalité de Mercier, coquettes non par défaut de cœur mais parce que le marché des sexes impose une impitoyable concurrence, moins médisantes qu'en province, économes car la vie parisienne coûte cher. Au sommet, les filles de la première qualité (1), les filles de qualité (2), les filles nobles (3), les filles de robes (4), celles de finance (5), les bourgeoises (6) avec lesquelles commencent « un autre train de vie presqu'une autre façon de penser », les filles de bons marchands (7), les filles de marchands ordinaires (8), « elles peuplent les boutiques mais n'y restent pas toujours », les filles d'artistes classe particulière à la capitale, qui peuvent être gâtées et libertines (9), les filles d'artisans (10), ce sont les grisettes de Mercier, les ouvrières (11) qui travaillent en atelier et en boutique « bien éloignées des mœurs des honnêtes campagnardes » et qui « n'ont rien pour elles, leur extérieur est repoussant, leurs manières et leurs discours davantage » ; les filles de la populace (12), avides, corrompues, dénaturées, qui ignorent toutes les possibilités offertes par la ville. La hiérarchie de Rétif retrouve les principes classificatoires de Mercier, profession, utilité, comportement social, mais elle les complète par une échelle de moralité. Le peuple féminin occupe les cinq dernières places offertes à ce banquet de la nature et de la culture où l'on ne peut raisonnablement avoir que les vices de sa classe [54]. Le changement des mœurs se mesure pour Rétif à la montée de l'irrévérence et de l'insubordination des classes inférieures, au progrès de la confusion des états due à l'uniformisation des manières.

Reste qu'à regarder les classifications proposées par tous les observateurs, deux frontières sont toujours apparues : vers les élites sociales au contact de l'artisanat et de la boutique, vers les bas-fonds de la société le monde des non-intégrés et des marginaux. L'histoire peut se contenter de ce point de vue spontané à condition de tenter de percevoir ce qu'il y a en plus et au-delà. J. Peuchet cite un rapport policier de 1709 qui prouve que le partage fonctionne presque tout le siècle [55]. Donnant une fois encore la liste familière des groupes sociaux parisiens, l'auteur fait une pause après les six corps, la boutique et les maîtres artisans... « Enfin, il y a des ouvriers des ports, des industries, les compagnons, menuisiers, charpentiers, plâtriers, maçons, serruriers, chamoiseurs, relieurs, parcheminiers, tailleurs, ferblantiers ; en un mot, tous les états et professions, hommes de peine et de main auxquels il faut joindre les Auvergnats, les Savoyards, les porteurs d'eau, les charbonniers, les bouchers. Il y a en outre les laquais, écuyers, pages, domestiques, coureurs, grisons, piqueurs, suisses, valets de chiens, d'écurie, palfreniers, marmitons ; la surveillance doit être active vis-à-vis de ceux-ci, car, débauchés par l'exemple que leurs maîtres leur donnent ces malheureux finissent souvent sur la potence, la roue, le bûcher, bien heureux qu'on est quand ce n'est qu'aux galères... » Vient ensuite l'énumération des groupes illicites, de la canaille, des escrocs aux voleurs, des filous aux filles de joie. Les frontières sociales ne sont donc pas perméables, d'un milieu à l'autre nombreux sont les transfuges, et de surcroît elles ne fonctionnent pas avec la même force selon les différentes séquences de la vie sociale. Elles sont sans doute plus poreuses en ce qui concerne les mentalités et les mœurs qu'en ce qui regarde l'économie ou l'ordre des rangs, entre toutes les catégories des nuances imperceptibles existent. Ainsi le peuple que nous étudions exclut les maîtres des corporations distinguées par la propriété d'un capital, la détention d'un pouvoir sur leurs salariés, l'espoir d'une mobilité[56]. Point de frontière de classe rigoureuse mais des franges mobiles au-delà du salariat stricto-sensu qui bénéficient de la communauté du travail et de la vie habituelle et se traduiront en clair dans les solidarités politiques révolutionnaires. Numériquement cela représente en toute vraisemblance 300 à 400 000 personnes au milieu du siècle[57], 350 à 450 000 à l'aube des temps révolutionnaires si l'on veut tenir compte de l'instabilité[58].

Vers le bas, échapperont à nos interrogations, car relevant d'autres enquêtes et d'autres problématiques, le monde des mendiants et de la canaille. On ne doit pas en sous-estimer ni le nombre ni les rapports qu'ils entretiennent avec le reste de la population laborieuse. Entassés au rythme de 1 000 à 2 000 par an dans les maisons de l'hôpital général, ils voient leur situation s'aggraver chaque année au moment de la soudure et des crises[59].

Le fait est que plus du dixième de la population totale est proche de l'indigence au début du règne de Louis XV, et que le comité de mendicité créé par la Constituante évalue la masse des chômeurs, des indigents, des secourus, à plus de 100 000 personnes[60]. En bref, dans la ville pré-révolutionnaire presque le septième de la population n'est pas assuré du lendemain : une minorité de francs fainéants et de frippons, 20 à 25 %, une minorité d'handicapés de l'âge et de la maladie, de l'accident ou de l'échec familial, une majorité de chômeurs intermittents issus de l'agriculture, des métiers très peu spécialisés, et même des corporations. Le thème banal de la rencontre du luxe et de la misère trouve dans ces chiffres une illustration éloquente. La capitale connaît sans doute une crise sans précédent qui explique incidents, fermentations, soulèvements partiels et finalement mobilisation collective des masses laborieuses. Mais entre ces deux périodes, d'autres transformations sont intervenues et demandent à être précisées. Dans le domaine de la culture matérielle, dans celui de l'intellectualité spontanée, le peuple de Paris qui se révolte en 89 n'est pas exactement celui qui subit quasi passivement les crises de la fin du règne de Louis le Grand. Plutôt que de réécrire une fois encore la parade des miséreux, nous voudrions comprendre la vie ordinaire du peuple.

Pour cela un autre regard s'impose et d'autres sources. On les trouve entassées chez les notaires parisiens où elles composent l'archive la plus complète qu'on puisse rêver dans le domaine de l'anthropologie culturelle. Avec les archives notariées et judiciaires, l'historien peut espérer retrouver les niveaux et les modes de vie, les gestes quotidiens et les choix de culture des classes laborieuses. Dans la procédure de l'inventaire après décès, il retrouve unis les deux aspects complémentaires de toute analyse sociale : les objets, les instances matérielles qui décrivent un cadre de vie, identifiant un comportement et le support économique qui les rassemblent en patrimoine. Mais pour évaluer à partir des sources notariales une évolution séculaire, il importe au-delà de la critique documentaire de préciser choix, ambitions, limites.

Trois reproches principaux sont portés au passif des inventaires : c'est l'acte spécifique d'un âge de la vie dont il faut se garder de généraliser les leçons, c'est toujours le reflet de situation particulière, c'est souvent un document lacunaire et trompeur. Ces trois critiques méritent réponse. Certes l'inventaire après décès correspond à une période de la vie, inverse de celle qu'identifie le contrat de mariage, saisie d'un moment exceptionnel, marquée par la vieillesse et la mort. Le calcul sur un échantillon de 400 actes montre que pour les trois quarts la procédure notariale intervient après dix ans de vie conjugale, soit si l'on admet un âge au mariage moyen de 27 à 30 ans, une majorité d'actes rédigés après 40 ans, et avant 50 ans, ce qui correspond au maximum d'espérance de vie des Parisiens de cette époque. En conséquence, il est certain que le document accuse les traits de l'âge, soit dans le sens des réussites consolidées au seuil de la vieillesse, soit dans celui des difficultés rencontrées par ceux qui ne disposent que de leur force de travail et pour qui la maladie et la mort sont causes de dépenses accrues : frais de médecins, coût du chômage forcé, dépense pour la tutelle des enfants. Dans cette perspective, l'inventaire accentue les contrastes et donne sans doute une idée fausse de l'échelle des fortunes, mais ce qui importe est moins de reconstituer une hiérarchie introuvable et une réalité qu'il serait vain de pourchasser que de comparer des étapes relatives du réel social, d'évaluer des changements. Si la source est déformante peu importe en quelque sorte, puisqu'on cherche à déceler une évolution non pas par rapport à un référent externe insaisissable, mais dans une relation avec un terme de même nature, situé dans une même série temporelle [61].

L'inventaire est aussi le reflet d'une situation originale. Nul n'en doute puisque ce caractère découle directement de la nature juridique de l'acte notarial, moyen de défense des héritiers, des mineurs, et des créanciers assurés de leur bon droit. De ce fait découle la représentativité sociale faible du document, moins de 10 % d'inventaires par rapport aux décès vers 1730, 13 % au milieu du siècle, 14 % à 15 % vraisemblablement à la veille de la Révolution soit autour de 3 000 documents pour une année. Contourner ce défaut exige de tracer des coupes chronologiques élargies, les échantillons qui constituent la base de ce travail sont constitués sur des périodes de 20 ans (1695-1715 et 1775-1790). De plus ce trait est accentué en ce qui concerne les petites gens, l'inventaire est acte de riche ou tout au moins d'aisé. Ainsi pour retrouver un inventaire de domestique, il faut en lire 20, pour obtenir un acte concernant un salarié il faut en relever 30 à 40. Au total pour constituer un échantillon — quantitativement faible — de l'ordre de 400 inventaires, il est nécessaire de regarder près de 7 000 actes. Le risque de modifier l'homogénéité du milieu prospecté s'accroît si l'on élargit la chronologie des périodes à comparer mais on peut négliger cet inconvénient par suite de l'intérêt d'un sondage qui porte pour la première fois sur un nombre d'actes de cette importance [62]. Derrière ce danger apparaît en clair la liaison existant entre le coût de l'acte et son aspect de sélection sociale : vers 1700, c'est en moyenne 15 à 20 livres qu'il faut donner au notaire, vers 1780, c'est entre 30 et 40 livres, soit dans les deux périodes plus de 20 journées de travail [63]. L'inventaire privilégie ceux qui peuvent payer donc ceux qui ont quelque chose et si l'on rencontre peu de successions réellement négatives, actif moins passif, c'est le signe de l'exclusion de toute une partie de la population, celle qui n'a rien ou presque rien.

Restent les lacunes habituellement reprochées aux inventaires après décès. Elles sont de quatre ordres, juridiques, économiques et liées à la sous-estimation et à la fraude ou traduisant des absences incontestables et significatives. Première lacune : celle qui peut venir de l'application des règles régissant selon la coutume de Paris la dévolution des biens propres lesquels restent souvent non inventoriés. Cependant, dans la réalité des successions populaires, ce défaut est peu important car il intéresse surtout les biens immeubles rares et le plus souvent signalés par leurs revenus qui tombent dans la communauté, ou des propres fictifs dont la liste est clairement établie rassemblant souvent quelques pièces d'argenterie et des bijoux personnels. La sous-estimation quant à elle est normale puisqu'il s'agit toujours d'une prisée avant vente aux enchères ou partage successoral. Elle n'a pas en ce qui concerne les milieux laborieux une grande importance puisque l'on se propose une étude comparative avant tout. Il suffit de savoir que l'on confronte des valeurs marquées de la même marge de sous-estimation. La fraude bien sûr est souvent évoquée quand on parle de succession et l'on a toujours présent à l'esprit les images d'héritiers fureteurs et crocheteurs sinon de notaires complaisants. Dans la réalité, il en va tout autrement, d'abord il y a souvent la garantie des scellés apposés avant la prisée, ensuite pour le notariat c'est une question de déontologie et la fraude n'est pas un acte concevable de manière générale, et, intéressant — songeons aux frais notariaux — en tout cas usuel surtout dans la pratique de rapports inhabituels pour les milieux de fortunes inférieures et culturellement peu accoutumés aux manières juridiques. Dans les milieux populaires, les notaires sont peut-être moins portés à faire confiance aux parents et témoins, ils exercent des pouvoirs qui exigent minutie et vérification, que dans les couches supérieures de la société où l'officier ministériel reste un familier, parfois un confident. En d'autres termes, on peut estimer la fiabilité des descriptions notariales inversement proportionnelle au niveau de fortune. Enfin, il ne faut pas oublier que les ayants cause et les créanciers exercent à leur façon une surveillance réelle et mutuelle qui garantit sinon la vérité absolue du document, du moins une objectivité relative.

Les absences incontestables concernent trois types d'objets. En premier lieu, les réserves alimentaires qui sont rares à Paris, à la différence des milieux ruraux, à l'exception du vin dont la présence est révélatrice d'un niveau d'aisance. En second lieu, il s'agit des vêtements, la garde-robe des enfants mineurs n'est jamais décrite, celle des défunts est rarement conservée au-delà de quelques semaines et est parfois vendue pour couvrir les dépenses supplémentaires dues à la maladie, parfois même les habits du survivant en petit nombre ou de faible valeur ne sont pas inventoriés. Enfin, de multiples petits objets de coût réduit et d'un usage courant paraissent échapper à tout contrôle. Peignes, couteaux de poche, balais, brimborions et les multiples brochures n'intéressent ni les notaires, ni les héritiers, ni les créanciers car ils sont d'une incidence faible sur le montant de la succession. Ils constituent un sous-sol du regard qu'on ne peut guère reconstituer qu'approximativement, ce qui est regrettable dans la mesure où ces témoins sans importance sur le plan économique sont des révélateurs intéressants de comportements culturels.

Ces remarques faites, il est possible de préciser les objectifs à atteindre. L'étude de la culture des classes populaires parisiennes suppose deux démarches : il faut d'abord reconstituer un échantillonnage suffisamment représentatif des classes laborieuses, (on en montrera l'étendue et les principes plus avant), il faut concilier l'analyse économique et sociale — donc partir de l'économique — avec celle des comportements culturels qui définissent la vie ordinaire. Premièrement, il est nécessaire de comparer les patrimoines pour retrouver au fil du siècle les hiérarchies catégorielles et les mouvements d'ensemble qui les transforment. A partir de la composition des successions, on doit voir s'il existe des modèles ou des attitudes cohérentes. Ensuite, le relevé exhaustif de tout ce que décrit l'inventaire permet une approche externe du monde des objets possédés par le peuple parisien. A partir de la logique descriptive des commis-priseurs, on peut s'interroger sur le mode d'existence sociale des choses détenues dans l'univers familier et réfléchir sur les manières psychologiques qui leur correspondent. On ne peut voir les caractères du peuple qu'à travers la médiation d'un notaire ayant ces propres particularités sociologique et psychologique et d'un texte porteur de sa propre cohérence. L'un et l'autre relèvent d'un système de valeur et de niveau de culture qui ne sont pas ceux des milieux du travail manuel et de la précarité. Cette distorsion n'est pas différente de celle qu'on rencontre dans toutes les sources : observations des écrivains, rapports des commissaires de police, pièces des procédures judiciaires. En tenir compte précise les possibilités de la méthode pour une visée d'anthropologie sociale.

Il est nécessaire de rompre avec un événementiel de la vie quotidienne pour redécouvrir la « prose du monde » (Henri Lefebvre), en deçà de la sphère de la marchandise. Dans la culture des pauvres possession fait acte et renvoie à des niveaux de significations multiples, les objets définissent un style de vie. Mais, il est difficile de passer d'une lecture fonctionnelle dictée par les usages à la leçon d'une analyse symbolique qui exige d'autres matériaux, d'autres sources, enfin il est quasi impossible de reconstituer l'essentiel c'est-à-dire les stratégies d'acquisition spécifiques des sociétés de la rareté et de la stabilité. Il faut se résigner à mesurer l'héritage sans espoir de savoir comment s'y concluait la part de l'être et de l'avoir qui dans toutes les communautés humaines constitue l'essence de la possession des choses ; comment pouvaient se poser pour les gens obscurs les instances du désir face aux objets moins éphémères qu'aujourd'hui dans les sociétés d'abondance.

Dans le Paris du XVIIIe siècle un étrange phénomène se joue. La qualité rare d'une des grandes capitales de la modernité est due à une extraordinaire accumulation d'intelligences et de biens. Pour la société du loisir, libéré des travaux productifs, les valeurs de tradition et de stabilité s'estompent au moment où, dans le domaine de la vie matérielle, on passe de l'âge où le vieillissement artificiel des besoins n'existait pas au temps des échanges hâtifs et des transformations rapides. Les modes confèrent aux objets une usure morale plus prompte, Paris devient le lieu d'une accélération privilégiée du temps. Dans quelle mesure le peuple participe-t-il de ce mouvement qui s'amplifie jusqu'à nous ? selon quelle modalité et avec quelle amplitude associe-t-il « les procédés immobiles venus d'un passé sans mémoire » et les novations qui contribuent à sa transformation, sinon à sa libération ?

Notes du chapitre II

1. Voir à ce sujet les marginaux et les exclus dans l'Histoire, Cahiers Jussieu 5, Université de Paris 7, Paris, 1979, et surtout les ouvrages et articles d'A. FARGE, *Le vol d'aliment* (1974) ; *Vivre dans la rue au XVIIIe siècle*, Paris, 1979, en attendant la thèse de M. E. BENABOU sur la police des mœurs.
2. En ce qui concerne la criminalité parisienne renvoyons définitivement à : A. ABBIATECCI, ..., « Crimes et criminalités en France au XVIIe et XVIIIe siècles », *Cahiers des Annales*, 33, Paris, 1971 ; « Marginalité et criminalité à l'époque moderne », Numéro spécial de la *Revue d'Histoire Moderne et Contemporaine*, 1974 (juillet-septembre) ; A. FARGE et A. ZYSBERG, *Les théâtres de la violence à Paris au XVIIIe siècle*, in *Annales*, E. S. C., 1979, pp. 984-1015.
3. M. REINHARD, *La Révolution*, in *Nouvelle Histoire de Paris*, Paris, 1971, p. 73.
4. J. KAPLOW, *Les noms des Rois, les pauvres de Paris à la veille de la Révolution*, Paris, 1974.
5. F. FURET, *Penser la Révolution française*, Paris, 1978.
6. J.-P. HIRSCH, *Pensons la Révolution française, Annales*, E. S. C., 1980, pp. 320-333.
7. F. FURET, *Pour une définition des classes inférieures à l'époque moderne, Annales*, E. S. C., 1963, pp. 459-474.
8. R. BARTHES, *Aujourd'hui Michelet*, L'Arc, 52, 1973, pp. 19-27.
9. Paul VIALLANEIX, Préface à J. MICHELET, *Le Peuple*, Paris, 1974, pp. 12-14.
10. *Images du Peuple au XVIIIe siècle*, Paris, 1973.
11. M. LAUNAY, *Jean-Jacques Rousseau écrivain politique*, Grenoble-Cannes, 1972.
12. Henri COULET, in *Images du Peuple, op. cit.*, pp. 7-8.
13. *Les Révolutions de Paris*, n° 81, cité par M. SICAULT et M. BOULOISEAU, in *Images du Peuple, op. cit.*, pp. 53-54.
14. Ed. W. Krauss, Berlin, 1966.
15. A.-P. MOORE, *The « genre poissard » and the french stage of the Eighteenth Century*, New York, 1935.
16. J.-J. VADÉ, *Œuvres complètes*, Londres, 1785, 6 vol.
17. L. BECLARD, *Sébastien Mercier, sa vie, son œuvre, son temps*, Paris, 1903 (monumental et un peu court), à compléter par les réflexions de J. Kaplow, *Le Tableau de Paris*, introduction et choix de textes, Paris, 1979 ; et G. BOLLEME, *Dictionnaire d'un polygraphe*, Paris, 1978.
18. P. TESTUD, *Rétif de la Bretonne ou la création littéraire*, Genève-Paris, 1977.
19. E. LEROY LADURIE, *Ethnologie rurale au XVIIIe siècle, Rétif, à la Bretonne*, Ethnologie Française, 1972, pp. 215-252. G. BENREKASSA, *Le typique et le fabuleux : Histoire et Roman dans la Vie de mon père*, Revue des Sciences Humaines, 1978, pp. 31-56.

20. R. Chartier, in la *Nouvelle Histoire, outillage mental*, pp. 448-452.

21. V. Hanin, *La Ville dans le discours médical*, 1760-1830, Mémoire de maîtrise, Paris-VII, 1978 ; J.-P. Goubert, *Médecins, Climats, Epidémies*, Paris, 1972 ; J.-P. Peter, « Les mots et les objets de la maladie », *Revue Historique*, 1971, pp. 13-38.

22. J.-C. Perrot, *op. cit.*, pp. 883-893.

23. *Histoire et Mémoires de la Société Royale de Médecine*, 1976, Préface, p. XIV.

24. B. Fortier, *La politique de l'espace parisien à la fin de l'Ancien Régime*, Paris, 1975.

25. *Essai sur l'établissement des hôpitaux dans les grandes villes*, Paris, 1787, p. 13.

26. J.-J. Rousseau, Seconde préface à la *Nouvelle Héloïse*, in *Œuvres Complètes*, t. 2, p. 21.

27. Rétif de la Bretonne, *Les Nuits, op. cit.*, p. 843.

28. J. Habermas, *L'espace public*, trad. fr., Paris, 1978, pp. 30-50 ; J.-C. Perrot, *op. cit.*, t. 2, pp. 899-919.

29. S. Mercier, *op. cit.*, t. 1, pp. 6-7.

30. B. Fortier, *op. cit.*, pp. 27 sqq.

31. J.-L. Vissière, « Pollution et nuisances urbaines » d'après *Le tableau de Paris* de S. Mercier, in *La Ville au XVIIIe siècle*, Aix, 1975, pp. 107-112.

32. H. Krief, *Paris capitale du mal selon Rétif de la Bretonne*, in *ibid.*, pp. 113-124.

33. J. Kaplow, *op. cit.*, pp. 99-119.

34. A. Farge, *Les artisans malades de leur travail*, *Annales*, E. S. C., 1977, pp. 993-1006.

35. Rétif de la Bretonne, *Les Nuits, op. cit.*, p. 2908.

36. A. Mathiez, *Notes sur l'importance du prolétariat en France à la veille de la Révolution*, in *Annales Historiques de la Révolution française*, 1930, pp. 497-524 ; J. Kaplow, *op. cit.*, pp. 59 sqq. ; G. Rude, *Paris and London in Eighteenth Century*, New York, 1952 et 1970.

37. Elles s'inspirent très largement de deux études fondamentales, F. Furet, *Pour une définition des classes inférieures à l'époque moderne*, *Annales*, E. S. C., 1963, pp. 459-474, et J.-C. Perrot, *Rapports sociaux et villes au XVIIIe siècle*, in D. Roche (éd.), *Ordres et classes*, Paris, 1973, pp. 141-166.

38. R. Mousnier, *Les institutions de la France sous la Monarchie absolue*, t. 1, Paris, 1974, pp. 201-209.

39. F. Furet, *Structures sociales parisiennes au milieu du XVIIIe siècle, l'apport d'une série fiscale*, *Annales*, E. S. C., pp. 939-958.

40. Expilly, *Dictionnaire historique, géographique et politique des Gaules et de la France*, Paris, 1762-1770, 6 vol., t. 5, pp. 400-403.

41. A. Daumard et F. Furet, *Structures sociales à Paris au XVIIIe siècle*, Paris, 1967.

42. M. Pidansat de Mairobert, *L'Espion Anglais*, Paris, 1777-1778, 4 vol., t. 1, pp. 137-183 et 230-274.

43. V. Hanin, *op. cit.*, pp. 162-166.

44. J.-C. Perrot, *art. cit.*, pp. 146-148.

45. L.-S. Mercier, *op. cit.*, t. 11, pp. 42-43.

46. S. Mercier, *op. cit.*, t. 2, p. 210 ; t. 3, pp. 95-96 ; t. 5, p. 266 ; t. IX, p. 9 ; t. XII, pp. 61-65 et 174-175.

47. L.-S. Mercier, *op. cit.*, t. 1, pp. 23-25, pp. 38-39.

48. J.-C. Perrot, *art. cit.*, p. 149.

49. P. Testud, *op. cit.*, pp. 57-58.

50. Rétif de la Bretonne, *Le paysan perverti*, Paris, 17, éd. Paris, pp. 338-339.

51. Rétif de la Bretonne, *Le Ménage Parisien*, Paris, 1773, éd. Paris, 1978, pp. 169-170.

52. Rétif de la Bretonne, *Les Parisiennes ou XL caractères généraux pris dans les mœurs actuelles...*, Paris, 1787, 4 vol.

53. Rétif de la Bretonne, *Les Parisiennes ou XL caractères généraux pris dans les mœurs actuelles...*, pp. 26-44.

54. Il partage l'idéal social des Loges et des Académies, cf. D. Roche, *Le Siècle des Lumières en province*, Paris, 1978, 2 vol., t. 1, pp. 269-275, pp. 341-342.

55. J. Peuchet, *Mémoires tirés des archives de la police*, Paris, 1838, 3 vol., t. 1, pp. 204-210.

56. Nous suivons ici J. Kaplow, *op. cit.*, pp. 61 sqq.

57. L. Cahen, « La population de Paris au milieu du xviiie siècle », *La Revue de Paris*, 1919, septembre-octobre, pp. 146-170.

58. G. Rude, art. cit., pp. 25-27 et J. Kaplow, *op. cit.*, pp. 66-67.

59. P. Goubert, *Le monde des errants, mendiants, vagabonds à Paris et autour de Paris*, au xviiie siècle, in *Clio parmi les hommes*, Paris, 1976, pp. 265-278.

60. M. Reinhard, *op. cit.* (La Révolution), pp. 93-103, pp. 236-237.

61. Pour la problématique de l'Histoire sociale et pour l'analyse d'ensemble des sources. On se reportera à D. Roche (éd.), *L'Histoire sociale, sources et méthodes*, Paris, 1967 ; L. Bergeron (éd.), *Niveaux de culture et groupes sociaux*, Paris, 1967 ; D. Roche (éd.), *Ordres et classes*, Paris, 1973 ; B. Vogler (éd.), *Les Actes notariés, sources de l'histoire sociale XVIe-XIXe siècles*, Strasbourg, 1979.

62. A titre de comparaison pour des milieux sociaux analogues, donnons les chiffres des inventaires après décès utilisés dans les études urbaines et rurales les plus récentes : J. Sentou, *Fortunes et groupes sociaux à Toulouse sous la Révolution*, Toulouse, 1969 (143) ; R. Lick, *Les intérieurs domestiques dans la seconde moitié du XVIIIe siècle d'après les inventaires après décès à Coutance*, Annales de Normandie, 1070, pp. 293-302 (42) ; R. Mousnier, *La stratification sociale à Paris aux XVIIe et XVIIIe siècles*, Paris, 1976 (37) ; M. Garden, *Lyon et les Lyonnais*, Paris, 1970 (98) ; M. Baulant, *Niveaux de vie paysans autour de Meaux en 1700 et 1750*, Annales, E. S. C., 1975, pp. 505-518 (70) ; H. Burstin, *op. cit.*, 1977 (59).

63. AN, Minutier central, Etude XVIII, 1. 885, 23 août 1783 sqq. Pour un acte important les frais peuvent atteindre plus de 100 livres. Par exemple, vacation du commissaire-priseur, 16 livres ; minute, 3 livres ; frais de registre, 14 livres ; insinuation, 7 livres, papier ; 15 livres, scellés, 1 livre, vacation du substitut du procureur du Roi, 16 livres, frais de prisée ; 12 livres, frais relatifs au testament ; 12 livres, frais de recouvrement d'une rente ; 3 livres ; total, 90 livres.

Chapitre III

Fortunes et infortunes populaires

« En ce monde fortune et infortune abondent. »

PROVERBE.

La misère de Paris au XVIIIᵉ siècle est épouvantable, elle est dans le paysage quotidien où se côtoient dans un contraste cher aux observateurs, les pauvres voués à une économie de la précarité, et les intégrés qui ont trouvé leur place, un travail, un logement. La vie ordinaire est faite de cette confrontation. « La multitude des pauvres et des misérables est telle dans tous les quartiers de la ville, qu'en voiture, à pied, dans une boutique, vous ne pouvez venir à bout de rien grâce au nombre et à l'importunité des mendiants. C'est lamentable d'entendre le récit de leurs misères ; et si vous donnez à l'un d'eux, immédiatement tout l'essaim fondra sur vous... » Pour l'honorable Docteur John Lister, c'est la preuve des tares d'un papisme trop indulgent pour l'indigence oisive, des volontés « de la Providence de Dieu qui règle toute chose en ce monde », et de l'incontestable supériorité des anglais mangeurs de rosbeef sur les français « gens à carême [1] ». L'observation faite en 1697, perdure jusqu'aux temps révolutionnaires et prouve l'attachement des élites de culture à l'idée d'une fatalité sociale sans recours : « Il en est des pauvres dans un Etat à peu près comme des ombres dans un tableau, ils font un contraste nécessaire dont l'humanité gémit quelquefois, mais qui honore les vues de la Providence... il est donc nécessaire qu'il y ait des pauvres, mais il ne faut point qu'il y ait des misérables ; ceux-ci ne sont que la honte de l'humanité, ceux-là au contraire entrent dans l'ordre et l'économie politique : par eux l'abondance règne dans les villes... les Arts fleurissent. Tant d'avantages que l'on retire des pauvres ne demandent-ils pas qu'on leur fournisse au moins ce qui est nécessaire pour supporter patiemment la dureté de leur condition... [2]. » Chez le bon docteur Hecquet, avec un cynisme candide, apparaît en clair un clivage essentiel de la pensée des Lumières, le pauvre par son travail est indispensable à la société qui doit refuser la misère, redoutable à l'ordre social ; par charité : le pauvre de Dieu n'est pas loin encore ; par philantropie : les indigents des dames de bienfaisance sont proches [3]. Primordiale en tout cas, l'apparition consciente de l'économie, du travail donc du salaire. Le peuple qui échappe quelque peu à la misère, c'est celui qui a la chance d'avoir un « *travail journalier* » (Necker), c'est celui qui « renferme tous les hommes sans propriété et sans revenus, sans rentes ou sans gages ; qui vivent avec des *salaires* quand ils sont suffisants ; qui souffrent quand ils sont trop faibles ; qui meurent de faim quand ils cessent » (Linguet) ; le *travail* est son seul patrimoine (Cliquot de Blervache [4]). C'est à Paris ce peuple qui apparaît dans les inventaires, c'est lui qu'il faut maintenant regarder dans ses fortunes et infortunes.

Deux catégories témoignent : les domestiques et les travailleurs des classes inférieures. Dans l'archive notarial, la domesticité se saisit bien, même s'il s'agit d'un état instable, qui se fait et défait chaque année, voire chaque saison. C'est un modèle original du salariat urbain de l'âge pré-industriel. Les salariés posent d'autres problèmes. Si l'on retient de préférence le vocable de classe inférieure, par rapport à d'autres termes plus précis — salariat, couches populaires, classes laborieuses, petites gens ou proto-prolétariat, c'est dans la mesure où chacun de ces termes choisit un critère décisif pour définir l'identité du groupe — place dans l'appareil productif, statut, dépendance économique, niveau de vie et de culture — et, qu'ainsi ils ne recouvrent qu'une partie de la réalité mal saisie dans des limites floues et en recoupement permanent : vers le bas, celle de l'indigence, vers le haut, celle de la stabilisation micro-bourgeoise dans l'artisanat et la boutique. Dans cet espace social, la physionomie réelle des classes inférieures parisiennes est changeante et multiforme.

Les domestiques font partie du paysage. Sur la scène, comme dans les romans, ils se bousculent familièrement. Molière et Marivaux les utilisent dans une interrogation qui oscille entre la régulation pédagogique de l'action et la représentation de l'inconvenance. Dans la confrontation littéraire, valets et servantes accèdent à une dignité exceptionnelle qui confirme les classes dirigeantes dans leur excellence par rapport au populaire, et en même temps montre leurs craintes face à une autre culture [5]. Dans un autre registre, le mythe du valet parvenu bientôt fermier général par son astuce, conserve une force sans défaillance en dépit d'une réalité contradictoire et bien plus complexe [6]. Dans l'un et l'autre cas, le champ des représentations symboliques est questionné par le rôle de médiateur, d'intermédiaire, voire de perturbateur que le domestique a occupé dans le monde réel. Suspects sociaux pour les bourgeois constituants et jacobins : « Les notables voulaient faire électeurs les domestiques mêmes, Necker n'y consentit pas » (Michelet), comme pour la noblesse et les classes dirigeantes dans leur ensemble, les domestiques sont de toute évidence des métis sociaux et culturels. Pour les premiers, ce sont des personnages douteux dans la mesure où ils acceptent une situation d'esclavage volontaire au temps de l'affirmation des revendications individuelles égalitaristes ; de surcroît, ils partagent les vices et le goût du luxe des aristocrates [7]. Pour les autres, ils incarnent l'esprit de sédition, la bassesse des sentiments et somme toute un danger sans doute inquiétant, plus pour l'éthique chrétienne que pour l'ordre établi [8]. La permanence d'un thème littéraire, la constance d'une dénonciation de morale sociale, mettent suffisamment en valeur l'intérêt d'un examen d'ensemble du groupe et de sa fonction confrontés aux caractères des milieux populaires engagés dans le salariat. Dans la société parisienne, il occupe une place assez importante pour qu'on y cherche la signification des phénomènes de circulation culturelle et que l'on tente d'y repérer le rôle des groupes frontières porteurs de valeurs acculturantes et introducteurs dans leur milieu d'origine de comportements novateurs. Par les domestiques, objets et gestes des classes supérieures transpirent vers les catégories inférieures de la société. Inversement, les domestiques ont pu perpétuer dans l'univers des maîtres la permanence de gestes, de traditions populaires et rurales ; du bon sens au conte de nourrice, d'un rapport ancestral à la nature et à l'animal jusqu'aux éveils sensuels et sentimentaux ; peut-on imaginer le maître de Jacques sans celui-ci ? Cependant, cette réflexion doit en bonne méthode choisir son registre. Elle s'en tiendra aux attitudes extérieures car qui plus que le domestique est pris dans le réseau des apparences ? Elle s'attachera à une anthropologie des gestes de possession et de culture laissant à un travail à venir le soin de regarder les comportements sexuels ou criminels [9], d'une façon générale tout ce qui regarde la relation ancillaire [10]. Entre *Les Liaisons Dangereuses* et *Le Mariage de Figaro,* le rôle corrupteur des serviteurs et des maîtres permute dans l'espace social, mais c'est là une histoire autre, à écrire. On s'en tiendra à l'analyse socio-culturelle d'une condition souvent transitoire. On la fuit pour retourner au terroir, prendre une retraite de petit rentier oisif, s'installer dans un autre univers social après petite fortune faite — très dépendante de l'âge, des fonctions remplies, des maîtres rencontrés, en bref le groupe idéal pour tester la mobilité et l'imitation.

Au milieu du XVIIIe siècle, l'abbé Expilly évalue la population domestique à près de 40 000 personnes, c'est près de 5 % de la population totale, plus si l'on compte les familles, difficiles à dénombrer avec exactitude pour un milieu où le célibat est fréquent. Notons que ce taux se retrouve dans d'autres grandes villes étudiées : Lyon, 4 %, Aix, Marseille, Toulouse entre 5 et 7 % et qu'il est sans commune mesure avec celui des personnages de comédie, 30 % des rôles, la société imaginaire dans son foisonnement souligne les traits majeurs de la société réelle et le fait essentiel qu'une fraction importante de la population citadine est d'abord engagée dans des rapports étroits de dépendance. Mais ce qui compte ici, c'est sans conteste la nature des domesticités et aussi celle des employeurs : tel maître, tel valet, rappelle le proverbe [11].

Sur ce point, deux modèles s'imposent non pas comme des réalités intangibles et partout présentes, mais comme des pôles de l'organisation sociale : d'une part, une manière nobiliaire caractéristique des beaux quartiers mais pas uniquement, d'autre part, une façon bourgeoise partout présente. La première est caractérisée par l'importance numérique des domestiques pour chaque employeur, et par la prédominance des serviteurs mâles. Elle est majoritaire dans le Paris neuf de l'Ouest, le faubourg Saint-Germain, le quartier Saint-Honoré, le Palais Royal, et le traditionnel Marais des robins. Dans les grands hôtels et les vastes appartements un monde grouillant s'entasse autour des maîtres, hétérogène dans ses occupations, hiérarchisé dans ses fonctions, divers dans ses origines géographiques : maîtres d'hôtel, écuyers de bouche (hommes de confiance dans le vocabulaire révolutionnaire), cochers souvent normands, laquais parfois picards, garçons de garde-robe et porteurs de chaise briards, bourguignons, manceaux, femmes de chambre et suivantes de toutes sortes, venus on l'a vu, des provinces proches. C'est la canaille séditieuse des observateurs, « A moi la livrée », et la bagarre éclate... [12].

Dans la bourgeoisie, dans le monde de la boutique et de l'artisanat, en revanche, chaque famille n'a pour son service qu'un domestique et c'est presque toujours une femme. Ce modèle l'emporte dans les quartiers du centre et dans les faubourgs populaires de l'est parisien. Au faubourg Saint-Marcel, les registres de sûreté en dénombrent près de 200, hommes seuls (Expilly en comptait plus de 1 000 dans 656 familles) soit un domestique pour deux familles et une servante en moyenne par famille ; dans le faubourg Saint-Antoine il évaluait les domestiques à 429, un pour trois ou quatre feux, et pendant la Révolution il y en a encore plus de 200 mâles. Au total, il y a des quartiers qui sont de vrais viviers de domestiques et d'autres où ils sont perdus dans la population artisanale et laborieuse. Cette opposition se répète dans la carte du chômage et de la criminalité domestique [13] où le fait essentiel est le foisonnement des serviteurs dans les zones intersticielles d'où ils étaient absents pour l'abbé Expilly.

La topographie du chômage ancillaire, celle de la délinquance aussi, c'est celle des garnis, des quartiers populaires refuges, ces territoires réserves de la main-d'œuvre non spécialisée, c'est celle enfin d'un monde hétérogène brassé par des mouvements d'échange, obéissant aux lois de l'offre et de la demande dans un marché du travail fortement alourdi à la veille de la Révolution. L'essentiel ici est de souligner l'importance de la médiation ancillaire, elle se situe sur deux plans, d'abord celui des grandes migrations, c'est ensuite celui des déracinements urbains accentués par la mobilité intérieure dans la grande ville.

Les domestiques sont des provinciaux ce qui leur confère, au même titre que tous les migrants, un rôle particulier de liaison entre les campagnes et les villes, les provinces et la capitale. Etrangers dans la cité, souvent mal renseignés sur les mœurs et les coutumes, on conçoit qu'ils constituent une proie facile pour la criminalité et qu'ils soient la cible favorite des auteurs prompts à dénoncer la sottise impertinente du populaire. Reste à savoir si ces fils ou ces filles de paysans et de petites gens conservent des liens avec leur terroir d'origine. Les inventaires permettent de calculer la présence familiale : au début du siècle, c'est à peine le quart qui n'ont pas de parentés représentées, avant la Révolution c'est encore 20 %. Les domestiques de Paris ne sont pas toujours isolés et pour une part — plus de la moitié des cas étudiés — ils ont des parents proches à leur côté. En d'autres termes, ce qui compte c'est la possibilité d'intégration dans la ville — souvent par mariage —, et l'existence d'une domesticité qui s'enracine jouant un rôle de médiateur entre la métropole et le village, ne serait-ce qu'à l'occasion d'un héritage ou d'une fête familiale. Reste aussi que la domesticité n'est pas la meilleure filière possible pour l'urbanisation, qu'elle ne constitue pas un état permanent et qu'elle attire un menu peuple fasciné et souvent brûlé par les lumières urbaines.

Dans l'espace citadin, la mobilité est encore plus évidente [14]. Les déménagements fréquents, pour plus de neuf domestiques sur dix logés dans les garnis parisiens, la durée moyenne de séjour n'excède pas un mois ; le rythme rapide du temps de service, près des deux tiers de la domesticité ayant eu maille à partie avec les juges du Châtelet — 300 cas étudiés par M. Botlan — le changement de maîtres au moins tous les ans ; tout cela traduit le caractère instable du milieu, moins net d'ailleurs pour les hommes dont la dépendance est moindre. Une instabilité extrême entre les quartiers et les emplois accentue le caractère original du domestique dans le territoire social. Bien sûr, ce trait reflète les conditions objectivement dures et souvent dramatiques de leur destinée, mais il fait ressortir également l'importance, comme catalyseurs d'expérience, de tous ceux qui ont réussi à se familiariser avec la vie urbaine, et pour lesquels la pratique du déracinement s'accompagne d'une espérance, partiellement réalisée, d'intégration. A cet égard, l'opposition des domesticités aristocratiques et bourgeoises demande à être réinterrogée, car, dans l'un et l'autre cas, les possibilités de réussite ne sont pas les mêmes ; les domestiques les plus riches qui passent inventaire devant les Notaires de Paris sont pour les quatre-cinquièmes au service de la noblesse, les plus pauvres ont des employeurs de moindre qualité et de plus faible ressource [15]. La participation inégale aux retombées du mode de vie nobiliaire sélectionne gagnants et perdants, sépare ceux qui peuvent et ceux qui ne seront jamais en mesure d'assimiler les valeurs et les comportements des élites urbaines.

Le monde du travail pose d'autres problèmes [16]. Il est lui aussi incohérent et hétérogène car éclaté dans une multiplicité de rapports caractéristiques d'une économie hybride dominée par la petite industrie où sont majoritaires les petits ateliers, les minuscules échoppes, bref l'entreprise proto-industrielle, où cependant certains aspects de la ville manufacturière existent déjà, où l'économie se complique par la présence d'un vaste secteur commercial dévoreur de main-d'œuvre non spécialisée et de services qui sans exiger qualification et cultures s'avèrent eux aussi fondamentaux : songeons aux porteurs d'eau, aux savoyards. A l'aube de la Révolution, la moyenne des entreprises n'emploie pas plus d'une quinzaine d'ouvriers et des manufactures comme celle des Gobelins ou de Réveillon font figures de monstres usiniers. Dans le faubourg Saint-Marcel, les tapissiers qui travaillent dans les ateliers de la manufacture royale constituent un milieu hautement spécialisé — les cartes de sûreté les qualifient souvent d'artistes — ils sont pour les trois quarts natifs de Paris et la plupart d'entre eux (90 %) savent écrire et lire. Ils habitent dans la manufacture même, ont leur propre discipline et sociabilité. Si à la veille de 89 ils souffrent de la crise (les finances royales endettées rognant sur tout), ils n'en sont pas moins privilégiés dans le monde laborieux. Ce qui leur confère une capacité évidente à l'expression d'un mécontentement général, une « indépendance d'esprit » redoutée des autorités [17]. Les 500 ouvriers de la manufacture de glace au faubourg Saint-Antoine, le millier de travailleurs qui gravitent autour des fabriques de papier peint, les faïenciers et les potiers de quelques grandes entreprises, constituent un autre aspect de cette main-d'œuvre concentrée, exploitée dans un rapport salarial durci, mais qui n'est pas toujours la première victime des difficultés et la dernière à protester avec violence [18].

La hiérarchie du monde du travail ne peut qu'être arbitraire car les réalités socio-économiques parisiennes sont mal connues et échappent à la catégorisation, la mobilité et la confusion entre les statuts étant de règle suffisante sinon nécessaire. Avec Stève Kaplan, on peut admettre une cartographie sociale claire. Au sommet, le consensus du temps place l'ouvrier des corporations, compagnon d'atelier ou garçon de boutique, il se distingue des autres travailleurs par sa spécialisation, parfois par ses manières. Ce qui le différencie surtout c'est d'être intégré dans le système corporatif, de pouvoir prétendre atteindre la maîtrise, même si les barrières élevées par les communautés de métier se haussent avec le temps. C'est au terme de l'apprentissage, que le compagnon se distingue définitivement du reste après avoir souvent partagé la vie d'un maître et façonné son comportement dans le cadre de l'atelier ou de l'échoppe familiale. Tous les compagnons ne peuvent prétendre à la maîtrise pour deux raisons : le nombre des places est limité et partiellement monopolisé par les fils et gendres de patrons ; le prix des places est relativement élevé, 200 jours de travail en 1789 pour un verrier, 800 pour un marchand de vin, 1 400 pour un maçon ou un charpentier, 2 500 journées au moins pour un drapier dont le métier est au sommet de la hiérarchie corporative rangé avec les merciers, les épiciers, les bonnetiers, les orfèvres, les pelletiers, les changeurs et autres tireurs d'or, dans les six corps inaccessibles au commun. On comptait 30 à 40 000 maîtrises ; il y avait vraisemblablement deux à trois fois plus de compagnons dont les solidarités s'expriment aussi dans la clandestinité des compagnonnages poursuivis par la police. Il est certain que le foisonnement des métiers, l'existence de situations exceptionnelles (les artisans privilégiés du faubourg Saint-Antoine, les boutiquiers de l'enclos du Temple) facilitent la dispersion salariale dont l'étude serait à entreprendre par secteur économique. Au total cependant, « l'autorité domestique » des corporations, fermement rétablie après la confuse expérience tentée par Turgot pour remédier aux abus du vieux système corporatif dans un sens libéral, distingue compagnons et garçons des alloués, destinés à œuvrer toute leur vie à la journée et privés d'espérance corporative, ou contraints de travailler secrètement en chambre, en dépit des règlements.

Les salariés qui ne font pas partie des corps d'arts et métiers constituent la masse de manœuvres des patrons de tout poil. Deux catégories dominent ces « ouvriers » non affiliés aux maîtrises : ceux qui sont salariés directement, quelquefois logés, toujours surveillés par les entrepreneurs des manufactures, et ceux qui sont salariés de clientèle ; le vocabulaire distingue à peine manouvriers, journaliers, ouvriers des entreprises et gagne-deniers, déchargeurs, portefaix, hommes de peine des ports et des halles occupés à d'innombrables travaux de circonstance. Ils peuvent être payés à la tâche ou à la journée, ils peuvent s'intégrer dans

des bandes que recrutent pour les besoins d'un travail temporaire — décharger un bateau, vider un entrepôt, ainsi les portefaix,
la multitude de petits officiers des ports et halles de la ville —, ils
peuvent être rattachés par des liens d'origine, de village, de
famille, donc des pratiques. La majorité sont des pauvres hères,
fraîchement immigrés, sans qualification, et dont le grand nombre
dans les faubourgs traduit des changements dans l'organisation du
travail urbain, dus moins à la montée limitée de l'entreprise capi-
taliste et manufacturière qu'au développement des fonctions
citadines exigeant une main-d'œuvre peu spécialisée pour une
multitude de tâches occasionnelles. A l'intérieur de ce monde sans
qualité des hiérarchies implicites, des solidarités, des réseaux
fonctionnent. En 1786, la réorganisation du service de distribution
des paquets sous contrôle d'une régie des transports déclenche
au cœur de l'hiver, protestations, attroupements, attaques des
distributeurs. Gagne-deniers auvergnats et savoyards avec le
« renfort de la lie du peuple » s'affrontent au guet et suspendent
les travaux de déchargement sur les ports. Une exigence de droit
au travail transparaît dans ces manifestations sans succès, mais
qui prouvent la force du modèle corporatif jusque dans les secteurs
non réglementés [19]. D'innombrables petits métiers très proches
socialement du monde des travailleurs accomplissent quotidiennement de multiples actes de vente, de fabrication, de bricolage, de
revente. Ces vendeurs des rues, fixes ou itinérants sont contrôlés
et enregistrés dans le dernier quart du siècle. Les femmes, revendeuses, raccommodeuses, fripières, quincaillières, dominent les
hommes, regrattiers, colporteurs, marchands de billets de loterie,
chaudronniers [20]. Les « cris de Paris », genre florissant depuis le
XVIe siècle chez les marchands et graveurs d'estampes ont rendu
ce monde de la rue familier. On peut y voir deux témoignages,
c'est d'abord la preuve tangible de l'accroissement d'une fonction
de petit commerce et de petit service lié à l'augmentation et à la
diversification de la population parisienne ; c'est aussi, une fois
encore, le signe de l'intérêt que les classes dominantes, qui constituent pour une grande part le public de ces gravures trop vite
rangées dans le fourre-tout de l'imagerie populaire, éprouvent
pour le pittoresque et l'étrangeté du peuple [21]. C'est une des
façons par lesquelles l'opinion cultivée investit le monde du
travail d'une cohérence normative, d'une homogénéité de rôle
et de fonction. La frontière sociale du labeur s'y manifeste en
clair, le regard des artistes fixe des gestes et des objets du registre
de la nécessité et du précaire [22]. Une évolution sensible s'y manifeste entre la fin du XVIIe siècle et les belles séries publiées au
XVIIIe siècle par Boucher et Bouchardon. Les faiseurs d'estampes
du règne de Louis XIV montrent des visages graves et sévères, des
corps secs, des gestes suppliants, des hommes et des femmes mar-

qués par le travail et la pauvreté des temps. Un siècle plus tard à la misère encore visible, s'allie une clarté neuve. Bouchardon présente des laitières fraîches et accortes, des petits ramoneurs gracieux. L'ambiguïté du peuple et des pauvres vus par les riches traverse de part en part ce bazar ambulant, réduisant un monde gigantesque et disparate à un état d'exotisme et d'innocence à peine ponctué de quelques signes inquiétants. Les petits boutiquiers des rues parisiennes jouent dans la vie ordinaire des classes inférieures un rôle essentiel, ils participent de l'accélération notoire de la consommation, ils permettent à bien des ménages un revenu secondaire non négligeable. Ni salariés ni tout à fait libres, ces crieurs répondent à des besoins primordiaux et peut-être de plus en plus prégnants. Le peuple est fait de ces contrastes.

Les archives notariales permettent de se retrouver dans cette masse multiforme. Deux échantillons de 200 inventaires chacun placés aux bornes du siècle des Lumières éclairent l'évolution d'ensemble [23]. Le tableau suivant montre quelle en est la composition :

I. 1695-1715

Classes inférieures

Ouvriers des corporations	44
Salariés sans qualification dont 22 gagne-deniers	31
Gens de métier sans statut	25

Domestiques

Fonctions de direction	29
Fonctions de service personnel	20
Fonctions subalternes et indéterminées	51

II. 1775-1790

Classes inférieures

Ouvriers des corporations	55
Salariés sans qualification	28
Gens de métier sans statut	17

Domestiques

Fonctions de direction	15
Fonctions de services personnel	20
Fonctions subalternes	65

L'éventail social des milieux populaires apparaît comme suffisamment différencié, les sondages excluent le salariat de bureau, le monde des commis, qui relèvent d'une économie d'emploi et d'une modernité spécifiques. Géographiquement, ils recensent des habitants de tous les quartiers de la ville, salariés et domestiques :

	1695-1715	1775-1790
Paroisses de rive droite dont Faubourg Saint-Antoine	68 et 66	73 et 60
Cité	1 et 2	3 et 1
Rive gauche	28 et 29	15 et 33
Indéterminés	3 et 8	9 et 6

Du point de vue des secteurs d'emplois, les différentes fonctions du monde des domestiques sont représentées avec une légère surestimation des activités supérieures, une sous-estimation du personnel inférieur de la cuisine, de l'écurie, des communs, une bonne image des activités de service personnel. Les principaux métiers sont présents ; pour chaque période on distingue :

Bâtiment	26	22
Transport	31	13
Habillement et artisanat divers	43	65

Toutefois, il n'en demeure pas moins, quant à la vérité de ce microcosme, qu'il n'est pas facile de différencier les activités concrètes par le seul vocabulaire professionnel. La multiplicité des termes recouvre des situations réelles et des positions évocatrices de conflits, préséance dans les domesticités, hiérarchie des métiers. La qualification est plus aisée à saisir dans le domaine de l'artisanat et de la boutique, où les outils et les matériaux conservés témoignent. La valeur des mots peut toujours masquer des réalités variées car elle participe d'une stratégie des positions sociales qui peut se fonder sur l'usurpation voire la dissimulation. La valeur de l'analyse d'ensemble n'en est pas moins réelle même ainsi relativisée. Enfin, dernier biais, il demeure difficile d'esquisser un partage entre les sexes et d'intégrer les professions cumulées ou le travail familial : 10 % de cas vérifiés dans la domesticité, moins de 15 % dans l'inventaire du salariat. Le rôle exact du travail des femmes échappe pour une part à l'analyse. Tentons maintenant d'approcher les fortunes populaires et leur évolution. En regardant les groupes de patrimoine et leur dispersion, en comparant ces traits aux activités, en analysant la composition des biens, on voit se dessiner des comportements économiques et mentaux, on voit apparaître des changements.

Une première série de questions tourne autour de la définition des fortunes moyennes. Leur reconstitution n'est pas sans exiger quelque audace tant à cause des difficultés dues à la source notariale, que par la complexité des études comparatives qui mettent des milieux monétaires différents en cause et, surtout parce que le raisonnement sur des moyennes nominales pour une étude des patrimoines ne va pas sans risque. Faute de disposer d'un indice du coût de la vie, on peut traduire les valeurs obtenues en prix de produits ayant une valeur sociale décisive pour le milieu étudié, soit celui du setier de froment vendu à la Halle, ou en journées de travail. Ces déflations criticables permettent l'efficacité de la comparaison. Dans le salariat au début du siècle, la fortune moyenne est de 776 Livres, à la fin elle dépasse 1 700 L, corrigé en prix du blé, cela signifie un accroissement de 80 %, et calculé en salaire moyen de manœuvre, une escalade de 886 journées de travail jusqu'à 1415, soit 60 %. Le gain est incontestable mais ce n'est pas peut-être celui de tous les salariés. Le comportement des fortunes domestiques s'avère sensiblement différent. Dès le règne de Louis XIV, la moyenne est plus élevée, 4 000 L, et à la veille de la Révolution, elle dépasse 8 000 L. Cet accroissement est plus faible, compris dans une fourchette de 37 à 54 %, il signifie qu'en valeur réelle le monde du service domestique a moins progressé que l'ensemble des classes laborieuses. Mais là aussi, la progression intéresse-t-elle également tout le monde (tableau 1) ?

Tableau 1 — BASE DE CALCUL DES FORTUNES

	I Salariés		II Domestiques	
	1695-1715	1775-1790	1695-1715	1775-1790
Fortune moyenne	776 L	1 776 L	4 209 L	8 251 L
Prix moyen du blé/ setier	18 L 6	23 L 6		
Déflaté en blé	47,7 setiers	75,5 setiers	226 setiers	350 setiers
Accroissement		81 %		54 %
Déflaté en salaire de manœuvre	17 sol 5 886 journées	25 sols 1 420 journées	4 810 journées	6 600 journées
Accroissement		59 %		37 %

Regroupons les patrimoines autour des modes principaux, dans les deux milieux, plusieurs types d'évolution apparaissent (tableau 2). La hiérarchie des fortunes est pour tout le siècle rigoureusement inverse au sein des deux groupes. Dans le monde salarial, le mode principal est au départ entre 200 et 300 Livres, les 2/3 des salariés meurent avec moins de 500 L ; et ils sont encore plus de la moitié à ne pas dépasser ce niveau à la veille de la Révolution. En revanche, Louis XIV régnant, c'est déjà plus de la moitié des domestiques qui décède avec plus de 1 000 Livres, et c'est plus des trois quarts au temps de Louis XVI. En bref, l'enrichissement d'ensemble repose sur une répartition

Tableau 2 — REPARTITION MODALE DES FORTUNES

| | 1695-1715 | | 1775-1790 | |
	Salariés	Domestiques	Salariés	Domestiques
moins de 500 L	60	30	50	16
500-999	23	15	13	8
1 000-2 999	12	19	14	21
plus de 3 000 L	5	36	23	55
dont 10 000 L	—	[12]	[6]	[26]
	100	100	100	100

très inégale des chances et celles-ci sont toujours plus favorables aux gens de service.

Dans les classes salariales l'amélioration s'explique par le progrès des catégories supérieures, les riches de la pauvreté, dont les représentants sont à l'arrivée trois fois plus nombreux qu'au départ, la valeur moyenne de leur succession étant multipliée par cinq [24]. Le fossé s'est élargi entre les moins favorisés et les plus riches, l'accroissement calculé en blé ou en salaire moyen, est péniblement de 7 à 20 % pour ceux-ci, et s'avère être une perte de 30 à 40 % pour ceux-là, indice certain d'une paupérisation de crise [25].

Dans la domesticité, la catégorie des plus démunis est moins nombreuse (cf. tableau 3), mais en valeur réelle les patrimoines

Tableau 3 — EVOLUTION CATEGORIELLE

I. — Salariés

| | 0-1 000 L | 3 000 L |
	moyenne, blé, travail	moyenne, blé, travail
1695-1715	73, 351 L, 18,8, 401	5, 5 385 L, 289, 6 154
1775-1790	69, 308 L, 13,1, 245	17, 8 182 L, 349, 6 519

II. — Domestiques

| 1695-1715 | 45, 377 L, 20,2, 425 | 36, 10 617 L, 570, 12 133 |
| 1775-1790 | 24, 354 L, 15 , 283 | 55, 14 280 L, 605, 11 424 |

baissent de 20 à 30 %. La masse des domestiques est aux limites de la misère, sa dépendance s'accroît et plus du quart meurent les mains vides au terme d'une vie de labeur. Quelques aisés, plus nombreux, prouvent une croissance possible mais au total les domestiques parisiens de l'époque pré-révolutionnaire forment un milieu inégalement partagé entre gagnants et perdants. Marc Botlan avait déjà signalé cette paupérisation à partir de deux indices pertinents : 10 % des inventaires domestiques, après apposition de scellés par les commissaires du Châtelet, corres-

pondent à des conditions de vie totalement misérables ; plus des
trois quarts des domestiques sont contraints de rester au service
malgré âge et maladie [26]. Toutefois, l'analyse fine des inventaires
nuance ce constat et prouve qu'il ne faut pas surévaluer l'exagération des hauts niveaux de richesse par la prisée notariale.
Le rapport aux activités fournit une piste d'explication [27]. La
pesanteur des rôles est évidente pour le domestique parisien.
Exerçant une fonction supérieure ou proche des maîtres, il est
gagnant. Cocher, palefrenier, laquais sans qualification il est perdant, ce sont eux qui constituent les 2/3 des héritages de moins
de 500 L. Toutefois, les choses changent au temps de Louis XVI,
hiérarchie des fortunes et des fonctions ne coïncident plus aussi
nettement, deux tiers des domestiques exécutant des tâches de
responsabilité sont morts avec plus de 3 000 Livres, mais ils ont
à leur côté nombre de représentants des écuries et de la cuisine.
Surtout c'est dans les grandes maisons qu'on meurt riche, chez les
Orléans, les Conti, les Choiseul, les Condé, quel que soit le
niveau de qualification. Réussites et stabilisations s'expliquent
donc partiellement par une capacité culturelle mais encore par
la surface économique des maîtres.

Dans le salariat, la situation est plus complexe car il faut tenir
compte de la variable socio-professionnelle, et des types d'activités. Les gens non intégrés dans les corporations se regroupent
dans les classes successorales inférieures à 500 Livres à quelques
exceptions près, les ouvriers des manufactures, l'un d'eux E. Poiret
travaillant à la Manufacture de glace décède avec un actif de
8 500 Livres, en 1709. A la fin du siècle, les ouvriers des corps
sont toujours avantagés et leur ensemble est plus homogène, alors
que pour les manouvriers et gagne-deniers quelques réussites ne
cachent pas la médiocrité générale. Là sont les marginaux de
l'économie urbaine. Ce premier clivage en recoupe un autre : aux
travailleurs des jurandes, très qualifiés, les meilleurs scores, aux
salariés du bâtiment, les positions moyennes, aux gagne-deniers,
porteurs, charretiers, déchargeurs la plus grande pauvreté. Mais
ces hommes sans métier stable ni qualification accèdent en beaucoup moins grand nombre aux pratiques notariales : 30 % en
1715, 13 % en 1790. Le groupe des appauvris glisse donc hors
du champ de vision, car il ne peut avoir diminué, la population
ouvrière parisienne ne cesse de s'accroître, aucune révolution
technique ne remplace l'homme dans les tâches de manutention
manuelle [28]. Hors des jurandes, le fossé qui sépare ratage et succès
s'élargit, alors que dans les communautés de métier, la progression
des fortunes moyennes l'atténue quelque peu. Au total, le siècle
s'achève sur un paysage contrasté, les fortunes importantes sont
plus nombreuses mais l'appauvrissement massif du plus grand
nombre est incontestable chez les domestiques comme dans les

classes inférieures. L'instantané de la fin du siècle est, par rapport à l'image du début, décalé vers le haut pour deux raisons : la hausse du prix des inventaires, l'amenuisement de la valeur réelle des fortunes inférieures à 500 L, à quoi bon faire une prisée si la succession n'a presque pas de valeur et si l'acte notarial en mange le quart !... En ce qui concerne la domesticité, les possibilités d'enrichissement se sont accrues mais plus du quart du groupe reste constamment aux frontières de l'indigence. Par rapport au monde des ouvriers et des compagnons, elle se distingue par un nombre de fortunes moyennes et de franches réussites plus important ; ceux qui vivent à l'ombre des classes dominantes sont moins marginalisés que les autres. La leçon est confirmée par un sondage au midi du siècle dans les inventaires salariaux du quartier du Marais. On y trouve des domestiques riches de 20 000 L, mais les salariés ont pour les trois quarts moins de 500 L [29]. De même, les contrats de mariage étudiés pour 1749, tracent une topographie sociale analogue : 20 % des domestiques se marient avec une dot de plus de 5 000 L, 55 % ont entre 1 000 L et 5 000 L d'apports, moins du tiers est à peine pourvu de 500 Livres, le mariage confirme et accélère les possibilités d'économies et il aide à l'intégration du salariat ancillaire. En revanche, les gens de métiers convolent à l'Eglise avec des dots de 500 L à 1 000 L dans 60 % des cas, et, aux niveaux les plus bas, sans espoir d'ascension sociale quelconque, dominent journaliers et gagne-deniers ; la séparation est plus marquée entre eux et les salariés des corporations qu'entre les compagnons et les maîtres artisans [30]. En bref, la marginalisation guette en permanence les salariés non qualifiés et l'armée des hommes de peine voués à d'innombrables tâches peu gratifiantes. Dans les branches productives où la socialisation du travail est plus poussée, les chances de réussite existent pendant tout le siècle [31]. La composition des fortunes permet de préciser clivages et évolution.

Deux pôles orientent la structure des actifs successoraux, par suite de la finalité des catégories de biens qu'ils réunissent : d'une part les objets de la vie quotidienne, les meubles, ustensiles, vêtements, tangibles et de valeur d'usage, d'autre part, les réserves, les placements, l'argent, les bijoux, les créances, les rentes, de valeur d'échange. Certes l'argenterie ou les biens immobiliers peuvent se ranger selon les points de vue dans l'un ou l'autre ensemble mais il est commode de les considérer avec les réserves ou les investissements [32].

Par rapport à ces deux types de composantes successorales, deux modèles de comportement se dessinent à l'aube du siècle. Dans le salariat dominent les biens d'usage et pour un bon tiers c'est l'essentiel, réduit à quelques meubles, un lot d'ustensiles de cuisine, quelques hardes, un peu de linge. En revanche, dans la domesticité, ce mode d'appropriation est toujours réduit au 1/10ᵉ des patrimoines, sauf pour les faibles successions et les échecs notoires, partout règnent les valeurs d'échange, bijoux, argenterie, rentes voire obligations. Ce qui compte sans doute le plus c'est le rapport étroit qui s'établit entre la nature des biens et le niveau de fortune atteint dans les deux milieux ; à moins de 500 L, plus encore à moins de 300 L, les biens tangibles l'emportent, c'est le règne du nécessaire ; au-delà de 3 000 L, ils ne composent pas 5 % des actifs successoraux. La fortune plus que les activités unifie les comportements, l'infortune fusionne les choix (tableau 4).

Tableau 4 — COMPOSITION DES FORTUNES

	1695-1715		1775-1790	
	Salariés	Domestiques	Salariés	Domestiques
Mobiliers, linge et vêtements	31,5	8,9	18,2	7,3
Argenterie	4,2	2,9	2,8	2,2
Argent liquide	3,9	1,6	4,5	3,6
Rentes	19,2	49,8	45,2	61,1
Billets obligations, offices	22,2	28,7	20,5	21,3
Dettes actives	4,1	5,2	4,2	3
Immeubles	14,9	3,1	4,6	1
	100	100	100	100

Un siècle plus tard, le tableau se modifie quelque peu. La part des biens de première nécessité tend à se réduire dans le salariat, elle se maintient pour la domesticité, mais il faut rappeler que cette dernière a vu diminuer la proportion des successions faibles alors que celle des héritages salariaux de bas niveau reste la même, pour eux point de changement : 80 % du patrimoine en biens d'usage. Au-dessus de 3 000 L, chez les uns et les autres, le rapport est comparable. Les contrastes entre riches et pauvres s'affirment plus clairement dans la composition des fortunes que dans leur hiérarchie, il est plus net à la veille de la Révolution qu'à l'époque de Louis XIV (tableaux 5-6). La stabilité des domestiques en ce domaine confirme leur avance ancienne et la proximité de leur comportement par rapport aux classes dominantes. Là où il y a changement, surtout pour les catégories paupérisées, il repose sur le recul ou le reclassement des valeurs consacrées, ustensiles de ménage, outils, vêtements. Les ustensiles de ménage s'effondrent portant ainsi la responsabilité du recul général des biens d'usage. Dans les fortunes en deçà de 500 L, ils constituaient 15 % au début du siècle, ils n'en font plus que 7 % à la fin,

Tableau 5

COMPOSITION DES PATRIMOINES
ET NIVEAUX DES FORTUNES SALARIALES

	ACTIF < 500 L		ACTIF > 3 000 L	
	1695-1715	1775-1790	1695-1715	1775-1790
Mobiliers, vêtements, linge	78	79	5	8
Argenterie	7	7	1	1,5
Argent liquide	2	5	1	4,5
Rentes	—	2	28	64
Billets, obligations	3	3,5	33	16
Dettes	3	3,5	4	4
Immeubles	7	—	30	2
	100	100	100	100

Tableau 6

COMPOSITION DES PATRIMOINES
ET NIVEAUX DES FORTUNES DOMESTIQUES

	ACTIF < 500 L		ACTIF > 3 000 L	
	1695-1715	1775-1790	1695-1715	1775-1790
Mobiliers, vêtements, linge	51	40	10	7
Argenterie	2	13	3	2
Argent liquide	2	5	2	3
Rentes	5	10	50	70
Billets, obligations	15	20	24	16
Offices	—	—	4	—
Dettes actives	25	10	5	1
Immeubles	—	2	2	1
	100	100	100	100

ceci est dû à l'abandon massif d'un certain nombre d'objets et surtout à la substitution des poteries et des faïences bon marché aux matériaux coûteux comme le cuivre et l'étain. Les meubles et la literie résistent mieux et progressent dans les gros patrimoines. Ce premier mouvement oppose riches et pauvres pour lesquels les objets familiers perdent de leur valeur et deviennent sans doute moins résistants. Les outils et le matériel professionnel diminuent encore plus nettement, en fréquence et en valeur relative (3 % à 0,7 %), mais il s'agit surtout de l'outillage lourd, pouvant aller jusqu'à l'équipement d'un petit atelier, le fait traduit sans doute un recul d'indépendance. Linge et vêtements progressent à tous niveaux, au-dessus de 3 000 Livres ils passent de 0,6 % des actifs à 1,6 %, en-dessous de 500 L ils sautent de

7 % à 16 %. Un rapport nouveau à la consommation vestimentaire apparaît ici. D'une manière générale, les biens d'usage ont évolué de trois façons, dans le monde domestique, ils reculent relativement par une transformation de tous les postes ; pour les plus riches salariés, ils progressent à la seule exception des ustensiles de ménage ; enfin pour la majorité des travailleurs, ils suivent un itinéraire confus, fait d'abandon — mobilier, outils — et de progrès — le vêtement. L'horizon quotidien de tous s'est donc profondément modifié.

La différence entre domesticité et salariat, entre riches et pauvres, passe par la possession des valeurs d'échange. Pour les domestiques vers 1700, elles composent 90 % des patrimoines, dans les classes salariées, c'est à peine les trois quarts, et surtout elles n'apparaissent que dans 30 successions sur 100. Deux univers ici s'affrontent : d'un côté, maîtres d'hôtels et cuisiniers habiles, valets et servantes chanceux, riches salariés peut-être héritiers au départ, sûrement heureux dans leurs activités ; de l'autre, les pauvres qui n'accèdent pas au monde de l'épargne et de la circulation fiduciaire, les vaincus de la ville. Au-dessus de 3 000 Livres de patrimoine, les valeurs d'usage constituent 90 % des actifs, en-deçà de 500 L elles n'atteignent pas 20 %, sauf chez les domestiques. Vers 1789, les perspectives se modifient à peine, les biens d'épargne, les rentes, l'argent se maintiennent chez les riches, progressent seulement dans les fortunes moyennes du salariat entre 500 et 3 000 L, reculent d'un point (21 % à 20 %) chez les plus pauvres. Cette stabilité recouvre des attitudes diverses à l'égard des valeurs abstraites dont l'enjeu est d'ordre culturel et pas seulement économique.

De fait, l'accès différent selon les niveaux de fortune et les activités, à ces biens des possédants et des riches, traduit une familiarité à l'écrit, aux mécanismes élémentaires de la circulation monétaire, aux actes de la gestion d'un capital. La composition des fortunes prouve ici l'impossibilité, ou la possibilité, de suivre l'itinéraire de la modernité sociale.

Voyons d'abord l'argent liquide, l'argenterie, les bijoux. Partout ils progressent de 1700 à 1790, sauf chez les domestiques très riches déjà bien pourvus, partout certes, mais inégalement selon les objets. La part des bijoux s'accroît car de plus en plus les salariés urbains ont des montres, celle de l'argenterie se réduit, présente dans tous les inventaires au départ, elle disparaît des petits héritages à la fin. C'est pour tous les autres une réserve, mobilisable en cas de difficulté, mais aussi un objet utile car rien n'interdit de penser que les couverts d'argent et les timbales étaient d'usage quotidien. Pour les classes populaires, c'est l'horizon d'un rêve, l'exigence d'une imitation sociale. Son recul peut s'expliquer de plusieurs manières, la réserve de métal précieux sur laquelle on peut emprunter se fait peut-être moins nécessaire Louis XVI régnant que dans les perturbations dramatiques renouvelées de la fin du règne de Louis XIV ; ou bien, l'argenterie ne parle plus de la même façon, son sens social mimétique a émigré vers d'autres signifiants, bijoux, montres, vêtements. L'argent liquide quant à lui, rare entre 1695 et 1715, progresse à tous les niveaux de fortune. La thésaurisation avaricieuse est peu fréquente dans le peuple, mais les espèces métalliques se font plus habituelles. La stabilité monétaire du siècle, l'accroissement de la circulation du numéraire, le passage des temps de défiance envers la monnaie dépréciée mais aussi de la famine d'espèces expliquent cette progression d'ensemble. Le choix des plus pauvres en ce domaine peut traduire plusieurs choses : les deniers comptants sont une valeur refuge plus facile à mobiliser que les pièces d'argenterie, les salaires touchés en argent sont plus importants, l'âge qui favorise l'épargne et un geste de protection familiale pour les démunis prévoyants, interviennent possiblement.

La rente apparaît partout à une exception près, les salariés mourant vers 1700 avec moins de 500 L, lesquels à la veille de 1789 ont à peine 2 % de rentes dans leurs actifs. Entre 500 et 3 000 L, compagnons, garçons, gagne-deniers, manouvriers, valets, laquais, domestiques ont tous des titres de rente, et ceci dans les deux sondages. Au-dessus de 3 000 L, les actifs en rente varient des 2/3 aux 4/5°. Bref, le domestique parisien est un rentier très tôt, et le salarié enrichi le devient vite. Chez celui-là la rente peut être substitution de salaire, récompense du patron pour de loyaux services mais aussi recherche d'une assurance. Le domestique se veut bourgeois et réussit à l'être partiellement. Le salarié rêve de l'être mais il n'y parvient qu'occasionnellement car il lui faut dépasser 3 000 L d'héritage pour voir les rentes l'emporter sur le reste : 5 % de cas en 1700, 17 % en 1790. Le fait est d'importance et s'amplifie au Siècle des Lumières façonnant le comportement de multiples micro-rentiers mettant leur confiance dans l'Etat (rentes sur les aides et gabelles), l'Hôtel de Ville, l'Eglise. Curieusement absentes du monde des souscripteurs étudié en 1690 par Claude Michaud, les classes populaires placent leurs médiocres épargnes dans des rentes qui peuvent être acquises indirectement [34], à moindres frais ou pour partie. La montée du viager traduit bien cette espérance de sécurité temporaire. Les rentes viagères sont inexistantes dans les fortunes ouvrières du début du siècle et alors peu représentées dans celles des domestiques. Au terme de l'évolution, elles constituent le quart des contrats chez ceux-ci, les deux tiers chez ceux-là. Pour tous, la vogue de la rente viagère qui ne peut pas se transmettre aux héritiers, indique un choix pour la rapidité des gains, un pari contre l'espérance de vie courte au détriment de la continuité

familiale et de l'héritage transmis, favorisés eux par la rente perpétuelle. L'acquisition de contrats viagers tend à prouver une
accélération des rythmes du comportement économique, l'écho
lointain de la croissance et des pratiques financières de l'Etat,
peut-être pour les plus aisés un allongement de la durée moyenne
de la vie qui rend plus fructueux l'investissement initial. Ce
qui rejoint d'autres indices : accroissement de la place accordée
aux vêtements, aux bijoux, à l'argent. Une évolution majeure est
amorcée.

Face aux créances, billets, obligations, l'homogénéité du peuple
ne résiste pas à l'analyse. Les papiers financiers, les traces d'une
sensibilité au capitalisme commercial, les marques d'une activité
d'échange fiduciaire sont rares sauf aux plus hauts niveaux de
fortune et dans la domesticité. Seules les créances d'ouvrages et
de travaux tiennent une place notable, avec les billets de la loterie
royale, façon de miser ses gains sur la chance. Pour les domestiques,
c'est la preuve que le salaire se prête avec intérêt et que les
maîtres s'endettent auprès des serviteurs [35]. Dans les deux milieux,
les placements peu rentables tiennent peu de place et diminuent
d'importance de 1700 à 1790, réduction de moitié dans le salariat
riche, perte de 10 points dans la domesticité. Mais le poste
s'alourdit pour tous, au-dessus de 3 000 L de patrimoine. Pour
faire un profit en ce domaine il faut avoir les moyens c'est pourquoi, valets de chambre, maîtres d'hôtel, officiers de bouche qui
pourvoient aux dépenses relevant de leur compétence prêtent en
moyenne le double des simples domestiques. De même, quelques
compagnons très spécialisés, imprimeurs, charrons, carrossiers,
peuvent rentabiliser ainsi les gains de leur travail et d'une épargne
minutieuse. Pour tous les autres, le billet répond à la nécessité
de la circulation monétaire fiduciaire urbaine, c'est un moyen de
paiement usuel dans un monde qui s'accélère.

L'endettement populaire est un phénomène majeur, il s'alourdit
moins qu'il ne se répand : 65 % des actifs salariaux vers 1700,
60 % pour les domestiques ; en 1790 83 et 80 %, le niveau restant
à peu près le même, 260 à 265 journées de travail en moyenne
ce qui est lourd si l'on songe que les petits patrimoines sont les
plus lourdement endettés. La nature des dettes est révélatrice :
le loyer arrive en tête et reste stable, le propriétaire ou le principal
locataire assistent souvent à l'inventaire prêts à réclamer les termes
échus, l'endettement professionnel recule, en revanche les dettes
pour frais de médecin, d'apothicaire, d'enterrement progressent
(3 % à 8 % dans le salariat), les créances d'alimentation dou-
blent, l'épicier, le fruitier, le marchand de chocolat apparaissent
à côté du boulanger fréquent et du boucher plus rare. En d'autres
termes, domestiques pauvres et compagnons s'endettent bien sûr
pour faire face aux difficultés de la maladie, de l'âge mais aussi

pour un mieux-vivre. Ils jouent pour cela des solidarités proches :
2/3 des prêts sont contractés dans le milieu familial, le groupe
professionnel, le voisinage. Le prêteur est un personnage rare
même au début du siècle mais chacun sait qu'il ne prête qu'aux
presque riches. L'endettement populaire se constitue en système
clos sur lui-même où chacun joue successivement le rôle de créan-
cier et de débiteur pour des sommes infimes très rarement dépassant
100 livres. Quand l'Ancien Régime s'achève, deux transformations
sont amorcées : les dettes envers les patrons d'ateliers ou de
boutiques, celles envers les propriétaires, traduisent un accroissement de la dépendance ; les reconnaissances du Mont de Piété créé
en 1778, apparaissent comme preuve de la popularité d'une
institution fondée pour lutter contre l'usure. Au total, l'endettement traditionnel se modifie, son poids se répartit sur un plus
grand nombre pour payer de nouveaux besoins, il sort des frontières du groupe, de la famille et des voisins pour gagner l'anonymat du crédit public, il est à la fois réponse à une évolution de
la consommation et parade à l'appauvrissement. En 1789, les
dépôts du Mont de Piété contiennent pour 3 millions d'objets
déposés en nantissement de petits prêts — ustensiles, vêtements,
couvertures, draps, petits meubles plus que bijoux [37]. Les reçus
des inventaires vont de 10 à 40 L et mentionnent surtout des
pièces d'argenterie et des vêtements. Il en coûtait aux malchanceux 2 sols par livre et par mois [38]. La maladie et la mort grèvent
lourdement le bilan d'une vie de travail, accentuant les oppositions
entre pauvres et enrichis, entre les domestiques plus affranchis et
les déshérités des couches populaires.

Un dernier élément du patrimoine est à mentionner bien qu'il
intervienne peu souvent, l'immobilier. Peu de propriétaires dans
le peuple : 18 domestiques sur 100 dans le premier sondage,
11 dans le second, 6 dans le salariat sous Louis XIV, 7 au temps
de Louis XVI. La source est ici lacunaire mais révèle bien encore
la hiérarchie des fortunes. Pour une part ces biens immobiliers
— pièces de terre, quelques arpents de vigne, parties de maison — proviennent d'héritage et sont loués quelques livres, non
négligeables dans les budgets ; ils symbolisent les liens avec le pays
entretenant pour quelques-uns l'espoir d'un retour aux sources.
Toutefois, ouvriers et domestiques deviennent rarement coq de
village ; aspirés par la ville, ils perdent foi dans la terre au profit
de la rente. Un petit nombre réussit à investir à Paris ou dans la
banlieue, l'achat d'une maison, d'un jardin, de quelques terres,
peut-être à la fois un petit placement rentable et la quête d'un
refuge hors de la cité. C'est pour presque tous un rêve inaccessible
et il l'est plus encore à la fin qu'au début du siècle. Dans le salariat,
l'immobilier recule de plus de la moitié en valeur, dans la domesticité des deux tiers, et de surcroît, il se concentre au sommet

de la pyramide des fortunes moyennes. Les plus nantis s'en désin-téressent, préférant être rentiers. C'est au total un luxe que peu songent à s'offrir. Le fait est confirmé par l'analyse comparée des procès verbaux d'expertise vers 1710-1720 et 1780-1792 : pas de domestiques, pas d'ouvriers dans la liste des propriétaires, cons-tructeurs ou réparateurs de maison [39]. Bâtisse et propriété échappent au peuple.

La fortune saisie dans ses hiérarchies et dans ses composantes éclaire de façon significative la mentalité et les objectifs sociaux des classes populaires. On peut toutefois discuter des conclusions présentées à titre d'hypothèse, ne serait-ce qu'en fonction de la représentativité statistique des sondages. C'est pourquoi il faut tenter de les confronter aux données économiques et sociales du temps, en d'autres termes parler du budget ou plus exactement de salaires et de ressources car il est presqu'impossible d'atteindre la réalité des revenus et des dépenses quotidiennes [40]. Domesticité et classes inférieures sont à distinguer car leur mode de rémuné-ration diffère sensiblement. Les gages payés aux gens de service sont le type même du salaire ancien payable à la fois en nature et en espèces, les salaires des compagnons, même s'ils incorporent des éléments du modèle traditionnel d'une manière impossible à évaluer, s'apparentent de plus en plus aux formes modernes.

On sait que le salaire ouvrier calculé pour l'ensemble du Royaume et vérifié sur des courbes régionales ou urbaines, résiste à la hausse générale des prix caractéristique du mouvement économique du siècle ; à partir de 1726-1741, jusqu'en 1789, le coût de la vie s'élève de 62 %, les salaires moyens de 25 %. L'ouvrier est le perdant des Lumières, mais il est difficile de se contenter de ce constat brutal car on ignore tout ou presque de l'aspect parisien des choses pour la période antérieure au démarrage et la compa-raison du règne de Louis XVI au règne de Louis XIV s'avère difficile. De surcroît, les résultats obtenus pour l'ensemble du Royaume par C.-E. Labrousse et ses élèves ne sont que faiblement éclairés par les données parisiennes connues : prix du blé à la Halle [41], courbe des loyers [42], salaire des maçons de 1726 à 1789 [43]. Il faut admettre que le prix du blé et ses variations sont représentatifs du coût de la vie, ce qui est probable pour les classes populaires mais ne va pas sans simplifier, et que par ailleurs, le salaire du bâtiment témoigne pour tous les autres. En tout cas vers 1789, il se situe à mi-chemin entre celui de l'ouvrier des ateliers de Charité à 20 sols par jour et celui des compagnons qualifiés à 1 Livre 5 sols, pendant toute la période il augmente de 40 % [44]. De toutes façons pour les ouvriers qualifiés comme pour les simples manœuvres, le salaire se traîne derrière le coût de la vie, loin derrière les loyers qui s'envolent au cours du siècle avec une hausse moyenne de 146 % (568 L à 1 402 L) ;

ceux que l'on relève dans les inventaires connaissent une augmentation analogue de l'ordre de 130 %. Au total donc, si l'on compare l'accroissement des patrimoines à celui des prix du blé et des salaires, on mesure la difficulté des classes populaires urbaines à sortir de leur misère ; en nominal il est inférieur à celui des loyers, traduit en blé ou en salaire moyen il est encore plus bas : 80 % ou 60 % contre 126 %. Si l'on tient compte des crises, l'érosion des fortunes populaires est incontestable.

Dans les années qui précèdent la Révolution, les difficultés de l'économie et le recul des prix agricoles n'entraînent pas une amélioration. Si les blés baissent, il n'en va pas de même du bois, de la viande, des textiles et surtout des loyers qui ne diminuent guère. Un manœuvre parisien gagne pour 250 jours ouvriers environ 230 Livres au début du siècle et 320 Livres à la fin, dans le même temps la part de ses ressources consacrée au logement est passée de 13 % à 22 % (30 et 70 L/an). La hausse des dépenses locatives contrarie partiellement l'effet bénéfique des baisses céréalières. Enfin, reste une inconnue de taille, le niveau de l'emploi. Avec J.-C. Perrot [45], on peut penser qu'une hausse de salaire qui s'accompagne d'un recul de l'ouvrage ne suffit pas à améliorer la situation. En bref, si les Parisiens du peuple connaissent un répit partiel sur le front des blés et des salaires, le progrès est limité à ceux qui ont du travail et l'explosion brutale des prix en 1788-89 suffit à tout annuler. L'effondrement de la production, le chômage, provoquent les premières explosions de protestation populaire et ils frappent un groupe sans réserve assurée. Le niveau atteint par les patrimoines salariés à la veille de la Révolution s'explique partiellement par cette dégradation. Il faudrait connaître l'état réel du marché du travail à Paris pour aller plus avant dans l'explication, et affirmer que le sous-emploi chronique prend la suite de la baisse des salaires au moment où cherté et chômage conjoncturels se conjuguent et provoquent l'appauvrissement des salariés.

Toutefois, pour comprendre la réalité des fortunes, il faut réinterroger la signification du patrimoine du point de vue de la consommation. Deux éléments s'y distinguent : un niveau quotidien (nourriture, logement, combustible, entretien), un niveau d'immobilisation (mobilier, bijoux, argenterie, rentes...). L'inventaire renseigne sur le second, pas sur le premier, sauf par de rares indices tels que les dettes. La constitution d'une fortune dépend de l'évolution du rapport existant entre ces deux termes et il peut partiellement changer indépendamment du niveau de vie, si celui-ci est dicté par des choix sociaux conscients et inconscients [47]. La composition des patrimoines s'interprète en ce sens si l'on tient compte de l'augmentation de l'endettement pour une meilleure alimentation et une meilleure santé, de l'accroissement des disponibilités monétaires et de l'essor de la rente viagère qui se font au détriment d'immobilisations peu rentables ou plus coûteuses que traduit le recul de la valeur des mobiliers dans les successions inférieures. Dans cette perspective, le progrès des vêtements signifie l'apparition d'un mode nouveau de consommation entraîné sinon par la mode du moins par une nécessité de renouvellement développée dans l'ambiance parisienne. C'est donc pour une histoire de la consommation que va témoigner l'inventaire, histoire qu'il faudrait continuer par l'étude de l'alimentation et de la médicalisation du peuple. Peut-être est-elle seule susceptible de déceler dans l'effondrement relatif des patrimoines salariaux et dans leur transformation structurelle les deux visages d'une même évolution [48].

L'importance des écarts de fortune met en lumière les capacités de réussite et d'adaptation de quelques individus. Certains ouvriers des métiers organisés amassent un pécule qui les rapproche des maîtres artisans et boutiquiers, Alexandre Hanotel, compagnon cordonnier qui meurt en 1776 avec une fortune de 16 000 L ou Jacques Chaudron, garçon maçon, qui a plus de 8 000 L en 1783. Mais à quelques exceptions près la différence entre les fortunes ne proviennent pas des variations professionnelles. Il faut tenir compte des activités annexes qui permettent aux ménages parisiens un meilleur niveau de vie. Il y en a trois principales, le blanchissage qui ne nécessite pas de gros investissements, quelques cuviers, hottes et pots à lessive ; la tenue d'une petite auberge ou d'un cabaret lesquels n'exigent pas un gros équipement, une ou deux tables et bancs, des mesures vinaires, quelques tonneaux, enfin le logement en garni qui s'accommode très bien de conditions exiguës et peu coûteuses. A ces ressources secondaires peuvent encore s'ajouter celle du travail féminin : 12 % des cas vers 1700, 16 % vers 1789, quand les statistiques évaluent — insuffisamment sans doute — à 10 % le rapport des salariées aux travailleurs masculins. Deux types d'activités dominent : les métiers du vêtement et de l'habillement, de la confection à l'entretien, les petits commerces de détail et les métiers de la rue. Toutefois, les niveaux de fortune atteints par les ménages ayant deux revenus sont inférieurs à la moyenne générale.

	1695-1715	1775-1790
Moyenne	776 L	1 776 L
Moyenne pour les ménages à doubles revenus	415 L	1 146 L

La médiocrité des salaires, les charges qui grèvent les activités commerciales expliquent en partie cette caractéristique. Par-dessus tout le sur-travail et les activités complémentaires apparaissent

comme un moyen de survie et non d'enrichissement. Finalement,
c'est la situation familiale qui fait la décision.

Sous Louis XIV, comme sous Louis XVI, les célibataires sont
avantagés, ils se classent tous au-dessus de 3 000 Livres. Les
veuves en revanche sont le plus souvent dans la misère car il leur
reste des enfants à élever. La présence de ceux-ci est une charge
mais elle paraît moins lourde au début du siècle où les familles
riches ont plus d'enfants qu'à la fin :

Nombre d'enfants	1695-1715	1775-1790
Ensemble du groupe	1,7	1,3
Familles dont la fortune dépasse 1 000 L	2,2	1,1
Familles dont la fortune est inférieure à 1 000 L	1,6	1,4

Les familles de quatre enfants et plus voient leur situation se
détériorer, elles avaient en moyenne 1 128 Livres sous Louis XIV,
elles ont encore 1 161 Livres sous Louis XVI mais compte tenu
de la hausse des prix cela correspond à un appauvrissement.
L'hypothèse que seuls les célibataires et les couples peu prolifiques
peuvent faire face se confirme.

A regarder de près la vingtaine de successions dépassant
3 000 Livres, on constate qu'il y a deux possibilités d'enrichissement : l'épargne et l'héritage. Antoine Dunhan compagnon imprimeur mort en 1710 avec un actif de 6 000 L illustre le premier
modèle. Venu d'Aix-en-Provence où sa sœur réside, il ne s'est
jamais marié et a dû économiser sol par sol, les promesses d'emprunt de la Caisse, la rente et les écus qu'il laisse à son décès.
Etienne Poiret, ouvrier de la manufacture des Glaces, qui aban-
donne à sa veuve et à ses deux enfants une succession de
8 500 Livres en 1710 éclaire le second type : en vingt ans, il a
hérité de son père, de sa première femme (en désintéressant le
beau-frère), des parents de sa deuxième épouse, et pour moitié de
son frère mort sans enfant, toute sa fortune, une maison au faubourg Saint-Antoine et des rentes, vient de ses héritages. A chaque
fois, c'est la situation familiale qui autorise ou non l'épargne,
l'accumulation, une petite aisance. A Paris comme à Caen, « le
mariage, surtout la famille » peuvent compromettre et détruire
l'équilibre fragile, en économie de survie, entre ressources et
besoins [49] (tableau 7).

L'itinéraire des domestiques se voit déjà éclairé par celui des
classes inférieures. La corrélation entre le célibat et une fortune
élevée, entre le faible nombre d'enfants et l'aisance est nette.
Comme pour les salariés, elle a changé de sens ; au début du
siècle, ce sont les domestiques riches qui ont le plus d'enfants,
à la fin ce sont les plus pauvres. La hausse du coût de la vie

Tableau 7 — SITUATION DE FAMILLE

	SALARIATS		DOMESTICITÉS		
	1695-1715	1775-1790	1695-1715	1775-1790	(1)
Couples	94	83	64	58	56
Veufs et veuves	3	4	15	17	30
Célibataires	3	13	21	25	121
	100	100	100	100	
Moyenne d'enfants	1,7	1,3	2,2	2,3	
Fortunes > 1 000 L	2,2	1,1	2,5	1,8	
Fortunes < 1 000 L	1,6	1,4	2	2,4	

(1) Chiffres calculés par Marc Botlan qui soulignent l'importance de la domesticité célibataire réelle.

frappant plus durement les familles nombreuses, les domestiques les plus riches ont pu très tôt adopter les pratiques contraceptives que l'aristocratie connaît bien dès le début du xviiie siècle. De surcroît, le service exclut de plus en plus la présence des enfants sous le toit du maître : 58 % des domestiques logés n'ont pas d'enfant ; 30 % seulement pour ceux qui ne le sont pas. Bref la fortune vient au domestique pour des raisons analogues à celle de l'ensemble des classes laborieuses, la situation familiale, l'héritage et l'épargne. Sur ce dernier point, les possibilités d'enrichissement sont évidentes. Premier indice : la marginalisation frappe moins le milieu des serviteurs que le reste des milieux populaires, et évite plus le personnel des fonctions supérieures et les domesticités aristocratiques. Second indice : les salaires suivent la hausse des prix : calculé sur une centaine de cas, le salaire moyen des hommes s'accroît de 97 %, celui des femmes de 33 % [50]. Fonctions supérieures et subalternes sont inégalement touchées par la hausse qui dépend beaucoup plus des employeurs que d'une hiérarchie de qualification essentiellement fluctuante. Marc Botlan, bien que pessimiste quant à l'amélioration du sort des domesticités, confirme le fait : les variations selon les employeurs sont de l'ordre de 20 à 40 %, le relèvement est général, plus fait pour les femmes que pour les hommes, un cuisinier peut se payer à prix d'or mais toute une valetaille qui se bouscule sur le marché du travail ancillaire continue le siècle durant d'être rétribuée à vil prix [51]. En bref, la situation la plus catastrophique est celle des servantes sans qualifications, mariées, avec des enfants et obligées d'habiter hors de l'hôtel de leurs patrons. Pour les autres, le caractère essentiellement complexe du salaire domestique permet, en fonction des situations d'emplois ou de famille, d'atteindre l'aisance ou de stagner dans la médiocrité. En tout cas, une bonne partie de la domesticité des inventaires économise sur les loyers, sur la nourriture et sans doute sur le vêtement. La réitération séculaire des mesures prises contre les rétributions annexes : pourboires, vente de vin, revente d'effets et de meubles semble prouver une inefficacité plus qu'un succès dans la lutte contre les abus du système des ressources [52]. De plus, la complaisance des maîtres, les gratifications arbitraires pendant la vie et les legs par-delà la mort entretiennent une inégalité des chances impossible à mesurer car elle dépend de relations personnelles qui jouent sur la proximité ; la femme de chambre est favorisée par rapport à la modeste servante, le valet particulier par rapport au laquais ; et la spécialisation des fonctions ; le maître d'hôtel gagne plus que le suisse, la première femme de chambre que la seconde suivante et ils ont plus de possibilités pour faire des profits annexes. Bref, c'est aussi la faveur qui fait la fortune et la chance qui fait la faveur.

L'enrichissement domestique plus que celui des classes inférieures bénéficie des circonstances. Il n'est pas question de nier qu'être en condition dans le Paris des Lumières est pour une majorité de pauvres diables un état proche de l'indigence, mais il faut voir qu'une minorité a quelques chances de s'élever et au-delà de s'intégrer dans la population. Tout tourne autour de l'emploi et de la consommation [53]. Le revenu effectif annuel des domestiques dans leur ensemble est sans doute, compte tenu des avantages en nature, supérieur à celui des travailleurs, mais comme ceux-ci ils peuvent être victimes en période de récession du sous-emploi chronique, en période de crise du chômage. Au moment critique, les réserves s'épuisent vite et le marché du travail ancillaire se durcit, la dépendance à l'égard des maîtres s'accroît. Adam Smith dans les *Recherches sur la Richesse des Nations* avait clairement perçu le phénomène : « Dans les années de cherté, la difficulté et l'incertitude de se procurer des subsistances rendent les domestiques très empressés à se remettre en service. Mais le haut prix des vivres, diminuant le fonds destiné à entretenir les domestiques, dispose les maîtres à réduire plutôt qu'à augmenter le nombre de ceux qu'ils emploient... Le nombre de ceux qui cherchent de l'emploi est plus grand que le nombre des hommes qui peuvent en trouver facilement, beaucoup d'entre eux sont disposés à en accepter à des conditions inférieures aux conditions ordinaires et les salaires, tant des domestiques que des journaliers, baissent souvent dans les années de cherté. Ainsi les maîtres de tout genre... les trouvent plus nombreux et plus dociles... [54]. »

Il est enfin une autre dépendance et une autre docilité qui confèrent aux patrimoines ancillaires leur originalité en même temps qu'elles dessinent le passage étroit par lequel on passe de l'économie de la précarité à celle de la consommation. Les gages domestiques et les salaires ouvriers ne sont pas exactement comparables car les premiers, surtout à Paris, doivent tenir compte des besoins suscités par le service lui-même. Plus on s'élève dans la hiérarchie des fonctions, plus on monte dans celle des maisons, plus le phénomène de surconsommation ostentatoire joue. Tant que dure le service, le minimum vital est couvert et l'argent gagné peut s'investir dans autre chose : le vêtement, le superflu, le clinquant, bijoux, montres d'or ou d'argent, broderies précieuses, dentelles fines, cannes ornées [55]. Ces besoins créés peuvent subsister malgré les crises. La paupérisation peut être retardée, on revend ce qui n'est pas nécessaire, elle est difficilement évitable pour un grand nombre dont les gages ne sont pas suffisants pour mettre en réserve de quoi faire face au chômage [56]. Seuls échappent à l'engrenage ceux dont le service est assuré, les économies suffisantes, les héritages familiaux arrivés à temps, la présence d'enfants limitée. Pour les autres, l'entrée dans la société des besoins créés par mimétisme, n'est qu'un interlude passager où se fonde le malentendu principal entre le domestique et la société qui rêve d'une domesticité épargnante et docile et trouve un petit peuple de serviteurs turbulents et peu soucieux d'accumulation impossible. Le domestique peut être quelquefois un privilégié dans le peuple, mais il ne l'est pas toujours. Piarron de Chamousset, observateur moral, notait bien ces différences dans l'un de ses projets de réforme destinés à mettre un terme aux malheurs de la ville : « Il est nécessaire qu'il y ait des domestiques, mais leur grand nombre est un mal réel puisqu'il enlève à nos provinces des cultivateurs et des ouvriers. La ridicule magnificence des livrées, la vie molle et oisive de la plupart attirent en foule les habitants des provinces et font abandonner des professions utiles ; ensuite le libertinage, l'ivrognerie, la débauche achèvent d'étouffer en eux tout sentiment ; ils se fient à la charge des hôpitaux pour leurs maladies et leur vieillesse... Je ne prétends pas confondre ici les domestiques sages qui après avoir mérité la confiance de leurs maîtres pendant bien des années veulent finir leurs jours avec les épargnes que leur bonne conduite leur a fait faire,... c'est eux dont il faut multiplier le nombre... [57]. »

Rassemblons maintenant l'essentiel. L'étude des fortunes populaires a permis de dégager une opposition principale qui traverse le siècle entre petits patrimoines et successions relevées, elle se retrouve dans les structures des biens. Entre les deux, le groupe des héritages moyens emprunte selon les cas et les objets envisagés les traits de l'un ou l'autre modèle. En dessous de 500 L, au-dessus de 3 000 Livres, le peuple se partage. D'un côté règnent les valeurs utilitaires, le nécessaire à peine le suffisant, l'endettement chronique, presque la misère, un quasi prolétariat de travailleurs et de domestiques subalternes se constitue, c'est le peuple des pauvres qui ne peuvent être heureux à Paris. « /C'est celui/ de la terre qui travaille le plus, qui est le plus mal nourri et qui paraît le plus triste... Le Parisien pauvre, courbé sous le poids éternel des fatigues et des travaux, élevant, bâtissant, forgeant, plongé dans les carrières, perché sur les toits, voiturant des fardeaux énormes, abandonné à la merci de tous les hommes puissants, et écrasé comme un insecte dès qu'il veut élever la voix, ne gagne qu'avec peine et à la sueur de son front une chétive subsistance qui ne fait que prolonger ses jours, sans lui assurer un sort paisible pour sa vieillesse... [58]. » Sébastien Mercier trouve ici des accents justes pour peindre le sort du plus grand nombre.

De l'autre côté, capitaux de rente, billets, créances, obligations, argent liquide témoignent de l'acquisition d'une aisance médiocre. Les domestiques font ici figure d'exception en atteignant une richesse inimaginable pour tous mais sans que la structure des patrimoines soit modifiée. L'idéal qui se révèle là est celui de la sécurité rentière et bourgeoise. Toutefois, à la fin du siècle, des modifications profondes bouleversent les modèles patrimoniaux. Pour les plus pauvres, les valeurs d'échange sont toujours aussi rares et les quelques immeubles notés au temps de Louis XIV ont disparu. Le changement repose sur le recul des valeurs consacrées, mobilier, ustensiles de ménage, argenterie, outillages qui sont soit le lieu d'un abandon, ainsi dans le matériel de cuisine les objets de métal, soit d'un transfert, ainsi les poteries ; mais en revanche vêtements et argent liquide progressent en valeur réelle et relative. Au sommet des fortunes, tout se maintient ou progresse ; à la base, l'effondrement des objets de nécessité traduit une adaptation aux difficultés conjoncturelles et en même temps un transfert probable des immobilisations durables à des choix de consommation. La conversion du système de l'endettement joue sans doute dans le même sens pour un mieux-vivre. Tout le peuple de Paris est touché par une transformation qui se déploie pleinement là où enrichissement, héritage, situation personnelle le permettent, qui hésite quand les ressources sont insuffisantes. Deux tiers des salariés sont frappés par un appauvrissement relatif — et la réussite est limitée à quelques secteurs : l'infortune n'exclut pas le changement. Les domestiques qui participent de plus près à la vie des dominants, mais chez qui les femmes sont toujours défavorisées par rapport aux hommes, forment écran entre les classes et diffusent valeurs et comportements de la sphère des élites vers le Paris des pauvres. Cette appropriation est maintenant à questionner pour comprendre une mutation plus vaste des sensibilités et des manières, une première révolution de la consommation, qu'il faut suivre dans les pratiques ordinaires du peuple.

Notes du chapitre III

1. J. LISTER, *Voyage à Paris*, en 1697 ; Paris, 1873, pp. 34-35.
2. P. HECQUET, *La Médecine, la chirurgie et la pharmacie des pauvres*, Paris, 1740, 3 vol., t. 1, pp. 1 sqq.
3. A. FARGE, art. cit. (*Les maladies...*), pp. 999-1000.
4. J. NECKER, *Sur la législation et le commerce des grains*, Paris, 1775, 2 vol., t. 1, ch. xxv ; S. H. N. LINGUET, *Annales politiques, civiles et littéraires du XVIIIe siècle*, Paris, 1777-1792, 19 vol., t. IX, p. 326 sqq. ; S. CLIQUOT DE BLERVACHE, *Essai sur les moyens d'améliorer en France la condition des laboureurs, des journaliers, des hommes de peine vivant dans les campagnes, et celle de leurs femmes et de leurs enfants par un Savoyard*, Chambéry, 1789, 1 vol., p. 102.
5. J. EMELINA, *Valets et servantes dans le théâtre comique en France de 1610 à 1700*, Grenoble, 1975.
6. Y. DURAND, *Les fermiers généraux au XVIIIe siècle*, Paris, 1971, pp. 231-288.
7. L'étude de la critique des domestiques dans la pensée des lumières est à faire, elle recoupe bien sûr l'opposition Ville-Campagne et Paris-

Province, quelques jalons essentiels : Abbé Desfontaines, *Le nouveau Gulliver*, 1730 ; A. Désiré, *L'origine et source de tous les maux*, 1571 ; Chevalier Des Forges, *Du véritable intérêt de la Patrie*, 1764 ; C. Soret, *Œuvres*, 1784 ; Abbé Soulavie, *Des mœurs*, 1784 ; Piarron de Chamousset, *Œuvres*, 1787 ; Abbé Grégoire, *De la domesticité chez les peuples anciens*, 1814.

8. J. Emelina, *op. cit.*, pp. 287-322.
9. M. Botlan, *op. cit.*, pp. 289-310.
10. E. Walter, *Jacques le fataliste de Diderot*, Paris, 1975, pp. 68-75.
11. D. Roche, « Les domestiques comme intermédiaires culturels », in *Les Intermédiaires culturels*, actes du colloque, Aix, juin 1978, Aix, 1981.
12. AN. ZI H 652 — extrait du rôle de la capitation du quartier Saint-Germain. 1762. Maison de M. le Prince d'Henrichemont : 1 Intendant, 1 Maître d'Hôtel, 2 valets de chambre, 2 femmes de chambre, 1 cuisinière, 1 laveur, 5 laquais, 2 cochers, 1 palefrenier, 1 postillon, 1 suisse.
13. M. Botlan, *op. cit.*, pp. 346-348.
14. M. Botlan, *op. cit.*, pp. 200-225.
15. F. Ardellier, *Essai d'anthropologie urbaine au XVIIIᵉ siècle, les domestiques parisiens d'après l'inventaire après décès*, Mémoire de maîtrise, Paris-VII, 1977.
16. S. Kaplan, « Réflexions sur la police du monde du travail, 1700-1815 », in *Revue Historique*, 1979, pp. 17-77 ; J. Kaplow, *op. cit.*, pp. 71-90.
17. H. Burstin, *op. cit.* (*Le Faubourg Saint-Marcel*), pp. 279-290.
18. R. Monnier, *op. cit.* (*Le Faubourg Saint-Antoine*), pp. 44-105.
19. H. Burstin, *op. cit.*, pp. 325-332.
20. J. Massin, *Les cris de la ville*, Paris, 1979.
21. A. Farge, *Le bazar de la rue*, Urbi, I, 1979, pp. XCVII-XCVIII.
22. S. Kaplan, art. cit., pp. 20-22.
23. Outre F. Ardellier, *op. cit.*, cf. R. Arnette. *Les classes inférieures parisiennes d'après les inventaires après décès au XVIIIᵉ siècle*, Mémoire de maîtrise, Paris-VII, 1977.
24. Six successions dépassent même après 1775 10 000 L, signe d'une véritable réussite pour le milieu et l'époque.
25. Cf. tableau 3 pour le calcul des accroissements.
26. M. Botlan, *op. cit.*, pp. 259-269, surestime la paupérisation en parlant d'indigence pour des fortunes de plus de 10 000 L.
27. L'analyse en ce domaine est difficile à préciser car trop d'éléments manquent : l'étude catégorielle des salaires, les ressources réelles prennent en charge les ressources d'ensemble des ménages surtout le travail féminin, la comparaison revenus-dépenses qui exige la connaissance des données démographiques familiales. Bref, une étude des fortunes ne se confond pas avec celle des niveaux de vie car on ne peut pas induire des inventaires les éléments d'un budget ; cf. M. Baulant, art. cit., p. 506.
28. J.-C. Perrot, *op. cit.*, t. 1, pp. 265-266.
29. D. Roche, *Recherches sur les structures sociales du quartier du Marais au milieu du XVIIIᵉ siècle*, D.E.S., Paris, 1959, pp. 177-200.
30. A. Daumard et F. Furet, *op. cit.* (*Structures et relations sociales*), pp. 25-34.
31. H. Burstin, *op. cit.* (*Faubourg Saint-Marcel*), pp. 334-335.
32. Les éléments de la fortune ont été classés selon la grille établie par Madame M. Baulant, art. cit. (1975) soit au total 11 catégories : ustensiles de ménage, mobilier, linge, vêtements, outils et matériels professionnels, argenterie et bijoux, argent liquide et deniers comptants,

rentes, obligations, dettes actives, biens immeubles. Deux d'entre elles sont sous-évaluées, les vêtements, l'immobilier, mais ces lacunes faibles ne bouleversent pas la comparaison ; cf. R. ARNETTE, *op. cit.*, pp. 30-35 et F. ARDELLIER, *op. cit.*, pp. 20-32.

33. D. ROCHE, « Recherches sur la Noblesse parisienne au milieu du XVIIIᵉ siècle, la Noblesse du Marais », in *Actes du 86ᵉ Congrès National des Sociétés Savantes*, Montpellier, 1961, Paris, 1962, pp. 541-576 ; tableau 2, p. 571.

34. C. MICHAUD, *Notariat et sociologie de la rente à Paris au XVIIᵉ siècle, l'emprunt du clergé de 1690*, Annales, E.S.C., 1977, pp. 1154-1187.

35. M. BOTLAN, *op. cit.*, p. 276.

36. M. BOTLAN, *op. cit.*, p. 267.

37. M. REINHARD, *op. cit.* (*Nouvelle Histoire de Paris*), p. 105.

38. R. ARDELLIER, pp. 118-119, un cas de dépense aux termes de la vie, apothicaires, 63 L ; chirurgiens, 313 L ; médecins, 20 L ; 25 jours de garde malade, 50 L ; convoi funéraire, 60 L ; sépulture, 7 L ; testament insinué, 30 L ; dettes au boucher, 13 L ; prêt durant la maladie, 150 L ; cf. AN, MC, I 583, 3 novembre 1780.

39. F. CHANGEUX, *La Maison Parisienne au XVIIIᵉ siècle*, Mémoire de maîtrise, Paris-VII, 1978. Ces tableaux recensent à partir de la Série Z 1 J, 140 et 183 propriétaires ayant eu recours à la juridiction parisienne des Bâtiments.

40. M. MORINEAU, « Budgets populaires en France au XVIIIᵉ s. », *Revue d'Histoire Economique et Sociale*, 1972, pp. 204-237 et pp. 449-481 ; montre tout le parti qu'on peut tirer des écrits théoriques, Vauban, Véran, Lavoisier, mais aussi toute la difficulté qu'il y a à passer des textes démonstratifs à la réalité ; R. ARNETTE, *op. cit.*, p. 72-82.

41. M. BAULANT, *Le prix des grains à Paris de 1431 à 1788*, Annales, E.S.C., 1968, pp. 520-530.

42. P. COUPERIE et E. LE ROY LADURIE, *Le mouvement des loyers parisiens du Moyen Age au XVIIIᵉ siècle*, Annales, E.S.C., 1979, pp. 1010-1025.

43. Y. DURAND, « Recherches sur les salaires des maçons à Paris au XVIIIᵉ siècle », *Revue d'Histoire Economique et Sociale*, 1966, pp. 468-482 ; M. BAULANT, *Le salaire des ouvriers du bâtiment parisien de 1400 à 1726*, Annales, E.S.C., 1971, pp. 463-483.

44. C.E. LABROUSSE, F. BRAUDEL, *op. cit.*, t. II, pp. 487-497 et pp. 665-678.

45. J.-C. PERROT, *op. cit.*, t. 2, pp. 782-797 ; R. ARNETTE, *op. cit.*, pp. 79-80.

46. R. ARNETTE, *op. cit.*, pp. 82-85.

47. J. BAUDRILLARD, *Pour une critique de l'économie politique du signe*, Paris, 1976, pp. 59-94.

48. Comme tous les développements précédents, nous devons l'essentiel à R. ARNETTE, *op. cit.*, p. 83-84.

49. J.-C. PERROT, *op. cit.*, p. 791.

50. F. ARDELLIER, *op. cit.*, pp. 17-20 : traduit en setier de froment cela revient à 57 % pour les hommes, moins de 10 % pour les femmes.

51. M. BOTLAN, *op. cit.*, pp. 60-96.

52. M. BOTLAN, *op. cit.*, pp. 66-67.

53. F. ARDELLIER, *op. cit.*, pp. 31-32, il faudrait prendre en compte le mariage et ses dots d'autant plus que les domestiques se marient peut-être plus tard que le reste de la population. Un apport au mariage de 2 500 L, repéré dans plus du tiers des contrats classe le domestique dans la catégorie supérieure au moment de l'inventaire.

54. A. SMITH, *Recherches sur la nature et les causes de la richesse des*

Nations, Paris, 1843, 2 vol., t. 1, pp. 114-116, cit. par M. BOTLAN, *op. cit.,* p. 90.

55. M. BOTLAN, *op. cit.,* p. 89.

56. M. BOTLAN, *op. cit.,* pp. 226-243, met bien en valeur le poids du chômage à partir de l'étude des domestiques jugés par le Chatelet de Paris entre 1771-1789 : 75 %, avec deux maximum en 1771 et en 1789 suivant en cela la courbe du prix du blé. Il montre aussi que le chômage est de courte durée : 42 % moins d'un mois, le reste de 1 mois à 1 an. Le seuil des 6 mois de chômage est essentiel.

57. C. H. PIARRON DE CHAMOUSSET, *Œuvres Complètes,* éd. J.-B. COTTON DES HOUSSAYES (abbé), Paris, 1783, 2 vol., t. 1, pp. 355-356.

58. L.-S. MERCIER, *op. cit.,* t. 3, pp. 206-210.

DEUXIEME PARTIE

HABITER ET CONSOMMER

« *Un vêtement ne devient réellement vêtement que par l'acte de le porter ; une maison qui n'est pas habitée n'est pas en fait réellement une maison.* »

K. Marx.

Chapitre IV

Manières d'habiter

> « Plus les quartiers sont désagréables
> et les maisons mal bâties, moins les
> logements y sont chers et plus aussi la
> classe des citoyens malaisés s'y porte et
> s'y resserre... »
>
> MENURET DE CHAMBAUD.

Les maisons du peuple de Paris ont mauvaise réputation : ce sont les demeures de la misère. Sébastien Mercier qui dépeint le faubourg Saint-Marcel comme un repaire et comme un refuge, aux extrémités du monde connu, y découvre avec stupeur l'habitat populaire : « Une famille entière occupe une seule chambre, où l'on voit les quatre murailles, où les grabats sont sans rideaux, où les ustensiles de cuisine roulent avec les vases de nuit. Les meubles en totalité ne valent pas vingt écus ; et tous les trois mois les habitants changent de trou, parce qu'on les chasse faute de paiement du loyer. Ils errent ainsi, et promènent leurs misérables meubles d'asile en asile. On ne voit point de souliers dans ces demeures ; on entend le long des escaliers que le bruit des sabots. Les enfants y sont nus et couchent pêle-mêle... [1]. » Dans ce tableau furtif, esquissé en clair obscur, l'on sent que l'observateur fasciné a eu un mouvement de recul épouvanté. Sous ses yeux apparaissent l'animalité et la barbarie, au cœur d'une cité aussi prestigieuse que Rome et Athènes ! L'intimité du peuple campe le décor de l'inculture. Pourtant des traits justes se découvrent : l'espace mesuré et restreint, le dénuement des murs — froids et humides —, le désordre des objets usuels, la promiscuité familiale ; le loyer est élevé pour les ressources populaires. Se loger, c'est trouver un abri temporaire dans lequel on ne s'enracine pas et auquel on ne peut prêter aucune des vertus protectrices et familières dont se charge le potentiel symbolique de la demeure bourgeoise. Les foyers de la misère ne sont pas chaleureux. Rien à voir avec l' « humble logis » où chacun tend à trouver sa coquille initiale : on en est comme expulsé, rejeté à la rue, renvoyé à la recherche d'une autre chaleur. Rien à voir avec les maisons de Chardin où l'on a trop souvent voulu découvrir le modèle des logements du peuple ; les objets familiers construisent un espace large et sensible, où leur amicale présence évoque les gestes de tous les jours, un climat simple (mais déjà raffiné), où transparaît la qualité d'une haute culture. Le logement de l'artiste est aussi éloigné des espaces populaires qu'il peut l'être de l'habitation aristocratique[2]. La découverte de Sébastien Mercier n'est pas totalement isolée. Effectivement, la fin du XVIII siècle voit naître les spéculations sur l'aménagement urbain, et avec elles se pose, indirectement, la question de l'architecture des habitations populaires[3]. Cette question n'est pas vue immédiatement dans son ensemble, par rapport à l'environnement — comme elle le sera au XIX siècle — mais de biais et pour ainsi dire négativement. Il s'agit d'en limiter la hauteur, d'en empêcher l'expansion sur la rue, d'en geler le développement aux limites principalement dans les faubourgs. Architectes, médecins, hommes de science, administrateurs découvrent la ville d'abord, la maison après ; ce n'est qu'assez furtivement qu'ils s'aventurent dans l'économie sociale de la construction. Dans le Paris pré-industriel, les formes architecturales sont étroitement soumises à celles du parcellaire. Le bâti épouse la parcelle, ce qui limite considérablement l'application des normes d'architecture ou de salubrité, exception faite des hôtels aristocratiques dont le programme exige un regroupement préalable des parcelles[4]. L'action administrative fait porter l'essentiel de ses réglementations sur l'enveloppe architecturale veillant depuis le XVII siècle à l'alignement et à la normalisation esthétique dans les voies passagères[5]. Pour le reste, tout est bricolage.

La ville est plus reconstruite que construite, dans les quartiers centraux du moins, et ce n'est qu'à la fin du siècle, on l'a vu, que le mouvement s'accélère, surtout aux périphéries urbaines. La manière de voir la maison parisienne et surtout les réflexions sur le rapport existant entre le bâti et l'environnement vont s'en trouver considérablement changées. Les dossiers des jurés experts de la Chambre des bâtiments commis pour se prononcer sur les projets et sur les contestations montrent très clairement comment évoluent les utilisations du parc immobilier[6]. Calculées sur 5 ans, les opérations faites entre le début et la fin du siècle se présentent ainsi :

	1718-1722	1788-1792
Constructions projetées	47	122
— réalisées	44	104
Reconstructions totales ou partielles projetées	53	42
— réalisées	25	8
Modifications intérieures	47	69
Réparations : — à faire	493	298
— faites	102	116

A tous moments, les constructions sont bien moins importantes que les opérations limitées et les interventions nécessaires à la consolidation d'un patrimoine vétuste. De surcroît, les greffiers des bâtiments enregistrent toujours plus de projets que de réalisations achevées : ce que l'on saisit, ce sont alors des ouvertures de chantier et c'est leur géographie qui est intéressante. Dès le règne de Louis XV, l'activité immobilière a délaissé le centre, tous les chantiers sont concentrés dans les quartiers neufs, rive droite et rive gauche vers l'ouest ; au temps de Louis XVI le contraste s'est encore accentué. On ne bâtit guère dans les vieilles paroisses de la ville et dans les faubourgs du nord et du sud de la Seine. On y reconstruit guère plus sur place, la majorité des opérations se faisant dans les zones limites de la vieille cité. En revanche, on y répare à tour de bras, maçonnerie, charpente, couverture, peinture, menuiserie, vitrerie, carrelage, mais moins en fin de siècle qu'au début. Pour le logement du peuple, cela signifie deux choses : d'une part, les misérables restent mal logés ; d'autre part, un changement dans la conception de l'espace intérieur s'amorce, visible à travers les manières de réparer. Les propriétaires du centre tirent profit de l'entassement d'une population augmentée, les spéculateurs, eux, investissent aux périphéries dans des opérations profitables. Si le patrimoine immobilier ancien est moins bien entretenu c'est que les réparations coûtent plus, l'investissement rapporte moins, et l'on peut conserver un profit locatif à moindres frais, pour cela il suffit de partager l'espace ancien. Les indices des différents chapitres de réparation le montrent :

	1718-1722	1788-1792
Maçonnerie	44,4 %	22,8 %
Charpenterie	13,5	7,3
Couverture	12,1	8,7
Serrurerie	11,4	19,7
Menuiserie	12,8	23,9
Plomberie	2,8	2,6
Peinture	2,5	14,7

Le gros œuvre recule nettement au profit des aménagements et des réaménagements intérieurs. La notion clef devient l'entassement. Dans les maisons neuves où les appartements sont plus spacieux s'installent moins de monde ; dans les vieilles maisons, réparations et transformations permettent de serrer plus de personnes, surtout dans les étages supérieurs ; les propriétaires, bourgeois maîtres artisans, boutiquiers, ou les principaux locataires se réservent les étages inférieurs. A Paris l'inégalité commence devant l'espace. Vers 1760, l'abbé Expilly évaluait le nombre des maisons à près de 24 000 accueillant entre 24 et 23 personnes, en 1789 on en compte plus de 25 000 ce qui donne un minimum de 25 à 30 habitants par maison. Comme la plupart sont exiguës avec souvent deux fenêtres en façades, peu de profondeur et quatre à cinq étages, comme il faut tenir compte de l'occupation moindre des appartements nouveaux et des hôtels de la Noblesse, c'est un entassement effectif, et, dans les quartiers les moins relevés, un véritable taudis [7].

Les médecins, auteurs de topographie médicale, en prennent clairement conscience puisqu'ils notent la coïncidence entre l'insalubrité des paroisses et la pauvreté de leurs habitants [8] : « Plus les quartiers sont désagréables et les maisons mal bâties moins les logements y sont chers et plus aussi la classe des citoyens malaisés s'y porte et s'y resserre. » De surcroît, les misérables sont exploités par les propriétaires « qui masquent à peu de frais les défectuosités des maisons » et qui relèguent les travailleurs dans des « constructions négligées ». Dans l'Ile de la Cité, Audin Rouvière évalue à plus de 10 familles (40 à 50 personnes) la densité par maison [9]. L'habitat devient l'un des ressorts des oppositions sociales qui se jouent dans l'espace urbain ; à l'aube du XIXe siècle, le docteur Lachaise l'admet totalement [10] : pour les beaux quartiers, rues larges, salubres, bien percées, maisons élégantes et salubres, hôtels avec jardin, habitations aérées, propres, sèches ; pour les quartiers pauvres : rues étroites, malpropres, obscures, humidité, cloaque, ruisseau, boue, irrégularité, maisons mal bâties, humides, écrasées, obscures, hautes, très populeuses. La description chargée de toutes les métaphores de l'organisme marque un point d'arrivée ; à l'aube du XVIIIe siècle, la ségrégation n'est que partiellement commencée et elle met en valeur d'autres partages : verticaux — entre étages —, horizontaux — dans les rues et les ruelles adjacentes [11]. La phénoménologie des néo-hippocrates met en valeur quantité d'oppositions essentielles où se nouent les rapports entre bâtiment, rue, cité, société. La rue est ce qui ordonne l'habitat et non l'inverse, car étroitesse et insalubrité sont liées indissolublement dans une pensée qui place au sommet de la hiérarchie des valeurs médicales la circulation de l'air [12]. La constitution climatique la plus redoutable est celle de l'humidité froide, elle est responsable de bien des maladies ; chaude, elle évoque inévitablement la moiteur et la putréfaction. Pour un habitat sain, il faut donc des rues saines où l'air circule sans obstacle, « Mouvement vital du vivant sain [13]. » Donc le logement des pauvres est un foyer de corruption car tout y joue contre le souffle libre de l'air, étroitesse, hauteur, défaut d'ouverture, mauvaise qualité des constructions, insuffisance des évacuations, forte densité de peuplement. C'est une menace pour la

ville. La réflexion médicale qui se préoccupe des cubages d'air
nécessaires aux malades dans les hôpitaux, aux prisonniers dans
les geôles, aux marins dans les vaisseaux, lieux privilégiés de
l'entassement et de la morbidité, ne fait qu'effleurer la question
des demeures de la misère [14]. Elle la contourne par le biais
de la destruction des obstacles aux vents purificateurs, dans la
rue ; par celui des équipements collectifs — égouts, fontaines — ;
par un nettoyage général de la cité, vidée de ses abattoirs, de
ses tanneries, des hôpitaux, des cimetières délétères. La pensée
médicale tourne autour de la maison ; plus efficace dans l'espace
public, elle hésite aux frontières de la vie privée ; plus à l'aise
pour louer l'habitation salubre des riches, elle s'avance à pas
comptés dans la maison malsaine des pauvres. Lachaise peut cependant aller jusqu'à regretter que de « tous temps l'architecture
semble avoir tout sacrifié pour l'œil... [15]. »

Toutefois, les topographes médicaux s'intéressent en hygiénistes
aux matériaux de construction, la pierre de taille solide et carrée
est bien préférable aux vieux pans de bois des maisons anciennes
et surtout aux matières de réutilisations : vieux moellons, chaux
recuites, vieilles charpentes, lattes vétustes, provenant des démo-
litions. En revanche, le plâtre est copieusement loué : il associe
trois qualités, c'est un moyen de lutter contre l'humidité si l'on
attend suffisamment pour emménager afin qu'il soit bien sec ;
c'est un préservatif contre l'incendie, Paris malgré quelques alertes
n'a jamais connu de désastre comme Londres ; enfin il colore la
ville et lui confère une partie de son agrément : le plâtre bénéficie
donc à fond des charges symboliques de la vieille médecine, il
assèche, il blanchit, agent du bien contre le mal de l'humide et
de l'obscur. Dans leur appréciation des constructions urbaines,
les médecins parisiens sont des modérés, point de maison trop
haute, obstacles à l'air, ni trop basse, foyers de l'humide corrupteur. Comme Sébastien Mercier, ils critiquent l'existence de
modernes insulae dépassant cinq et six étages qui nuisent à l'en-
soleillement, obligent le peuple à vivre dans l'obscurité, menacent de s'effondrer et favorisent l'entassement. L'élévation des
pièces et l'abondance des ouvertures doivent éviter l'accumulation
de l'air épais et insalubre. Malheur aux habitants des sombres
rez-de-chaussée privés d'air et de soleil, victimes de l'accumulation
des nuisances. La pathologie spécifique des quartiers populaires,
la définition d'un hygiénisme de l'habitat se dessinent alors dans
une topographie des confinements. Déjà se profile l'idée, que le
XIX° siècle développera largement, que la misère ne se déduit
pas de la pauvreté mais de la culture, c'est-à-dire de l'immoralité,
de l'insouciance, de l'incapacité à façonner un environnement
autre [16]. Les attitudes fondamentales du peuple face à l'habitat
deviennent l'une des causes de l'insalubrité urbaine. Le caractère

animalier que soulignait Mercier, l'aspect de tannière ou de repaire des habitations faubouriennes, trouvent leur complément dans les topographies médicales génératrices de topoi et de normes qui ne peuvent s'appliquer au peuple.

Or la situation de celui-ci est infiniment variable. La population reste pour une part très hétérogène, parisiens d'ancienne souche et migrants nouveaux venus se côtoient partout, classes sociales diverses se mêlent dans la même maison qui peut abriter les bons artisans comme les riches bourgeois, les boutiquiers comme les ouvriers des étages. Le principe « plus haut l'étage, plus bas la classe » fonctionne dans presque tous les quartiers [17], mais il importe de voir d'un peu plus près comment. L'examen des inventaires le permet. L'analyse des fortunes a mis en valeur plusieurs modèles de comportement populaire qui évoluent de façon différente mais sur certains points comparables. Ces attitudes relèvent pour une grande part de l'économique, mais en même temps les milieux de vie, les choix d'objet, l'organisation de l'espace ont une signification plus large, sociale et affective. Tous ces signifiants engagent une sensibilité des gestes, une conduite mentale, un style de vie familiale dont le lieu est le foyer. C'est pourquoi les manières d'habiter doivent être interrogées : d'abord autour de la fonction d'habitation saisie dans ses localisations et son agencement ; ensuite dans ses façons d'utiliser l'espace pour réaliser les besoins biologiques élémentaires : sommeil, chauffage, alimentation ; enfin, pour retrouver les gestes de tous les jours qui s'inscrivent dans le support des mobiliers. Sur tous ces points, l'inventaire notarial ne peut pas toujours donner une réponse. En particulier il est peu clair quant à la relation qui s'établit quotidiennement dans le logement urbain entre l'étendue et ceux qui la peuplent. L'acte est muet sur le rapport de l'habitat et de l'environnement, sur les cheminements et les trajets quotidiens, il n'est pas très parlant quant à la géométrie des pièces, leurs dimensions, leurs ouvertures, il n'évoque pas la vétusté des logements, il ne met pas en cause les extensions de la vie familiale hors de la maison, il ne renseigne pas sur l'escalier, la cour, la rue. Bref, le plus bel acte du monde ne peut donner que ce qu'il a, mais dans le domaine de l'habiter populaire c'est beaucoup. Pour y retrouver les conditions du logement des classes laborieuses, deux types d'indications sont particulièrement précieux : les papiers, les actes de location, les quittances de loyer, les billets pour termes dus font connaître le statut et le coût de l'habitation ; l'itinéraire descriptif des notaires et des jurés-priseurs permet de retrouver de pièce en pièce le tableau concret des appartements.

Pour l'étude du statut des logements, la géographie des informations est à considérer afin de savoir de quel Paris on parle.

Dans la domesticité, vers 1700, les domiciles recensés appartiennent à une quinzaine de paroisses rive droite, et à huit, rive
gauche ; la dispersion est de règle, due pour l'essentiel à la faible
représentativité de la catégorie dans les fonds notariaux. Toutefois, trois ensembles se dessinent : le Marais aristocratique avec
1/3 des cas, les paroisses du centre de la ville, et la paroisse
Saint-Sulpice. En 1789, on retrouve ces trois localisations principales mais le faubourg Saint-Germain arrive en tête devant les
paroisses riches et aristocratiques de l'ouest, rive droite, et le
Marais qui a perdu un peu de son prestige au cours du siècle [18].
Cette topographie de la domesticité souligne le lien existant entre
la localisation du domicile patronal et celui des serviteurs mais
en même temps qu'il n'y a pas contiguïté absolue. Les domestiques parisiens sont partout, mais ils sont clairsemés dans le
Paris de l'est et des faubourgs populeux alors qu'ils se regroupent dans le centre et au voisinage des hôtels non seulement pour
des raisons d'embauche mais parce que la proximité des employeurs
reste un atout jusqu'à un âge avancé. De surcroît, il ne faut pas
oublier « que la domesticité masculine apparaît incontestablement
comme un excellent critère d'évaluation de la richesse globale d'un
quartier donné. La domesticité féminine n'est pas significative [19] ».
   La localisation salariale est sensiblement différente. Au début
du siècle, le groupe se répartit de matière égale entre les paroisses
du Marais, celles du centre ville où l'axe rue Saint-Denis-rue Saint-
Martin est bien représenté, les faubourgs du nord et de l'est, la
rive gauche enfin, surtout la partie orientale du faubourg Saint-
Germain et de Saint-Sulpice et la paroisse Saint-Etienne du Mont.
A la veille de la Révolution, la représentation des faubourgs
s'est accrue : 15 inventaires dans la paroisse Saint-Laurent, 23 pour
Sainte-Marguerite qui dessert le faubourg Saint-Antoine. Au total,
tout le Paris populaire est touché mais la documentation notariale rend compte, malgré les hasards inhérents à la constitution
des sondages, de l'amorce d'une ségrégation elle confirme les
observateurs quant au déplacement des classes laborieuses du
centre vers la périphérie, quant à la paupérisation des quartiers
faubouriens, surtout du quartier Saint-Marcel pour lequel l'information reste très limitée. Le contraste avec la carte parisienne
des domesticités est flagrant, celles-ci se concentrent dans les
zones riches et suivent le déplacement des aisés vers l'ouest, les
classes inférieures présentes partout, fuient les riches paroisses
occidentales et se ramassent dans les quartiers du centre et de
l'est. La ségrégation sociale joue en sens inverse pour les unes
et pour les autres, et il faudrait pouvoir dessiner une carte du
chômage pré-révolutionnaire pour effacer cette opposition. En
tous cas, il existe une corrélation entre la localisation salariale
et la géographie de l'indigence telle que les enquêtes de l'Assem-

blée Nationale la saisisse au début de la Révolution Parisienne [20]. A regarder le statut du logement l'opposition entre domesticité et classe inférieure se retrouve. Six cas sont possibles : pension, logement gratuit chez le patron ou le maître, propriété, location principale (c'est-à-dire de toute la maison), sous-location et location, certains inventaires ne permettent pas de trancher entre ces deux situations. Le tableau suivant montre ce qu'il en est pour le siècle :

Tableau 10

	Salariat		Domesticité	
	1695-1715	1775-1790	1695-1715	1775-1790
Locations	55	47	26	24
Sous-locations	37	40	16	18
Location principale	1	2	8	4
Propriété	4	2	1	1
Logement gratuit	2	7	49	53
Double logement	—	—	(12)	(16)
Pension	1	2	—	—
	100	100	100	100

Le peuple salarié est un peuple de locataires : 90 % des cas, le peuple domestique bénéficie de la gratuité d'un logement procuré par le maître, mais le nombre de ceux qui logent en dehors de leur travail est considérable et un petit groupe loue chambre ou appartement concuremment à ceux dont les patrons leur laissent l'usage. Les uns et les autres ne voient pas changer leur situation du début à la fin du siècle, le salariat reste dans ses locations, la domesticité continue de se partager entre ceux qui vivent et meurent chez un employeur, et ceux qui louent à l'extérieur un cadre plus conforme à leur vie de famille ou aux nécessités de l'âge qui est souvent celui de la retraite, c'est le cas de Nicolas Compère, chef de cuisine chez un procureur du Roi au Chatelet, il loge à proximité de chez son maître dans une chambre rue de la Tournelle, continuant un service commencé dix-sept ans auparavant mais ayant quitté quelque peu la maison [21]. La source notariale avantage les aisés et les indépendants, mais il n'est pas certain que les archives criminelles donnent une image plus vraie car elles majorent, à l'inverse, la pauvreté et la dépendance, plus de 85 % des domestiques jugés logent chez leur maître, une petite minorité vit en dehors bénéficiant d'une assistance discrète ou dans le cadre d'une semiretraite. Reste que dans sa majorité la population domestique parisienne est caractérisée par la règle commune du logement sous le toit de l'employeur qui peut se concilier avec la location d'un appartement extérieur. De cette situation particulière découlent deux conséquences : la subordination implique une contrepartie, le salaire net du domestique incorpore le fait d'être logé ; la vie familiale des domestiques mariés (bien qu'il y ait dans les domesticités un taux élevé de célibat, les mariages ne sont pas rares surtout chez les hommes en service), est une vie double. En effet, il est assez rare de voir les serviteurs logés chez leur maître avec femmes et enfants. Soumis à des solutions de fortune, comportements démographiques et familiaux ont pu être fortement modifiés. Jean-Baptiste Caty maître d'hôtel et sa femme Marie, cuisinière chez le comte de Malide rue Saint-Roch, y occupent une petite chambre, mais ils louent dans la même rue une autre pièce où ils retrouvent leurs deux enfants en dehors du service [22]. Le double logement est donc souvent une solution pour reconstituer un foyer mais la vie familiale des domestiques souvent ne peut être par nécessité qu'une vie séparée.

De plus, la situation désignée par le terme de locataire peut recouvrir deux statuts différents. Pour le plus grand nombre il s'agit d'une location directe : le loyer est versé entre les mains du propriétaire de l'immeuble. Toutefois, il existe, tant au début qu'à la fin du siècle, une proportion importante de sous-locataires qui paient leurs termes aux principaux locataires ayant pris à bail l'ensemble de la maison [23]. Ceux-ci sont dans leur majorité des marchands et des maîtres artisans, ce qui répond à une nécessité économique ancienne, la location de la boutique ou de l'atelier du rez-de-chaussée étant souvent liée à celle de l'immeuble entier. Le rôle essentiel joué dans la vie quotidienne par le principal locataire — il fait rentrer les loyers, il veille à la bonne réputation de la maison dont il surveille l'entretien et règle pour une part la sociabilité — permet de s'étonner de ne voir des salariés, plus rarement des domestiques, que dans des maisons louées en totalité par la petite bourgeoisie boutiquière et artisanale, et où les témoins et voisins appartiennent exceptionnellement à d'autres milieux que ceux des classes inférieures. Le principe généralement admis « du caractère hétérogène des occupants d'une même maison », ne se vérifie pas toujours soit qu'il y ait influence de la localisation, soit qu'il y ait amorce de ségrégation de l'habitat. Rien ne permet de trancher [24].

En ce qui concerne les autres situations, on voit aisément qu'elles confirment l'opposition domesticité-salariat. Parmi celui-ci peu de propriétaires mais guère plus chez les domestiques, en revanche ils sont plus nombreux à être eux-mêmes principaux locataires (12 pour 3). Pour le salarié, les ressources de la sous-location, afin d'améliorer un sort précaire, constituent un rêve inaccessible ;

trop pauvre, il n'a pas l'argent comptant nécessaire ; trop riche, il préfère la sécurité des rentes moins complexes au maniement des loyers. En revanche, le domestique dispose d'une mobilité, d'un entregent, sinon d'une habitude apprise dans le service de la gestion comptable minimale, qui rendent le bail principal concevable, et l'apparentent à une microspéculation qui peut parfois conduire à des échecs retentissants. En 1786, Jean-Marie Levavasseur, maître d'hôtel, meurt ruiné avec 2 400 L de passif provenant pour l'essentiel du cumul des arriérés de loyers qu'il n'a pu faire rentrer depuis 1783, date à laquelle il a conclu avec l'argent avancé par sa deuxième femme un bail de location trop onéreux. Cet exemple montre les limites d'autonomie des domestiques en ce domaine. La plupart du temps, ce sont là situations a-typiques par rapport à la majorité des locataires et des logés. Dès lors, la question des loyers et de leur évolution retrouve toute son importance, dans le premier cas il obère les budgets familiaux d'une part non négligeable et croissante, dans le second, il trace une des voies possibles de l'enrichissement relatif des domestiques qui peuvent toujours économiser sur les frais de leur logement [25].

Les termes échus indiqués dans l'inventaire — 59 fois et 76 fois pour les salariés, 24 et 35 pour les domestiques — permettent d'apprécier le loyer moyen. Il est au début du siècle de 41 Livres et de 95 Livres à la fin. C'est en réalité plus de 60 Livres qu'il faut verser en quatre termes, à Pâques, à la Saint-Jean, à la Saint-Rémy et à Noël, pour disposer vers 1700 de deux pièces, plus de 35 Livres pour une seule. Vers 1780, c'est plus de 160 Livres qu'on doit donner pour deux chambres et au moins 80 Livres pour une pièce unique. La hausse des loyers parisiens au XVIIIe siècle est bien connue : 140 % calculés sur plusieurs milliers de baux [26], 130 % à partir des données des inventaires. Le décalage entre les deux évaluations importe moins que la ponction accrue sur le salaire même si elle n'est pas dépourvue de signification car elle peut correspondre au poids augmenté dans le sondage 1775-1790, des salariés logeant dans les faubourgs où les loyers peuvent être moins élevés qu'au centre, ou encore à une baisse de qualité du logement [27]. Les salariés démunis ont pu fuir vers les rues et les maisons les plus anciennes aux locations moins chères que celles des immeubles neufs, les quartiers nouveaux et les bâtiments rénovés, ainsi limiter dans une faible mesure les effets de l'accroissement des loyers mais au prix d'une baisse probable de la qualité de l'habitat. Deux observations de Sébastien Mercier confirment l'ampleur du phénomène : « Depuis trente ans on a bâti dix mille maisons nouvelles et il y a plus de huit mille appartements qui sont vides. Les petites locations ont infiniment plus de concurrences que les autres. Il y aura cent personnes qui se présenteront pour une chambre de 50 écus, à proportion

Tableau 11 — REVENUS ET COUT DE LA VIE

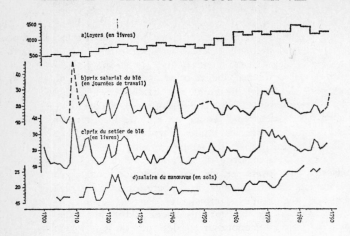

Tableau 12 — REPARTITION DES LOYERS

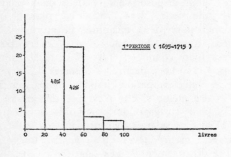

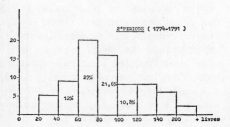

gardée le pauvre paie plus cher son appartement que le riche... »,
et par ailleurs, « Dans les faubourgs il y a trois ou quatre mille
ménages qui ne paient point leur terme et qui promènent tous les
trois mois, de galetas en galetas, des meubles dont la totalité ne
vaut pas vingt-quatre francs. Ils déménagent pièce à pièce sans
payer et laissant seulement un de leurs meubles pour dédomma-
gement... [28]. »

L'important reste donc que le poids du logement a doublé en
un siècle et que pour un plus grand nombre de travailleurs il
devient insupportable et les condamne aux expédients, déménager
à la cloche de bois, s'endetter ou sacrifier les maigres possessions
des ménages. En 1700, le loyer équivaut à 30 setiers de blé, vers
1780 c'est plus de 60 setiers ; sous le règne de Louis XIV, il
représente 46 journées de travail soit 18 % du salaire annuel d'un
manouvrier calculé sur 250 jours ouvrables ; au temps de
Louis XVI c'est plus de 75 jours, c'est-à-dire 26 % de ce même
revenu. Bref, en valeur réelle comme en nominale, le peuple paie
des prix plus élevés pour des gîtes plus exigus et sans doute de
qualité moindre. Ses conditions de vie subissent une détérioration
sensible [29] qui s'accompagne d'un accroissement des inégalités.

L'élargissement de l'échelle des locations, tant pour la domesticité locataire que pour les classes inférieures est importante :
l'écart entre le prix du logement le plus bas et celui du plus élevé
s'accroît (cf. graphique répartition des loyers). A l'aube du siècle,
90 % des valeurs locatives sont comprises entre 20 et 60 Livres,
il n'y en a plus que 17 % dans le même intervalle à la veille de la
Révolution, et près de 50 % entre 60 et 100 Livres. La hausse des
dépenses de logement est donc très inégalement répartie soit
qu'elle mette en valeur les changements notés dans l'accroissement
des écarts de fortune, soit qu'elle traduise une évolution des
comportements attirés, pour certains, vers la recherche du confort
ou de l'intimité familiale. Jacques Louis Gay, gagne-deniers,
laisse en mourant une fortune de 400 Livres grevée de dettes, mais
son loyer pour deux pièces et un galetas rue du Faubourg-Saint-
Denis dépasse 200 Livres : il laisse plusieurs enfants ; à l'opposé,
Jean Chauderon dont la succession atteint près de 9 000 L, se
contente d'une chambre modeste sur Notre-Dame-des-Champs
louée 36 Livres par an : il est célibataire. L'échelle des loyers
reflète plus que la hiérarchie des niveaux de vie, une évolution
économique, mais aussi des transformations mentales et l'attraction
de nouvelles valeurs. Ainsi les domestiques qui se logent hors de
la maison de leur employeur paient dans leur ensemble un loyer
plus élevé, à niveau de fortune égal, que celui consenti par les
compagnons ou les manouvriers. Le fait traduit l'ouverture plus
rapide du groupe sur le marché de la consommation et confirme
le rôle de la circulation des normes par son intermédiaire. Il est

peut-être partiellement freiné par la lourdeur excessive des loyers parisiens comparés à ceux d'autres villes, l'ouvrier en soie lyonnais ne consacre pas 40 Livres par an à son logement ; à Caen, 80 % des citoyens passifs recensés en 1790 ne paient pas 30 Livres [31]. Pour le peuple de Paris à la veille de la Révolution, la part du logement varie entre le quart et le dixième du salaire, sa pesanteur semble accrue avec le siècle sans qu'on saisisse, sauf pour une minorité, d'importantes transformations qualitatives. Dans l'ensemble des valeurs locatives parisiennes — connues à l'époque révolutionnaire par suite de l'apparition de la contribution mobilière [32] — salariés et domestiques sont au bas de l'échelle : 85 % d'entre eux déboursent chaque année 40 à 150 Livres pour se loger ; 50 % seulement des Parisiens pris dans leur ensemble supportent une charge comparable. En deçà de 40 Livres — un écu d'or — on ne trouve pas grand-chose à louer ; au-delà de 150 Livres, les gens du peuple — à quelques exceptions près — ne peuvent plus payer. Il s'agit là d'une frontière sociale, au-dessus on entre dans l'aisance, franchie la limite de 500 Livres de loyer par an on pénètre dans l'univers des riches et des dominants. On saisit pleinement ici les chances offertes à la domesticité logée par ses maîtres. Sur une vie, les économies réalisées, les micro-spéculations rendues possibles, la recherche d'autres sources de revenus que le salaire, compensent une perte d'indépendance qui est peut-être de plus en plus mal ressentie [33]. En tous cas, même si la question du loyer n'est qu'un aspect de celle du logement, elle est un bon révélateur des différences qui se creusent entre domestiques et salariés, entre aisés et paupérisés. L'organisation de l'espace va souligner d'autres écarts (cf. tableaux 13 à 16).

Et d'abord la distribution en hauteur. Dès la fin du XVIIe siècle, elle est établie et va peu se modifier avec le temps. Le peuple vit dans les étages, à partir du second essentiellement, et sans qu'apparaisse de façon nette la stratification verticale accentuée avec le siècle. Si les domestiques sont un peu plus nombreux dans les logements de l'étage noble, c'est qu'ils le partagent avec leurs maîtres, et la présence d'un plus grand nombre d'entre eux au rez-de-chaussée vient d'une représentation plus forte des suisses et des portiers dans le sondage pré-révolutionnaire. Le fait qu'il y ait moins de salariés au même moment à se loger au niveau de la rue traduit le recul des ateliers et des boutiques présents en plus grand nombre à l'époque de Louis XIV. Vers 1700, 7 cas sur 10 vérifient cette manière d'habiter où apparaît une réalité économique : une salle reculée, une arrière-boutique, un simple retranchement fermé par un rideau servent de chambre à coucher, l'échoppe étant la pièce où l'on travaille et où l'on vit. Le logement composite en hauteur est très rare, il est d'ailleurs très proche de ce premier type à la différence près que la chambre

Tableau 13

L'ORGANISATION DE L'ESPACE, DISTRIBUTION VERTICALE DES LOGEMENTS

	1695-1715		1695-1715	
	Salariés	Domestiques	Salariés	Domestiques
Rez-de-chaussée, entresol	11 %	12 %	2 %	20 %
1er étage	17 %	10 %	24 %	13 %
2e étage	26 %	20 %	28 %	28 %
3e étage	23 %	20 %	21 %	21 %
4e étage et au-dessus	13 %	17 %	17 %	9 %
Logement composite	9 %	8 %	6 %	9 %
dont rez-de-chaussée - étage	(8)	(5)	(6)	(4)
	100	100	100	100

Tableau 14

L'ORGANISATION DE L'ESPACE, L'HORIZON DES LOGEMENTS

	— I —		— II —	
	S	D	S	D
Sur la rue	56 %	31 %	40 %	36 %
Sur la cour	33 %	54 %	52 %	44 %
(dont sur le jardin - indiqué)		(6)		(5)
Mixte	11 %	15 %	8 %	20 %
	100 %	100 %	100 %	100 %

Tableau 15

LE NOMBRE DE PIECES

1 pièce	57 %	41 %	63 %	38 %
2 pièces	34 %	26 %	19 %	40 %
3 pièces	6 %	13 %	8 %	9 %
au-delà	2 %	1 %	5 %	5 %
indéterminé	1 %	19 %	5 %	8 %
	100 %	100 %	100 %	100 %

Tableau 16

L'ORGANISATION DE L'ESPACE
LA DISTRIBUTION DES PIECES

	1775-1790		1695-1715	
	S	D	S	D
Chambres - pièces - salles	106	110	119	120
Cuisines	8	12	5	11
Salons	—	12	1	3
Retranchements	4	2	5	2
Soupentes	3	1	—	6
Bouges et recoins	6	3	—	2
Cabinets	4	9	12	21
Antichambres et passages	2	12	5	6
Garde-robes	—	—	1	2
sur :	133	161	148	173
caves	5	11	3	12
greniers	5	4	6	4

plus vaste est située à l'étage. Les deux modèles peuvent parfois se combiner, ainsi chez Jean Martin où l'on voit coexister la boutique de sa femme grainetière au rez-de-chaussée, une petite salle par derrière servant de cuisine et au premier une chambre [34].

Au total, pour le salariat et la domesticité, l'archaïsme des logements en hauteur, dispersés à des étages différents, grevés de servitudes multiples a disparu assez tôt, ne serait-ce que par l'étroitesse même du logement populaire réduit à une ou deux pièces. En tous cas, dès l'aube du XVIIIᵉ siècle, il joue un rôle moindre sans doute que dans les milieux de la boutique, de l'artisanat, et de la bourgeoisie propriétaire, qui restent en définitive maîtres de l'organisation en hauteur de l'espace [35]. Les autres changements n'ont guère de sens mais il faut tenir compte de la différence de localisation entre les deux sondages [36]. Dans le premier, la part du centre ville est plus forte que celle des faubourgs, c'est l'inverse dans le second. Or, les constructions des faubourgs Saint-Laurent et Saint-Antoine sont basses et la stratification verticale est attestée dans les paroisses de la ville où plus ou monte dans les étages plus on trouve de salariés. La ségrégation verticale s'y instaure plus vite sans doute parce qu'elle correspond à une volonté de réduire le coût des loyers qui baissent avec l'altitude. En 1780, une pièce au premier étage rue Saint-Paul se paie 80 L, dans une rue voisine on peut louer pour 60 L une chambre sous les toits. Alors que les logements ouvriers des faubourgs traversent le siècle sans grand changement, dans les vieux quartiers le peuple

Tableau 17 — HOTELS ET GARNIS PAR QUARTIER
D'APRÈS *LE TABLEAU DE PARIS* DE JEZE, 1757-1765

	1757		1765	
	Nbre	%	Nbre	%
La Cité	12	4	18	3
St-Jacques-la-Boucherie	3	1	3	0,5
Ste-Opportune	3	1	6	1
Le Louvre	21	7,1	57	9,6
Palais Royal	20	6,7	57	9,6
Montmartre	6	2	34	5,7
St-Eustache	43	14,5	48	8,1
Les Halles	Aucune indication de prix			
St-Denis	14	4,7	13	2,2
St-Martin	17	5,7	40	6,7
La Grève	4	1,3	21	3,5
St-Paul	10	3,3	26	4,4
Ste-Avoye	1	0,3	7	1,1
Le Marais	5	1,6	9	1,5
St-Antoine	1	0,3	14	2,3
Place Maubert	4	1,3	10	1,6
St-Benoist	19	6,4	31	5,2
St-André-des-Arts	59	20	105	17,8
Le Luxembourg	20	6,7	26	4,4
St-Germain-des-Prés	33	11,1	64	10,8
Total	295	100	589	100
Moyenne	15		(30)	

Tableau 18 — PRIX MOYENS EN LIVRES PAR MOIS 1757-1765

	Prix moyens en livres par mois		
	1757	1757	Variation en %
La Cité	18,7	11	— 41,1
St-Jacques-la-Boucherie	20,2	8	— 60,3
Ste-Opportune	16,8	12	— 28,5
Le Louvre	32,3	13	— 59,7
Palais Royal	74,7	35	— 53,1
Montmartre	74	30	— 59,4
St-Eustache	85,3	45	— 47,2
Les Halles	Pas de prix indiqués		
St-Denis	25,3	26	+ 2,7
St-Martin	27,5	20	— 27,2
La Grève	15,3	9,8	— 35,9
St-Paul	16	16,5	+ 3
Ste-Avoye	17,2	19,5	+ 13,3
Le Marais	13,9	15,7	+ 12,9
St-Antoine	11	20,6	+ 87,2
Place Maubert	17	17	0
St-Benoist	15	15,7	+ 4,6
St-André-des-Arts	40,1	58,2	+ 45,1
Le Luxembourg	111,9	82,6	— 2,6
St-Germain-des-Prés	143,9	106	— 26,3

escalade les toits. Cette ascension reflète la pratique générale de surélévation et de réaménagement des étages dans les immeubles des paroisses centrales [37]. Sébastien Mercier avait noté le phénomène : « Il a fallu mettre un frein à la hauteur des maisons de Paris : car quelques particuliers avaient réellement bâti une maison sur l'autre. La hauteur est restreinte à soixante-dix pieds, non compris le toit. Les pauvres qui les habitent par économie, paient la monture du bois, de l'eau plus cher ; les autres (les bourgeois demeurés au rez-de-chaussée) allument de la chandelle en plein midi pour faire leur dîné... [38]. » La montée des classes populaires logées dans le centre a dû se traduire par un réaménagement des budgets, compliquer le ravitaillement en bois et en eau, transformer pour une part le rapport à la rue, à la cour, aux espaces de transition tels que les escaliers et les allées du rez-de-chaussée. Ce mouvement a de toutes façons commencé plus tôt qu'en Province : 90 % de logements sans rez-de-chaussée dès 1700, 25 % dans les paroisses centrales de Caen [39]. Le salariat et la domesticité parisiens enregistrent dans leur mode de vie les effets cumulés d'une histoire pluri-séculaire du bâti qui reste pour l'essentiel terre inconnue et le tableau qu'on en peut esquisser représente une situation moyenne à mi-chemin de deux états réels et opposés qui ne coïncident pas dans la topographie urbaine. Il a le mérite de montrer les limites d'une idée reçue, la stratification verticale de l'habité populaire existe et sans doute depuis longtemps dans les vieux quartiers du centre de Paris, mais elle ne franchit pas les boulevards au-delà desquels l'habitat faubourien se structure différemment [40].

Il en va de même de la situation des domestiques. L'opinion communément admise est que le XVIIIe siècle voit s'achever un mode d'existence ancestrale dominé par la cohabitation avec les maîtres. Or, on le voit, les serviteurs partagent pour une part le destin de l'habitat des employeurs et pour une autre celui des classes laborieuses. C'est que la réalité ancillaire diffère beaucoup des images transmises par les observateurs nostalgiques ou recueillies dans les traités d'architecture [41]. Chez Charles-Antoine Jombert [42] ou Jean-Charles Krafft recopiant Ledoux et quelques autres, la réflexion sur le logement domestique s'inscrit dans une conception hiérarchisée de l'habité et de l'habitat, autant de catégories nobiliaires et bourgeoises, autant de manières de loger les serviteurs. En même temps, les spéculations des architectes pour développer les aspects rationnels et pratiques dans les constructions nouvelles n'ont pas les mêmes retombées pour les valets que pour les maîtres. Confort et commodité intéressent d'abord les premiers ensuite les seconds, même si existent encore des zones frontières : l'antichambre, les cabinets. Les domestiques contribuent avant tout au bien-être de leurs maîtres et pour cela il faut préférer la solution de l'hôtel où toutes les spéculations sont possibles à celle de la maison moins facile à aménager. On voit comment cette lecture biaise la réalité puisque dans l'habitat parisien les hôtels aristocratiques sont moins nombreux que les maisons bourgeoises où par la force des choses règne un autre type de rapports dans la cohabitation, ou bien la relégation aux étages supérieurs que conseillent les bâtisseurs à la mode : chez eux la séparation doit triompher. Jombert concilie dans ses projets le vieux parti traditionnel du logement domestique à proximité des maîtres sur les lieux de travail, avec l'édification de lieux complètement distincts dans les ailes ou dans les combles. Avec les plans de Krafft, à la fin du siècle, on voit s'accroître la distance, la valetaille doit disparaître de la vue et les activités domestiques sont reléguées dans les zones d'ombre, les sous-sols pour la bouche, les cours et les annexes pour les équipages, les hauteurs pour valets et serviteurs. Une transformation totale des cheminements accompagne cette réorganisation de l'espace, couloirs dérobés et escaliers de service font leur apparition. C'est la fin théorique d'une cohabitation séculaire. C'est aussi celle des solidarités à l'intérieur même de la domesticité car la fragmentation spatiale entraîne le progrès de la spécialisation et de la hiérarchisation des fonctions ancillaires. Les emplois supérieurs trouvent leur place dans les constructions nouvelles à proximité des maîtres, les emplois inférieurs sont expulsés loin du centre. Dans les maisons princières de véritables dortoirs accueillent les domestiques célibataires sous les toits ou au-dessus des écuries avec les fourrages. Ce cloisonnement est bien senti par Mercier [44], « Autrefois, ce qui composait le domestique se chauffait à un foyer commun ; aujourd'hui la femme de chambre a sa cheminée, le précepteur a sa cheminée, le maître d'hôtel a sa cheminée... ». C'est à la fois regretter la fin d'une sociabilité collective et noter les retombées individualisées du bien-être aristocratique, donc la diffusion d'exigences nouvelles dans les classes inférieures. Mercier traduit le progrès de l'anonymat et de la distance façonnant des rapports plus durs mais par rapport à un âge d'or des relations maîtres-serviteurs qui reste à démontrer. Laclos est sans doute plus près d'une vérité permanente quand il montre les domestiques nombreux et indispensables dans toutes les circonstances de la vie diurne et nocturne mais dépourvus d'identité et de parole. Collectivement ce sont « les gens [45] ».

Dans la vie quotidienne du Paris populaire et bourgeois, la réalité est bien dissemblable [46]. Seuls les riches employeurs et leur domesticité dense vivent cette séparation concrète. Pour un certain nombre de serviteurs, elle est recherchée, ce sont des aisés qui ont acquis une plus grande indépendance vis-à-vis de leur employeur ou se trouvent près de leur retraite. Pour la majorité, la cohabitation règne encore, organisée par les différences entre sexes et situations matrimoniales. Les gens mariés ont en majorité le bénéfice d'un logement individualisé, les célibataires pas toujours. A fonctions égales, les femmes ont droit à des conditions inférieures à celles des hommes. Elles restent dans les appartements alors que les mâles montent dans les étages ou sont confinés dans les quartiers à l'écart des hôtels. Servantes et femmes de chambre ont quelquefois la disposition d'une soupente, d'un galetas, d'un recoin, très souvent encore elles partagent la chambre de leur maîtresse ou dorment dans la cuisine. Le valet de chambre dispose toujours d'un cabinet ou d'un coin de garde-robe et bien souvent de sa chambre à l'étage. L'essentiel est la stricte séparation des sexes. Elle est dictée par la répartition des rôles, femmes de chambre, soubrettes et cuisinières sont mobilisables par leur maîtresse à tous moments, mais aussi par le manque de place, les employeurs qui n'ont en majorité qu'une domestique partagent par force leur logement avec elle, mais il est significatif que dans les mêmes conditions ils ne logent pas ainsi les hommes. Au-delà donc, ce sont des relations différentes qui réunissent maîtres-maîtresses, servantes-serviteurs dans l'espace ordinaire, une familiarité plus grande des unes et des autres qui s'accommode très bien du principe de la surveillance morale par les maîtresses de maison et des accrocs qu'il peut recevoir. Loin de l'idéal des traités d'architecture où l'on perçoit les progrès de la ségrégation et de la spécialisation de l'espace privatif, la réalité du logement oppose ceux qui restent étroitement dépendants, logés plus ou moins bien, en tous cas logés à l'ombre du maître, et les autres, qui disposent d'un appartement personnel, les hommes toujours mieux lotis que les femmes, les fonctions subalternes et sans qualification toujours moins confortables que les emplois supérieurs et très spécialisés. Ici encore, c'est le niveau de fortune qui distingue les maîtres comme les serviteurs ; et par rapport à l'ensemble des milieux populaires, le salarié domestique est avantagé, il n'a pas toujours à payer un loyer, s'il en a un il se loge mieux car il aspire à un mieux-être que son contact avec les classes aisées lui enseigne.

Cette opposition transparaît si l'on regarde l'horizon des logements, le nombre et la nature des pièces. Le premier test souffre d'une indétermination un peu forte (25 % de cas sans aucune identification) mais il est révélateur (tableau 14). Quelques logements — ils ont plusieurs pièces — donnent à la fois sur la rue et sur la cour et les jardins ; ils sont plus nombreux dans la domesticité que dans le salariat. Dans ce cas, la chambre donne sur le devant, la cuisine sur le derrière, ainsi se matérialise l'opposition entre deux pôles de la vie quotidienne, l'un diurne et utilitaire, l'autre nocturne et social, c'est dans la chambre que l'on reçoit. On voit que cette alternance des espaces de vie est un trait rare, signe de l'aisance. Au début du siècle, la vue sur la rue domine, ce qui coïncide avec la fréquence des maisons à une ou deux travées de façade, soit une ou deux croisées par étage : 67 % des constructions examinées par les experts jurés vers 1720 [47]. L'habitat populaire s'ouvre largement sur la vie des rues par le regard comme par les pratiques [48]. Toute une curiosité ordinaire, toute une sensibilité au spectacle effervescent de la circulation passe par cette relation. A la fin, l'inversion des horizons est commencée pour le peuple. Un nombre plus grand de logements ouvriers regardent alors sur les cours. En revanche, pour les domestiques cinq sur dix ont désormais vue sur la rue. Ces changements qui coexistent avec le progrès des maisons ouvertes sur l'extérieur, 51 % des expertises vers 1780 intéressent désormais les constructions à trois croisées et plus, montrent que l'inégalité devant les conditions de logement s'accroît. Ces transformations sont à mettre en relation avec la montée dans les étages des classes inférieures et traduisent une dégradation, une évolution des manières de voir et du rapport à l'environnement urbain. Pour la domesticité, c'est une timide amélioration et la participation à un progrès de l'ouverture de l'espace privé sur l'espace public. Le nombre des fenêtres par étage augmente avec le prix des maisons, celui des balcons également. L'invitation à se mettre à la croisée est désormais partagée par un moins grand nombre de parisiens dont la situation se détériore.

Plus significatif à cet égard paraissent être le nombre et la nature des pièces. Le chiffre total de pièce varie peu dans les deux sondages, 133 intéressent le salariat dans le premier, 161 la domesticité, 148 et 173 dans le second. Laissons de côté les retraits et les petites dépendances bricolées au moyen de cloison de bois, sans oublier toutefois leur importance pour l'organisation habituelle de la vie : les chiffres tombent à 114 et 134 d'abord, 124 et 134 encore pour l'autre tableau. Même si la domesticité est un peu favorisée, pour tous cela signifie à peine plus d'une pièce par logement. La réalité de l'habité populaire, c'est la vie dans une pièce unique : le nombre de logis d'une chambre vers 1700 est de 57 et 41 %, 63 et 38 % vers 1780. On retrouve le croisement des comportements entrevu plus avant : le salariat dispose de moins en moins de place, la population ancillaire d'un peu plus. Si l'on tient compte pour elle des doubles logements, on voit encore ses privilèges spatiaux s'accroître même s'ils sont réservés à l'élite domestique, 60 % des serviteurs de rang élevé ont un logement de plusieurs pièces Louis XIV régnant, 55 % sous Louis XVI ; 90 % des fortunes de plus de 3 000 Livres sont évaluées dans des logements complexes au début du siècle et 77 % à la fin. Mais l'habitat domestique dépend aussi des capacités de l'employeur qui jouent ici dans un sens favorable :

62 % des domestiques logés par leur patron disposent de deux pièces et plus.

Le degré d'entassement régnant dans ces logis est difficile à mesurer car on ne connaît pas toujours le nombre exact des occupants. A s'en tenir au minimum, dans le salariat vers 1700 le coefficient moyen est de 2,3, il recule à 1,9 entre 1775 et 1790. Si l'on exclut du calcul les dépendances, les conditions de vie populaire sont encore moins brillantes : 2,3 occupants par pièce au début, 2, 7 à la fin. Les avantages de la domesticité sont complètement confirmés avec des taux d'occupation de l'ordre de 0,5 et 0,6. Au total, il y a une amélioration pour une frange des classes laborieuses, celles des familles qui ont moins d'enfants, des célibataires, et toujours, des plus fortunés. Elle ne provient pas d'un accroissement du nombre de chambres mis à la disposition de tous et pour la majorité des classes populaires l'accumulation est la règle. L'analyse du vocabulaire de la demeure ne doit pas tromper, la prépondérance des chambres signifie que pour le plus grand nombre, c'est dans une pièce unique que se déroulent toutes les activités quotidiennes, cuisine, repas, sommeil, et parfois même travail. Le monde populaire est celui de la promiscuité où l'espace est organisé spontanément en tenant compte des recoins utilisables au maximum ; c'est un lieu de bruit sans intimité possible car non seulement les occupants s'y agglomèrent mais les cloisons sont minces laissant filtrer le brouhaha et les rumeurs, c'est un milieu privé qui, par force, déborde vers l'extérieur, l'étendue partagée des carrés et des paliers, les escaliers et les rues. Non seulement la verticalité d'ensemble instaure un manque d'intimité générale mais le rapport de la demeure et de l'environnement devient factice. « Tout y est machine, la vie intime y fuit de toute part [49]. »

La spécialisation des pièces est un luxe, comme le nombre des annexes. La chambre à coucher véritable n'est pas connue par plus de 1 Parisien sur 10. Les cuisines consacrées à la préparation exclusive des aliments sont aussi peu nombreuses à la fin du siècle qu'au début, surtout elles ne se rencontrent que dans les successions supérieures à 3 000 Livres. La vie domestique et familiale s'enracine pour tous dans le vivoir singulier autour d'un seul foyer. Ce qui rend plus intéressant encore le nombre et l'évolution des petites dépendances. Elles progressent dans leur ensemble et en même temps elles changent d'utilisation. Au début du siècle dominent bouges — recoins — soupentes — retranchements — passages qui servent à entreposer vieux objets, outils usagés, bois, tout un fatras, parfois aussi comme atelier pour les chambrelans. Dans les temps pré-révolutionnaires, d'autres termes remplacent ceux-ci : cabinets, antichambres, garde-robes ; et ils sont deux fois mieux représentés dans l'univers de la domesticité qu'ailleurs.

C'est souvent une autre pièce à vivre avec lits et meubles. Au départ, les annexes ne font pas vraiment partie du logement, elles constituent un territoire intermédiaire entre l'intérieur et l'extérieur, un peu comme l'escalier. A l'arrivée, elles s'intègrent à l'espace vital des gens de peu, selon un mode d'organisation plus souple et plus différencié qui réserve les lieux à des usages définis, qui tente une adaptation pour préserver l'intimité de chacun, qui s'accommode du fractionnement de la pièce unique en petites unités juxtaposées, cloisonnées. Bref, la capacité d'organiser son environnement immédiat n'est pas totalement inconnue du peuple. Rétif s'en fait le témoin dans *Ingénue Saxancourt* : « ... Je vis arriver chez nous, conduite par mon père, une jeune fille qui me parut très belle. Elle salua ma mère du nom de sœur et on m'ordonna de l'appeler tante. *On lui mit un lit dans la chambre, pour moi j'étais dans un petit antichambre sous une soupente.* Le lendemain on rangeait le lit et le soir on le remettait... [50]. » Plasticité de l'étendue utile occupée, adaptabilité des gestes aux situations, rythme de la vie marqué par des déménagements limités, solidarité familiale aux nouveaux venus, s'inscrivent brièvement dans ce croquis parlant cependant d'une aisance approximative pour une minorité. Celle-ci détient quelquefois caves et greniers pour y serrer ses vieilleries ou y déposer son vin. Avec d'autres indices, on perçoit qu'on ne peut réduire le comportement populaire au strict déterminisme des habitudes et qu'il s'orne peu à peu d'aspirations à de nouvelles valeurs. La polyvalence des espaces est un archaïsme imposé dont la disparition est limitée par les conditions économiques et le poids des contraintes matérielles. Il n'en demeure pas moins que des tendances nouvelles s'affirment plus fortes chez les domestiques que chez les salariés, plus nettes chez les riches que chez les médiocres.

L'univers du logement populaire parisien à la fin de l'Ancien Régime se caractérise par trois traits principaux. D'abord il coûte cher et le formidable bond en avant des loyers s'accompagne d'une stagnation voire même d'une régression de la qualité des logements. Ensuite, il est dominé par le modèle du logis à pièce unique, qui progresse au cours du siècle : 57 % vers 1700, 63 % vers 1780. Comme à Lyon, c'est le signe d'un repli des pauvres pour économiser sur le loyer et sur le chauffage. Les domiciles plus complexes sont plus rares et ne concernent qu'une minorité. Enfin, quelques signes nuancent ce constat de médiocrité, révélant une sensibilité nouvelle dans l'organisation de l'espace familial. L'entassement des corps, le manque d'intimité, la polyvalence spatiale cèdent la place pour quelques privilégiés à un mieux-être dans une meilleure ordonnance des lieux et l'apparition d'un confort qui est dans le Paris populaire comme l'écho lointain des progrès connus pour le monde des classes supérieures.

Toutefois, pour les nouveaux venus, pour une multitude de parisiens temporaires vite arrivés, vite repartis, les logements peuvent être plus précaires. La réalité sociale des garnis apparaît surtout dans les archives de la Police qui oblige les logeurs de tenir registre des arrivées et des départs [52]. Un petit nombre de ces documents a été conservé permettant de mieux percevoir ce mode de vie habituel du prolétariat flottant, mais qui ne lui est pas exclusif car d'autres catégories sociales fréquentent ces logis temporaires, la frontière entre le garni, l'auberge et l'hôtel n'étant pas toujours facile à tracer. Au surplus, ce qui importe c'est la mauvaise réputation de ces domiciles misérables et passagers qui sont pourtant dans les habitudes de tous et permettent de résoudre à moindre mal les problèmes d'une population mobile, pauvre et sans racine parisienne. Pour Sébastien Mercier, aucun doute : les chambres garnies rebutantes, malpropres, sont louées à des prix exorbitants ; mansardes ou entresols, elles sont ouvertes à tous vents, infectées d'ordures et d'animaux incommodes [53]. Ce sont des « repaires », des tannières où l'on perçoit encore le halo d'animalité qui pour l'observateur moral caractérise toujours l'inculture évidente de l'habitat populaire. Mais en même temps, c'est un monde familier où l'on trouve gîte à bon prix et des soubrettes accortes pour accueillir le solitaire débarqué fraîchement de sa province. Voilà dans *Les Contemporaines* de Rétif, le jeune de Billy, natif d'Auxerre, arrivé du matin par le coche d'eau ; il demande à une hôtesse un « petit logement bon marché » ; « celle-ci dit à sa nièce, conduisez Monsieur là-haut et montrez-lui nos cabinets vides, Julie prit une lumière et conduisit de Billy par un escalier étroit et raboteux à un sixième étage où elle fit voir des cabinets. Il en choisit un qui donnait sur la rue et moyennant six livres par mois (les autres sur le derrière ne se louaient que quatre), il eut l'assurance d'être logé, couché, fourni de meubles c'est-à-dire d'une table et de deux chaises, d'un miroir, d'un pot à eau, d'une serviette, d'une cuvette et d'un pot de chambre durant trente et un jours. On le pria de payer le demi-mois d'avance et d'inscrire son nom sur le registre... [54] ». Ici tout est en place : le contrôle des arrivées, la nécessité de trouver une demeure pour qui aborde à Paris (mais aussi pour les Parisiens plus anciens ceux qui, domestiques ou ouvriers, abandonnent leur patron ou leur maître). On ne peut pas courir le risque d'être ramassé endormi par le guet ; le loyer du garni n'est pas trop élevé — 72 à 48 L par an selon l'horizon ; on est fourni de meubles et de linge, on peut partir au bout d'une quinzaine en toute liberté [55]. Bref, le monde des garnis ne présente pas que des désavantages. Trois questions sont à poser : où trouve-t-on les logeurs ? C'est le moyen d'affiner notre perception du Paris du peuple. Qui les fréquente ? C'est une façon d'apprécier la ségrégation sociale. Qu'est-ce qui caractérise ces domiciles passagers ? C'est une manière de préciser les gestes de l'habité populaire.

Ni le nombre des logeurs, ni celui des hôteliers et aubergistes ne sont connus avec exactitude. Pour la Police, au début de la Révolution, on en compte près d'un millier ; et aux dires de M. de Malesherbe, 90 000 personnes logeaient en garnis vers 1775, ce qui, comparé aux 10 000 arrivées mensuelles des années révolutionnaires, exige sans doute plus de garnisaires car ceux-ci ont de petits moyens : 9-10 personnes par logeur en 1789 [56]. Bref, tout peut être logeur et les policiers de Louis XIV à Louis XVI ne contrôlent sans doute que le dessus du panier. Tout peut se louer, recoins, mansardes, combles, et sans déclaration. Notons encore que dans les registres tenus par les officiers du Chatelet pour recenser les professions non corporées entre 1767 et 1768, on ne trouve pas plus de 230 logeurs et logeuses [57] ; enfin Jèze dans ses utiles *Etats de Paris* en recense — avec les hôtels pour voyageurs — moins de 600 [59]. Ces logis sont partout mais la liste établie par Jèze permet d'esquisser la géographie de leur densité et de leur coût. Dans l'une et l'autre dimension, on distingue clairement deux Paris hôteliers : à l'ouest, un monde déjà marqué par le tourisme, où se regroupent les auberges nombreuses et coûteuses ; à l'est et dans les vieux quartiers du centre, le milieu des garnis et des logements économiques populaires. Dans le faubourg Saint-Germain, autour du Palais Royal, on trouve les riches voyageurs, les Anglais, les Allemands, les Italiens ou les provinciaux de condition, rue Jacob à l'Hôtel d'York pour 300/400 L par mois, rue Dauphine à l'Hôtel Impérial, rue Croix-des-Petits-Champs à l'Hôtel de Bretagne, rue de Richelieu à l'Hôtel de Chartres. C'est le monde du « grand tour », des affaires et du luxe qui se maintient jusqu'aux temps révolutionnaires [60]. Dans les faubourgs, Saint-Laurent, Saint-Martin, Saint-Antoine, Saint-Marcel, dans les vieux quartiers du centre, autour de la Grève, des Halles, sur les quais, le long des ports se concentrent en revanche les garnis populaires à 4, 6, 8 Livres par mois. Certaines rues passagères ont une accumulation particulière, la rue de la Vannerie quartier de la Grève (14 garnis en 1694), la rue de la Mortellerie (13 en 1765), la rue des Vieux-Augustins dans le quartier Montmartre (12), la rue du Faubourg-Saint-Martin (25 en 1793), celle du Faubourg-Saint-Denis (24), la rue Saint-Laurent (13). Le Paris des garnis peu coûteux, c'est le Paris du peuple, celui des axes principaux, mais aussi des ruelles minuscules et des boyaux sordides — la rue Pélican près de Saint-Eustache —, celui des trafics, du travail, de l'activité où l'on peut, pour quelques sols, trouver à dormir pas trop loin de son labeur. Dans les quartiers mêlés, ainsi Saint-Eustache en 1773, les rues les mieux bâties et aérées la rue de Grenelle, la rue de Bouloy où voisinent immeubles de bon rapport et hôtels particuliers, sont réservées aux beaux logements pour les voyageurs et les personnes de condition, les artères populeuses, la rue Montmartre, les impasses et les ruelles, les rues à gargottes et à troquets accueillent domestiques et ouvriers [61]. La ségrégation géographique du peuple des garnis s'opère non seulement à l'échelle du quartier mais à celle de la rue et de l'établissement (tableau 19).

Tableau 19

FREQUENTATION SOCIALE DES GARNIS

	Saint-Martin 1693	Saint-Eustache 1773	Grande Batelière 1791
Artisans-boutiques (Maîtres et compagnons, ouvriers-gagne-deniers)	21 %	17 %	57 %
Domestiques	7 %	22 %	6 %
Nobles (militaires et officiers)	9 %	36 %	18 %
Négociants-bourgeois rentiers-officiers roturiers	18 %	11 %	6 %
Militaires roturiers	3 %	11 %	2 %
Divers (dont laboureurs seulement en 1693)	42 %	3 %	11 %
	100 % (412)	100 % (378)	100 % (196)

On trouve donc dans les registres des logeurs tous les horizons sociaux et toutes les professions ; mais ils se côtoient plus qu'ils ne se mêlent. Pour l'essentiel, il s'agit de provinciaux, 75 % à 90 % des enregistrés entre 1693 et 1791, des hommes en majorité, 78 à 95 %, célibataires pour la plupart sans famille, 90 à 95 % ; et dont l'âge moyen tourne autour de la trentaine (70 % de moins de 40 ans, calculé sur 789 cas). Bref, on retrouve bien là la population hétéroclite des migrants à la recherche d'un emploi ou d'une condition. Si l'on regarde de près les activités déclarées par le groupe des travailleurs — la source ne permet pas de distinguer les maîtres-artisans des salariés — trois secteurs dominent : celui des activités organisées dans le cadre des maîtrises et des jurandes — toujours plus du quart des déclarations avec une forte proportion du textile et du bâtiment ; celui des petits métiers et des gagne-deniers, constamment plus du tiers ; les domestiques enfin [62]. L'énumération de tous les métiers constitue le tableau complet de la main-d'œuvre parisienne depuis le compagnon qui achève son tour de France jusqu'aux travailleurs ambulants et misérables aux ressources incertaines. Il n'est pas étonnant de les

Tableau 20

LES TRAVAILLEURS DES PORTS
1730-1789 — 1 618 cas

Sans profession déclarée	12 %
Gagne-deniers	26 %
Charretiers	14 %
Porteurs	5 %
Mariniers	9 %
Ouvriers	17 %
Domestiques	1 %
Soldats	3 %
Marchands-jurés-artisans	11 %
Divers	2 %
	100 %

retrouver abondamment dans les dossiers de police : 54 % des voleurs d'aliments habitent des garnis loués à la nuit ou des chambres d'aubergistes [63], leurs interrogatoires révèlent des accusés préoccupés d'échapper à la suspiscion d'être sans asile et sans aveu, presque tous à la limite de l'indigence bien qu'ils déclarent avoir tous du travail (12 % admettent être au chômage). Ils peuplent les réduits insalubres où l'on paie le moins : François Ponsart gagne-denier donne 2 sols par nuit à son logeur à la Cour des Miracles ; le jeune Lofinot, treize ans et demi, loge avec son père mendiant, chez la dame Lavallée, grande rue des Porcherons pour 4 sols par jour : 37 à 40 Livres par personne et par an voilà la frontière locative de la misère vers 1750 ; nul doute qu'elle soit plus élevée trente ans plus tard. Toutefois, c'est là un échantillon populaire fortement biaisé par la pauvreté et la malchance. Regardons les travailleurs qui se bousculent sur les ports et qui ont eu maille à partir avec la justice de la ville entre 1730 et 1789 [64]. Dans cette foule de menus délinquants attrapés pour des chapardages, des bagarres ou de petites fraudes, peu de chômeurs reconnus, toujours moins de 20 % ; beaucoup de gagne-deniers, de charretiers, d'ouvriers, quelques mariniers, des marchands et des artisans attirés sur les ports pour leurs affaires (5 à 7 %), des soldats en ribotte et des domestiques en goguette. Tout ce populaire, peu qualifié professionnellement, avec une forte proportion de nouveaux venus, toujours plus de 50 % de provinciaux et 70 % en 1789, jeune aussi dans son ensemble, trois quarts des délinquants ont moins de 35 ans, masculin majoritairement et célibataire pour le plus grand nombre a quasiment dans sa totalité un domicile, 6 % seulement d'entre eux ne peuvent en déclarer un (tableau 21). Ils logent en majorité chez un parent, un employeur, un principal locataire ou un propriétaire ayant pignon sur rue. Chez les logeurs, on en trouve moins de 15 %. Bref, la

Tableau 21

L'HABITATION DES TRAVAILLEURS DES PORTS
1730-1789

Location	46 %
Logé chez un employeur	18 %
Logé chez un parent	17 %
Garnis	13 %
Sans domicile	6 %
	100 %

masse de manœuvre du trafic parisien, cette quantité d'ouvriers
saisonniers et permanents qui portent, coltinent, transbahuttent
les milliers de tonnes de produits alimentaires, les milliers d'hec-
tolitres de vin, les milliers de stères de bois nécessaires à la vie
quotidienne de la capitale, sur les ports et les marchés, ne sont
pas voués à la précarité des garnis, ils ont un semblant de foyer.
Pour beaucoup d'entre eux, ils le partagent avec des membres
de leur famille, père et mère, mais aussi frères, sœurs, beaux-
parents, oncles et tantes ou cousins plus éloignés. Certains sont
pris en charge dans le cadre de la vieille pratique des métiers par
leur patron qui sont en majorité marchands de bois, de vin, de
grains, de fourrages ou charretiers entrepreneurs de louage. Tous
s'entassent dans les paroisses proches de la rivière, Saint-Paul,
Saint-Jean-en-Grève, Saint-Germain l'Auxerrois, les basses ruelles
de Saint-Sulpice ou de Saint-Nicolas du Chardonnet, mais beaucoup
viennent de plus loin, du faubourg Saint-Laurent de la paroisse
Saint-Médard au faubourg Saint-Marcel ou de Sainte-Marguerite au
faubourg Saint-Antoine. On retrouve là une topographie familière
où s'associent deux composantes : celle de l'emploi — la proximité
du fleuve — et celle du logement — l'entassement du centre et
l'éloignement vers les domiciles moins coûteux des faubourgs.
C'est la géographie permanente de la condition populaire que
Richard Cobb retrouve dans les années qui achèvent le siècle [65].

S'il fallait brièvement caractériser les garnis, on pourrait se
contenter de reprendre les traits proposés pour l'ensemble des logis
du peuple : cherté, pour qui n'est pas toujours assuré de son
travail ; exiguïté, pour l'ensemble des travailleurs en garnis disposer d'une pièce est déjà un luxe ; promiscuité, on s'entasse chez
les logeurs comme on est obligé de le faire dans les pièces uniques
et étroites où vivent les classes laborieuses ; précarité, il n'est pas
rare que les gens de peu déménagent à la cloche de bois au grand
dam de leur logeur. L'absence d'emploi, l'incommodité des lieux,
la brouille avec le propriétaire ou les voisins peuvent provoquer
ces départs furtifs [66].

En rester là, c'est toujours méconnaître une partie de la réalité qui met en cause directement les manières de vivre du peuple. Il n'est pas sûr que nous puissions juger et comprendre ses façons particulières d'agir. Le sentiment du foyer n'est pas un luxe réservé à ceux qui jouissent sans économie de l'espace comme de la fortune. Il peut s'accommoder d'un minimum de place et d'une possession très légère de biens de ce monde. Il n'est peut-être pas de si petite chambre où ne se façonne un ordre particulier du quotidien n'excluant ni le rire ni le rêve. Il n'est pas certain que les gens du Peuple aient souhaité quitter les lieux familiers et l'horizon habituel, limité, enserré des rues étroites sans air, sans soleil, dénoncées par les médecins et les hygiénistes des âmes, tout abandonner des pratiques et des stratégies mises au point de longue date pour des quartiers où l'on ne se sent pas « chez soi ». Bref, dans le Paris populaire du xviiiᵉ siècle, il y a un rapport à l'espace qui ne peut être le nôtre, modifiant les actes quotidiens, influençant la vie familiale rejetant les gens de peu vers la rue, l'atelier, le cabaret ; mais en même temps, contraignant à une imagination indispensable pour garantir à chacun identité et intimité minimum. L'habitat du peuple parisien parle moins de la manière définitive dont pour lui les jeux sont faits que de la façon dont il en manipule les règles. Le problème du logement atteint à la fin de l'Ancien Régime une gravité exceptionnelle ; coûteux, médiocre, insuffisant, les caractères en sont clairs [67]. Toutefois on y voit apparaître des sensibilités nouvelles. Pesanteurs et archaïsme, nouveauté et modernité vont se retrouver dans les manières d'organiser les intérieurs domestiques, dans les façons de vivre.

Notes du chapitre iv

1. S. Mercier, *op. cit.*, t. 1, pp. 255-257.
2. G. Wildenstein, *Le décor de la vie de Chardin d'après ses tableaux, Gazette des Beaux Arts,* février 1959, pp. 97-106.
3. F. Béguin, « Savoirs de la ville et de la maison au début du xixᵉ siècle », *Politiques de l'habitat,* Paris, 1977, pp. 211-324.
4. F. Boudon, *Tissu urbain et architecture : l'analyse parcellaire comme base de l'histoire architecturale, Annales,* E. S. C., 1975, pp.
5. F. Béguin, art. cit., pp. 271-272.
6. F. Changeux, *op. cit.,* Mémoire de Maîtrise, 1978, pp. 20-30.
7. M. Reinhard, *op. cit.,* fasc. 1, pp. 32-33.
8. V. Hanin, *op. cit.* Mémoire de Maîtrise, 1978, p. 143-144 ; Menuret de Chambaud, *op. cit.,* p. 83.

9. Audin Rouvière, *Essai sur la topographie physique et médicale*, Paris, 1792, pp. 15-16.

10. C. Lachaise, *Topographie Médicale de Paris*, Paris, 1822, pp. 146-150.

11. Menuret de Chambaud, *op. cit.*, p. 30, Audin Rouvière, *op. cit.*, pp. 23-24.

12. R. Etlin, « L'air dans l'urbanisme des Lumières », in *XVIIIe siècle ; Le sain et le malsain*, 1977, pp. 123-134.

13. De Horne (D. M.), *Mémoires sur quelques objets qui intéressent plus particulièrement la salubrité de la ville de Paris*, Paris, 1788.

14. V. Hanin, *op. cit.*, pp. 74-76.

15. C. Lachaise, *op. cit.*, pp. 128-130.

16. J.-M. Alliaume, « Anatomie des discours de réforme », in *Politiques de l'habitat, op. cit.*, pp. 145-209.

17. J. Kaplow, *op. cit.*, pp. 120-121.

18. D. Roche, *op. cit.* (D. E. S., 1959), pp. 195-200.

19. M. Botlan, *op. cit.* (*Nouvelle Histoire de Paris*), pp. 193-194.

20. M. Reinhard, *op. cit.* (*Nouvelle Histoire de Paris*), pp. 93-102.

21. M. Botlan, *op. cit.*, pp. 123-124, calcul fait sur 113 cas, 86 hommes et 27 femmes pour la période 1770-1789.

22. AN, Min Cen, I, 590, 11 juin 1782, même situation avec Marie-Madeleine Amiot, cuisinière rue des Tournelles, et son mari cocher rue Saint-Paul, qui louent une chambre rue des Minimes pour y élever leur fils, I, 608, 6 septembre 1786, on trouve des exemples dès le début du siècle, CV, 1143, 1er juillet 1706.

23. R. Arnette, *op. cit.*, p. 86.

24. J. Kaplow, *op. cit.*, p. 124.

25. Les logements gratuits sont de deux sortes dans le salariat : soit qu'ils correspondent à la vieille coutume corporative du logement chez le maître, « à pain, pot, lit et maison », soit qu'ils rappellent une sorte de logement de fonction annexe de l'un des membres de la famille. Ils sont peu nombreux à Paris à la différence du reste du royaume.

26. P. Couperie et E. Le Roy Ladurie, *Le mouvement des loyers parisiens de la fin du Moyen Age au XVIIIe siècle*, Annales, 1970, pp. 1002-1023.

27. R. Arnette, *op. cit.*, pp. 88-89 et M. Garden, *Lyon et les Lyonnais au XVIIIe siècle*, Paris, 1970, pp. 25-35.

28. S. Mercier, *op. cit.*, t. 10, pp. 353-358.

29. R. Arnette, *op. cit.*, pp. 89-90 et F. Ardellier, *op. cit.*, pp. 38-40.

30. AN. Min. Cent., XXII, 17 avril 1790 et I, 28 août 1783.

31. M. Garden, *op. cit.*, pp. 135-139. J.-C. Perrot, *op. cit.*, t. 2, pp. 615-616.

32. M. Reinhard, *op. cit.* (*Nouvelle Histoire de Paris*), pp. 42-43.
Loyers compris entre :

	40-100 L	40-150 L
Locataires parisiens	33 %	50 %
Salariés et domestiques	64 %	87 %

33. M. Botlan, *op. cit.*, pp. 120-123.

34. R. Arnette, *op. cit.*, pp. 94-95, AN. Min. Cent., VI, 63, 25 XI 1705.

35. P. Couperie et M. Jurgens, *Le logement à Paris aux XVIe et XVIIe siècles*, une source : les inventaires après décès, Annales, E. S. C., 1962, pp. 488-494 ; J.-C. Perrot, *op. cit.*, t. 2, pp. 787-788.

36. R. Arnette, *op. cit.*, p. 95, calcule pour les paroisses des faubourgs :

	1695-1715	1775-1790
rez-de-chaussée et 1er étage	45 %	46 %
2e étage	30	27
3e étage	7	15
4e étage et plus	15	9

pour celles du centre ville :

rez-de-chaussée		
1er étage	29 %	20 %
2e étage	23	29
3e étage	29	27
4e étage	16	25

37. A. Chastel, « L'îlot de la rue du Roule et ses abords, Paris et l'Ile-de-France », *Bulletin et Mémoire de la Fédération des Sociétés Historiques et Archéologiques de Paris et de l'Ile-de-France,* 1965, 1966, pp. 7-110.
38. L.-S. Mercier, *op. cit.*, t. 10, pp. 4-5.
39. J.-C. Perrot, *op. cit.*, t. 2, p. 685.
40. R. Arnette, *op. cit.*, p. 96.
41. M. Botlan, *op. cit.*, pp. 97-125.
42. Ch. A. Jombert, *Architecture moderne ou l'art de bâtir pour toutes sortes de personnes,* Paris, 2 vol., 1764.
43. J.-C. Krafft, *Plans et coupes élévation des plus belles maisons et hôtels construits à Paris et dans les environs,* éd. Paris, 1909.
44. L.-S. Mercier, *op. cit.*, t. 1, p. 40.
45. J. Proust, « Les Maîtres sont les maîtres », *Romanistische Zeitschrift für Literatur-geschichte,* Heidelberg, 1977, pp. 145-165.
46. M. Botlan, *op. cit.*, pp. 119-123 et F. Ardellier, *op. cit.*, pp. 35-36.
47. F. Changeux, *op. cit.*, pp. 156-157.
48. A. Farge, *op. cit.*, pp. 21-41.
49. G. Bachelard, *La poétique de l'espace,* Paris, 1972, pp. 42-43.
50. Rétif de la Bretonne, *Ingénue Saxancourt,* Paris, éd. 10-18, 1979, p. 41.
51. M. Garden, *op. cit.*, pp. 174-175.
52. Ils ont été conservés partiellement pour 1693-1699 (Quartier de la Grève Y 12499, Commissaire Dorival) ; 1769-1773 (Quartier Saint-Eustache, Commissaire Fontaine Y 12163) ; d'autres registres existent pour la période révolutionnaire aux Archives de la Préfecture de Police : A A 174, section de la Grange Batelière. Nous remercions ici Madame Lanhers, conservateur aux Archives Nationales de ses précieuses indications, pour une première exploitation cf. S. Lartigue, *op. cit.*, Mémoire de Maîtrise, 1980.
53. L.-S. Mercier, *op. cit.*, t. 1, pp. 86-87.
54. Rétif de la Bretonne, *Les Contemporaines,* éd. Paris reprint, sd. t. III, *La fille du Savetier du coin,* p. 47-48.
55. A Farge, *op. cit.* (*Le vol d'aliment*), pp. 162-163.
56. M. Reinhard, *op. cit.* (*Nouvelle Histoire de Paris*), pp.
57. J. Kaplow, *op. cit.*, pp. 88-89.
58. S. Lartigue, *op. cit.*, pp. 30-48.
59. S. Lartigue, *op. cit.*, pp. 27-46.
60. M. Sacquin, *Voyageurs anglais en France et voyageurs français*

en Angleterre, Thèse de l'Ecole des Chartes, Paris, 1978, 3 vol., t. 1, pp. 60-114.

61. M. BOTLAN, *op. cit.,* pp. 202-210.

62. A. FARGE, *op. cit. (Le vol d'aliment),* pp. 162-163.

63. G. PICQ, M. PRADINES, C. UNGERER, *La criminalité aux bords de l'eau,* Mémoire de Maîtrise, Paris VII, 1978, ex. dactylo, 2 vol., t. 2, pp. 66-82 : plus de 3 000 affaires jugées en 50 ans.

64. *Ibid.,* pp. 82-83 et pp. 184-185.

65. R. COBB, *Death in Paris,* Londres, 1978, pp. 85-86.

66. A. FARGE, *op. cit. (Vivre dans la rue),* pp. 30-31.

67. G. RUDE, *La population ouvrière parisienne de 1789 à 1791, Annales Historiques de la Révolution française,* 1967, pp. 18-42. L'auteur pense que 1 ouvrier sur 5 ou 6 loge en garni, il est possible que la proportion soit plus forte dans les petits métiers de la rue, et les professions saisonnières. Les registres de garnis ne sont pas en nombre assez important pour qu'on puisse tenter une analyse sur ce point.

Chapitre V

Savoir consommer

« Qui règle les hommes dans leur
manière de vivre... ? La santé et le
régime ? Cela est douteux... »

LA BRUYÈRE.

Avec le jeune de Billy dans *Les Contemporaines,* on a vu quel
pouvait être le minimum d'espace et d'objets dont disposait la
plupart des gens du peuple : une pièce étroite au sommet d'une
maison haute et sombre, un lit, une table, deux chaises, un miroir,
un pot à eau et un pot à pisser, une serviette et la literie. L'univers
des garnis ne permet pas autre chose et la signification réelle que
l'on attache à cette brève description peut varier grâce à quelques
qualificatifs : la table bancale, les chaises boiteuses, le lit effondré,
la couverture douteuse, à moins que l'on ne décrive des sièges
accueillants, une couche propre et confortable, une desserte élégante. Toute étude du cadre de vie est d'abord inventaire, mais
l'image qui reste en définitive dépend de la manière dont l'observateur règle sa distance et ouvre son objectif. Un flou élégant
efface la misère, et on a le XVIIIe siècle pomponné et clinquant,
le décor rocaille, et le peuple touché par la grâce des raffinements,
joli, grave dans une pauvreté soumise ; un peu trop de contrastes
et voilà le XVIIIe siècle de la précarité étalé de toute part, le peuple
des miséreux et des haillonneux se bousculant et relevant la tête.
On voudra bien tolérer un peu plus de rigueur et le retour au
document.

A partir des inventaires notariaux, la démarche consiste à réper-
torier des objets, à les comptabiliser afin de percevoir les fréquen-
ces significatives et les lacunes flagrantes, enfin à reconstituer des
modèles [1]. Cette approche des gestes ordinaires et de la vie quotidienne par les choses est sans doute le seul moyen d'échapper
à la tradition encore vivante des descriptions pittoresques. L'innombrable des choses familières inventoriées par les notaires parisiens ne restitue toutefois pas autre chose qu'un vaste musée

lexicographique, des objets inertes, abandonnés par leurs possesseurs et livrés pour quelques instants à la curiosité des jurés-
priseurs et à la nôtre, peu assuré de restituer le temps enfui. Il
faut donc aller au-delà et tenter de retrouver même approximativement la réalité des gestes et l'utilisation des choses. D'une part,
les regroupements, les réseaux d'objets dévoilent des modes d'être
et des façons d'agir à travers l'organisation de l'espace domestique
dont les principes sont à la fois subis et façonnés par les hommes
de tous les jours[2]. Des comportements familiaux, sociaux, culturels,
peuvent se dessiner dans la correspondance des structures et des
pratiques. D'autre part, c'est l'occasion de retrouver dans la constellation des choses les partages qui orientent les milieux populaires,
les clivages qui opposent la majorité des micro-fortunes à quelques
successions confortables, les contrastes qui différencient le groupe
ouvert et habile de la domesticité, du monde moins favorisé, moins
mobile, plus archaïque du salariat parisien. Il ne faut certes pas
oublier que pour tous l'horizon de départ, à une ou deux générations, c'est la France des plaines et des labours, des champs et
des prés, le plat pays rustique dont tout dépend, et où les lumières
urbaines clignotent faibles et fascinantes. Enfin, il s'agit de mesurer
dans cette historicité des habitudes une évolution, des changements, dont l'importance qualitative peut très largement dépasser
les manifestations quantitatives. Menues adaptations, lents glisse-
ments et silencieuses substitutions peuvent rompre peu à peu le
poids des traditions et entraîner des percées décisives. Sous un
jour différent, on retrouve là une question essentielle : comment
les dynamismes du Siècle des Lumières pouvaient-ils affecter le
quotidien de la vie ?

Trois réponses pourront être distinguées : celle des objets eux-
mêmes qui parlent de la diffusion populaire des formes et de la
progression des matériaux ; celle du rapport entre l'homme et les
choses qui peut être modifié par les phénomènes sociaux développés
par la ville où la mode et la consommation suscitent toujours une
accélération de l'obsolescence des biens ; celle des structures de
l'espace domestique, où l'homme investit un mode d'être qui évolue
sous la poussée conjointe des transformations matérielles et de la
diffusion des nouvelles valeurs. Leur comparaison témoigne d'une
mentalité. On la saisit d'abord dans l'examen des fonctions primordiales, le sommeil, le chauffage et le repas ; on la perçoit
ensuite dans l'analyse d'un décor et d'un paraître, livrés par
l'étude des mobiliers et des ustensiles du confort. Dans la première démarche, le style social de l'habité populaire se dévoile, où
le dénombrement des choses et leur regroupement en réseaux montrent la coexistence des traits venus de vieux fonds ruraux et ances-
traux, archaïques et stabilisés, avec la montée progressive d'éléments novateurs transformant peu à peu la logique de l'accumu-

lation patrimoniale. Regarder les éléments d'un mieux-être c'est, en revanche, se situer immédiatement dans une perspective où les lois de l'imitation et les stratégies d'apparence sont prépondérantes. C'est accepter aussi la capacité de diffusion rapide de ce que les classes supérieures mettent au point[3]. La mobilité existe pour les hommes et pour les choses dans le monde parisien, les signes sociaux y sont des moyens d'affirmation et de transformation dont les observateurs sont conscients. « Ici, il est permis d'être soi ; une fortune médiocre n'est point sujette à une observation malicieuse, ni au dédain de l'opulence, parce que les minces fortunes appartiennent au plus grand nombre...[4] », Mercier note à plusieurs reprises la fonction de nivellement des manières par la ville qui masque les conditions et les origines, entraîne le « mélange des individus », le frottement perpétuel des esprits industrieux. Charles Peyssonnel, académicien de Marseille parisianisé, observe d'un œil provincial le mouvement de la capitale et constate « qu'il est heureux que les petits se soient livrés au luxe auquel les grands ont renoncé. L'industrie n'y perd rien ; elle ne fait que changer de chaland : j'ose croire même qu'elle y gagne, parce que les petits sont infiniment plus nombreux que les grands...[5] ». Laissons de côté l'affirmation sur la renonciation des riches, on sait bien que la simplicité à l'antique ou à la campagnarde peut être ruineuse, retenons le constat d'entrée dans un monde neuf où la consommation, moteur des économies, mesure l'enjeu des réussites et l'écart des imitations.

Le repos du peuple est, on le sait depuis toujours, nécessaire à la reconstitution de sa force de travail, mais en même temps la valorisation psychologique de la quiétude nocturne prouve en permanence la puissance des raisons d'être du foyer, un refuge pour le sommeil, une enclave de sécurité et de tranquillité. Le lit, meuble essentiel, devient le symbole du foyer conjugal, l'ultime retranchement de l'intimité, le seul endroit où dans l'entassement et la promiscuité familiaux on puisse parler de vie privée. Dans le peuple locataire, tout le monde a son lit et ce sont toujours de vrais lits : grabats, paillasses, couchettes de sangle ne servent d'appoint que dans les familles nombreuses, ou pour une occasion exceptionnelle, recevoir un parent, coucher un ami. Le lit conjugal populaire est presque toujours pourvu d'un cadre en bois et d'une « enfonssure ». Personne ne dort n'importe où et surtout pas sur le sol[6]. Entre 1695 et 1715, on recense 162 lits chez les domestiques, plus 21 fournis par les maîtres, 176 dans le monde salarial : la moyenne est de 2,3 et 1,9 personnes par lit ; vers 1780 on compte 110 couches domestiques, plus 31, et 154 lits salariaux, soit encore 1,8 et 1,9. On voit que l'avantage des valets et des servantes se maintient parce qu'ils peuvent dormir dans le lit d'autrui et parfois cumuler lit de fonction et couche personnelle, mais les moyennes correspondent assez bien partout à la réalité, un lit pour deux dans la plupart des cas, et au pire deux pour trois ou pour six. Les exceptions sont rares, on rencontre des intérieurs où chacun a son lit et pas seulement les célibataires. Louis Marchand, ouvrier à la manufacture, rue du Faubourg-Saint-Antoine dispose avec sa femme et ses deux enfants de deux couchettes de 4,5 pieds, d'une autre de 3 pieds (0,95 m), et d'une vieille couche [7], il loge dans deux pièces et la succession ne dépasse pas 700 L. Parfois règne un amoncellement incroyable, un lit pour 7 dans la chambre de Louis Boquet, gagne-denier rue de la Mortellerie où s'entassent pour dormir le couple et cinq enfants [8]. C'est là un phénomène marginal : 11 cas de cet ordre vers 1700, 7 seulement avant 1789 [9]. Pour certains l'entassement est réel, parents et enfants partagent le même lit. On rencontre rarement berceaux et lits enfantins (18 cas 9,5 %). Pour le plus grand nombre, le repos bénéficie d'un minimum de bien-être qui s'associe encore au phénomène fondamental des civilisations anciennes où la chaleur est partage des corps mêlés. Le confort est corporel. Le lit symbolise la maison, il évoque chez les auteurs du XVIIe siècle la joie et l'union du foyer, ce qui lui mérite une place centrale, chevet au mur et face à la croisée, pratique qu'on justifie par des nécessités de santé mais qui correspond plus évidemment à la nécessité d'organiser la pièce unique autour des polarités primordiales du repos et de la chaleur. Au lit répond la cheminée.

Important pour sa fonction et ses significations, le lit l'est également pour sa valeur. Dans les successions des pauvres, c'est un élément non négligeable du patrimoine : 15 %, ce qui lui permet dans l'ensemble des meubles et meublants de tenir une moyenne de 25 % pour les classes inférieures, de 39 % pour le monde des serviteurs. Selon les niveaux de fortune, les valeurs moyennes font apparaître trois comportements :

		1695-1715	1775-1790
Fortunes supérieures à 3 000 L	— Domestiques	179 L	145 L
	— Salariés	40 L	73 L
Fortunes inférieures à 500 L	— Domestiques	75 L	80 L
	— Salariés	33 L	48 L

Louis XIV régnant, l'opposition est nette entre gens de maison et classes inférieures où en ce qui concerne le coût du lit et de ses accessoires pauvres et aisés sont à peu près lotis de la même façon. A la fin du siècle, l'avance des domestiques ne s'est pas accentuée, signe que l'on était arrivé à un point de suffisance ou que l'on a fait des efforts dans d'autres domaines. En revanche, l'écart entre les riches salariés et les pauvres s'est creusé, chez les premiers le prix moyen double presque (+ 85 %), chez les autres, il progresse peu (+ 45 %). En bref, le confort nocturne est acquis pour la domesticité parisienne dès la fin du XVIIe siècle à condition qu'elle soit établie, sinon elle se contente d'un sommeil moins douillet dans des grabats et des couchettes souvent de fortune, au pied du lit de la maîtresse ou dans quelque recoin. Cette acquisition d'un bien-être crépusculaire gagne les franges heureuses des milieux populaires, elle ignore le monde des miséreux et une partie de ceux, contraints par la nécessité à dormir comme ils peuvent sur les bas-flancs des garnis les plus pauvres. On ne doit pas négliger ce phénomène et la pratique du dortoir pour comprendre l'hébétude du peuple des misérables, les gestes animaux dont on le qualifie volontiers. Mais au sein de ce progrès contrasté la différence fondamentale est à chercher du côté de la literie.

L'aspect du lit change au XVIIIe siècle pour le peuple. Couchettes à bas et à hauts piliers constituent les 2/3 des lits recensés vers 1700, le reste est composé de lits de sangle, de chalits, de couchettes plus simples. A l'époque Louis XVI, celles-ci sont plus nombreuses, voisinant avec les couches sanglées, un certain nombre de « lit à roulettes » — surtout chez les domestiques — et de lits-banquettes. L'ensemble s'est allégé et il est possible que l'on assiste à un glissement de la position centrale du lit vers les angles de la pièce. Ce nouveau rapport à l'espace suggère une évolution double, dans le domaine de l'ameublement, un allégement des lits permet de tenir tête à l'accroissement des coûts, bois et salaires grimpant avec le temps, dans le domaine du chauffage, un changement qu'il faudra réinterroger.

Car dans sa présentation comme dans sa fonction, le lit traditionnel est beaucoup plus complexe que le nôtre en grande partie parce qu'il doit protéger du froid des nuits d'hiver. Si la domesticité innove en imitant les usages des riches, c'est en manifestant un goût affirmé du luxe. On l'a vu, dans l'ensemble des meublants la valeur moyenne du lit est de 25 % dans le monde salarial, elle atteint presque 40 % chez les domestiques. L'équipement et la literie permettent au bien-être et au goût du faste de se matérialiser et seuls quelques riches compagnons peuvent réaliser ce rêve. Ainsi chez Simon Dumont, compagnon de rivière : « une couche à bas piliers de noyer garnie de son enfonssure, paillasse, deux matelas dont un de laine et un de bourlanisse, traversin et oreillers de coutil remplis de plumes, une couverture de laine blanche, une courtepointe de toile peinte doublée de toile, deux rideaux, deux bonnes grâces, fond, ciel et tour dudit lit, de serge verte doublée d'un petit galon de soie verte... 150 Livres en 1715 [10]. Quand le pauvre gagne-denier dépense 20-30 L pour son lit, les domestiques et les riches salariés lui affectent plus de 100 Livres.

Aux plus miséreux, les pauvres paillasses bourrées de seigle, les
traversins de mauvais coutil, les couvertures de laine minces et
rapiécées, aux autres les bons matelas de laine, les couvertures
en lainage épais, les chaudes courtepointes, les oreillers de plume.
L'aisance et le succès se manifestent par le ralliement aux manières
des nantis, c'est-à-dire l'accumulation et la clôture. L'empilement
des matelas, la garantie d'intimité calorifique et sexuelle que procurent housses et rideaux sont gagnés dès le début du xviiie siècle
dans les milieux ancillaires qui bénéficient ainsi d'un confort du
sommeil bonifié et proclament la justesse des façons de dormir
bourgeoises et nobiliaires. En d'autres termes, l'attention portée
au second cercle corporel par les plus riches descend la hiérarchie
sociale et dans cette lente migration les domestiques sont à la fois
spectateurs et acteurs servant de modèle aux gens aisés du peuple.
L'idéal pour tous c'est l'exhubérance, la débauche des accessoires
et le retranchement au for conjugal ou individuel. L'espace clos
du lit enfermé dans sa housse, où chacun se barricade derrière les
rideaux, est quasiment accessible à tous avec plus ou moins de
faste : 2/3 des inventaires vers 1700, 3/5 vers 1780. En revanche,
la protection et l'isolement des alcoves sont rares — à peine
1/10e — réservés à ceux qui disposent d'un peu plus de place.
Que le système du sommeil corresponde à un système culturel
d'ensemble où la nécessité — le problème de la chaleur et de la
promiscuité — se combine avec des valeurs symboliques, on n'en
peut pas douter à regarder comment les dormeurs du peuple
choisissent les couleurs de leurs rideaux et de leur ciel de lit. Le
symbolisme en est ancien, signalé pour la maison des riches au
xvie et au xviie siècle par Blaise de Vigenère et Corrozet : le vert
domine (60 % des cas), plus rarement le rouge (28 %) ; le sommeil populaire est placé sous le signe de la jeunesse, de la gaieté,
de la fécondité, clin d'œil à la nature évanouie dans la ville, mais
aussi sous le signe du courage, de la richesse, des valeurs solaires.
La règle sociale des couleurs, évanouie dans les milieux bourgeois
et nobles, perdure chez les gens de peu sans doute de façon
inconsciente mais comme le legs archaïque d'une très vieille façon
de faire. Significatif donc, le fait que les domestiques parisiens
abandonnent ces vieux symboles, rejettent la serge verte et la
couverture rouge au profit des toiles peintes à fleurs et à ramages,
des damas bariolés, des siamoises à rayures. Avec quelque retard
sur leurs maîtres, en avance sur les bourgeoisies de province
qu'évoque Balzac, le domestique innove pour le peuple en choi-
sissant les signes des apparences de la modernité textile. Pour le
reste, les gestes anciens se maintiennent et chez les plus pauvres
révèlent toute l'importance qu'il faut accorder au dormir, pour
garder sa santé et préserver sa digestion. Le sommeil doit profiter
au corps et l'on ne dort pas n'importe comment, chacun sait avec

le Docteur Savot (1624), les vieilles nourrices et les bonnes grands-mères, que celui qui s'endort sur le dos enfante des incubes ou risque de mourir. Il faut préférer le côté droit, à la rigueur le gauche, ou le ventre, plus favorables à une bonne assimilation alimentaire, peut-être aussi aux songes des ventres creux[11].

Sur une trajectoire sociale précise, la conquête d'une manière du corps se dévoile. Si dans un lit mollet, on peut dormir dure-ment — la sagesse proverbiale n'est pas dupe du matériel — la qualité du sommeil et des rêves n'en est pas moins insérée dans un ensemble de représentations sociales où se révèle explicitement un investissement de psychologie individuelle. La psychanalyse du lit et l'histoire du sommeil populaire ne peuvent toutefois faire abstraction des priorités nécessaires : au bas niveau de la fortune, les domestiques ne cherchent pas toujours à posséder leur lit, ils se contentent de ceux qu'on leur procure, mais la moitié de ceux qui n'ont pas cru nécessaire d'acheter le meuble possèdent la literie et sa garniture. L'ostentation peut suivre la personne. Dans le monde du labeur, quand les moyens manquent, il reste toujours la ressource du confort sauvage procuré par l'entassement des corps dans la communauté scabreuse des grabats familiaux et amicaux.

Face au lit, dans l'espace réel comme dans la symbolique : la cheminée. Son être populaire est aussi fort que celui de la couche car il trace le troisième cercle corporel de la vie commune, le domaine du calorique, la zone étroite où dans la chaleur de l'âtre se joue la santé, la lutte contre le froid dur à vivre, le bien-être du repas et du repos. Dans l'intérieur domestique, elle assume des fonctions multiples, la cuisine, le chauffage et l'éclairage, elle incite aussi à rêver et à imaginer. Les valeurs incarnées par la cheminée et le feu en font le centre du foyer. Malheureusement, les inventaires la décrivent peu, car elle fait partie de l'immeuble et nous en percevons la présence et le rôle par les accessoires qui la garnissent. Leur absence ne prouve pas que le défunt et ses proches ne se chauffaient pas, mais qu'ils ne les possédaient pas : ils peuvent être prêtés par l'employeur. Dans tous les logis popu-laires parisiens, il y a une cheminée au moins mais la relation à l'âtre est beaucoup plus malaisée à définir dans le cas des gens de service qui disposent de l'extraordinaire avantage du chauffage garanti par leur maître. Mercier, on s'en souvient, en fait une caractéristique majeure de l'évolution de la condition ancillaire.

Ce qui est assuré c'est la présence des instruments du feu dans le peuple, 2,5 % des inventaires n'en décrivent pas dans le monde salarial, mais un bon tiers dans le milieu dépendant des serviteurs. Plus important, peut-être, le fait que toutes les pièces en sont pourvues, 100 % des cuisines, ce qui n'étonne pas, 98 % des pièces et chambres uniques, ce qui prouve la nécessité, mais seule-ment 40 % des pièces secondaires moins chauffées, quant aux petites dépendances, elles n'ont aucun moyen de chauffage. Pour tous, la cheminée n'est pas un luxe, c'est une exigence.

L'équipement de l'âtre reste traditionnel tout le siècle : che- nêts, pelles, pincettes pour retenir les bûches, attiser le feu, retirer les braises et les cendres, sont partout, les pare-feux et les soufflets sont plus rares [12] ; d'autres objets sont franchement exceptionnels, écran, balais d'âtre, grille à feu. L'ensemble de ces ustensiles ne représente pas une grosse valeur, 3 à 5 Livres minimum, 8-10 au maximum ; et il évolue peu en nombre et en proportion car le changement est ailleurs ; il ne touche pas à l'accessoire mais s'attache aux problèmes d'ensemble [13]. L'art du feu populaire met en cause des moyens divers. Que brûlait-on dans ces foyers modestes ?

Faute de place et d'argent, les peuples de Paris n'ont pas de grosses réserves de combustibles, de plus les domestiques et quel- ques compagnons peuvent puiser dans les provisions de leur employeur, enfin plus de la moitié des inventaires sont dressés à la belle saison où l'on ne se soucie pas de s'encombrer à l'avance. Quand il y a réserve, c'est le cas de 10 % des actes. Il s'agit toujours de bois ; le charbon fait une apparition timide sans qu'on puisse distinguer s'il s'agit de charbon de bois (une seule mention) ou de charbon de terre parfois utilisé dans les familles bourgeoises et aristocratiques [14]. Par rapport au bois présent dans tous les intérieurs et sous toutes ses formes, falourdes de quatre à cinq rondins, fagots, bois neuf et bois flotté amené de la Seine, cotte- rets ou grosses bûches, c'est encore un combustible d'appoint. Plu- sieurs raisons expliquent ces choix, les difficultés d'approvision- nement, les désagréments qui accompagnent — sans grille à feu — l'usage du charbon dans la cheminée, la fumée, l'odeur âcre, et surtout le poids de préjugés tenaces à l'encontre d'un combustible chtonien, mal connu, peu apprécié et dont les exhalaisons ont valeur maléfique. Au midi du Siècle des Lumières, l'Encyclopédie glorifie encore le bois et le charbon de bois, prouvant l'étendue et la permanence des refus anciens qui handicapent la physique de la combustion [15]. En revanche, le chauffage au bois offre bien des avantages matériels et symboliques. Il s'allume et brûle aisé- ment, il ne dégage ni odeur désagréable, ni fumée sulfureuse et noire, on y peut cuire directement sans grille et sans broche et pour la majorité des classes populaires c'est un atout incontestable. Le bois s'exploite mieux en considération de la technique encore simplifiée des cheminées parisiennes qui refoulaient fréquemment les fumées sans assurer une parfaite ventilation de la pièce mais le système ne présente pas les dangers des braseros, redoutés des hom- mes de l'art et que l'on ne rencontre pas dans le logement popu- laire [16]. Cheminée fumeuse, maison mal couverte et femme râleuse, rappelle un proverbe du XVII° siècle, chassent le prudhomme de sa demeure. Toute une façon de vivre doit s'accommoder d'un état de la technique et chacun doit à la mauvaise saison supporter les effets des âtres qui tirent mal. Deux défauts pèsent alors sur le chauffage au bois : il chauffe peu, car le bois rayonne deux fois moins de calories que la plus mauvaise des houilles grasses et la cheminée ancienne avec son conduit droit entretient en permanence la déperdition de chaleur, il est aussi coûteux. Dès la fin du XVIIᵉ siècle, on mesure sa cherté qui grève les budgets populaires. En 1700 : 11 journées de travail pour disposer d'un stère de bois flotté qui fait les feux maigres, vers 1780, il faut encore 15 jours ouvriers pour avoir la même quantité. Cet enchérissement du bois de chauffage est un élément essentiel des difficultés de la vie ordinaire [17], c'est une des préoccupations majeures de l'administration urbaine. On se chauffe plus, sinon mieux, constate M. de Gallon, officier des eaux et forêts, et la disette menace. « Ce qui a encore beaucoup augmenté la consommation de bois — en 1725 — c'est le grand nombre de feux qu'on fait aujourd'hui dans les ménages de gens médiocres ; alors qu'autrefois même des gens distingués n'en faisaient qu'un seul, recevaient et travaillaient dans la chambre commune, on multiplie les cheminées... [18]. » Le peuple devient voluptueux en toute chose, « se chauffant plus que ne le faisaient autrefois nos pères, qui, s'ils se chauffaient, ne se mettaient pas du moins en peine de quelle sorte de bois ce fut, ... au lieu que présentement il n'y a jusques au moindre petit bourgeois qui ne brûle que du bois neuf, c'est-à-dire qui ait été coupé vif parce que le feu est plus ardent et qu'il rend plus de chaleur... ». Bois et feu sont indissolublement mêlés dans l'idée des éléments fondamentaux de la nature naturante, le feu c'est la vie et un pays sans bois serait un pays inhabitable écrit alors Duhamel du Monceau peu préoccupé de trouver des énergies de substitution à celle qui flatte les esprits et réchauffe les nuits. Les soleils domestiques des pauvres dépendant d'une physique des valeurs forestières et élémentaires.

Mais que le bois vienne à coûter plus cher et qu'il menace de manquer et voilà la ville en rumeur. On peut toujours conseiller aux pauvres de brûler la houille que refusent les riches trop délicats [19]. On peut lui faire tâter de la tourbe et surtout du charbon de bois, le populaire rechigne et s'obstine à cousumer des forêts entières. Le trafic des bois ne fait que croître, les trains encombrent les ports, les piles de bûches croulantes s'entassent sur les chantiers de plus en plus hautes, les marchands de bois édifient des fortunes solides. Vers 1730, plus de 400 000 voies qui partent ainsi en fumée, vers 1789 c'est plus de 800 000 (la voie de bois vaut 2 m³), et il faut ajouter le charbon de bois = 250 000 voies selon le bureau de la ville en 1725, 765 000 voies consommées en 1789. La croissance de la consommation dépasse large-

ment celle de la population qui plus exigeante, bénéficie aussi
de la sollicitude de l'administration. Le bois de Paris est un marché réservé, on en craint les effondrements autant que les disettes
de blé. Sans bois pas de pain, pas de travail, une civilisation
entière se construit sur les bois, une population dans sa totalité,
pauvres et riches, vit dans la hantise de la pénurie des combustibles forestiers. Le vol de bois est un geste habituel des pauvres,
les rumeurs provoquées par la crainte de manquer quand la
rivière est prise par les glaces ou quand la débâcle de printemps
gêne les approvisionnements, éclatent sur les ports et se propa-
gent dans la ville. Durant l'hiver 1788-1789, le peuple de Paris
se rue sur les bois du Roi à Vincennes, à Neuilly et les mettent
au pillage. Devant les troupes de femmes et d'enfants, les hommes
sont au travail, chargés de fagots et de branches ; les gardes préfèrent décamper [20]. Comme les autres produits de nécessité, les
combustibles ont leurs émeutes mais ce sont déjà signes d'une
consommation améliorée et d'habitudes qui ont changé. Il s'agit
de lutter contre l'enchérissement et la disette pour le maintien
du minimum vital calorique.

Dans cette action se déploie l'imagination bricoleuse du peuple
afin de combattre par tous les moyens le froid hivernal, bassi-
noires, moines, chaufferettes, réchauds, peuvent tempérer la froidure du lit ou réveiller un peu le climat des annexes [21]. Surtout
on combat les courants d'air par des tentures de tapisserie [22] qui
garnissent les murs humides dans 84 % des intérieurs, on pose
plus rarement tapis, portières, embrasures de fenêtres. Ce sont
là des signes de luxe, même dans la domesticité toujours un peu
plus habile et qui commence à se composer les éléments d'un décor.
La tapisserie dite de Bergame [23], usagée, joue pour le peuple le
rôle des lambris bourgeois. Elle masque souvent la pauvreté des
murailles et il y a peu de compagnons ou de serviteur qui ne se
fassent un point d'honneur de tendre quelques aunes d'étoffes sur
leurs cloisons. Au total, tout peut servir à la lutte pour sauver
le climat calorique même le décor mural.

La fin du siècle voit un net changement se manifester dans ce
domaine. Bien des choses ne bougent pas : ustensiles inchangés,
bois toujours utilisé, cheminées majoritaires. Mais la cheminée
parisienne se perfectionne, au foyer trop vaste, au manteau haut
placé, à la hotte oblique ; au conduit large et droit, les fumistes
de l'époque Régence commencent à substituer le manteau bas, le
foyer rétréci, la hotte droite et les conduits courbes, « vers 1750
la cheminée est petite, on se tient autour d'elle et non plus dedans.
Elle consomme moins et surtout elle chauffe [24] ». L'inventaire
qui décompte glaces et trumeaux placés désormais sur le manteau
droit permet de mesurer l'importance d'une amélioration caminolo-
gique qui n'est plus réservée aux riches : vers 1700, le trumeau

apparaît dans 7 % des inventaires de domestique, chez les plus
fortunés car il coûte cher entre 40 et 70 L ; il n'y en a pas dans
les actes des salariés ; entre 1775 et 1790, les notaires en comptent
une quarantaine dans les logements des domestiques et une trentaine chez les compagnons. La diffusion large d'un progrès matériel
s'amorce dans le peuple parisien bien avant qu'elle n'atteigne le
monde rural où pendant longtemps va se maintenir le vieux
modèle de la cheminée haute.

L'apparition du poêle a une autre importance, car il introduit
dans les gestes des façons nouvelles et il est porteur d'une autre
psychologie à l'égard du feu. Désormais caché, pour ainsi dire
abstrait, maîtrisé et fonctionnel il ne participe plus de la même
manière à l'ambiance du logis [24]. Les poêles sont inconnus vers
1700 dans le monde salarial et on en trouve quatre chez des
domestiques aisés, en 1780 c'est plus d'une trentaine chez les uns
et les autres. En faïence, en terre vernissée, en fonte, plus fréquemment en fer blanc et en tôle, quelquefois accompagnés d'une
« cuisinière », avec ou sans four, le poêle à feu commence à
concurrencer la cheminée ancienne. Son prix est modique dans
les inventaires, 10 à 20 L en moyenne. Il assure un meilleur
chauffage car il rayonne mieux et, avec moins de combustible fournit plus de calories, enfin on peut le mettre presque partout. Au
total pour près de la moitié des intérieurs salariés, pour les trois
quarts des logements ancillaires, le progrès calorifique est acquis
avant 89, attesté soit par la présence des trumeaux au-dessus de la
cheminée, ou celle d'un poêle. Il est intéressant de voir que ce
mouvement ne traverse pas de la même façon l'échelle des
fortunes : dans les milieux ouvriers on le trouve à tous les
niveaux, les successions supérieures à 3 000 L ne montrent pas plus
trace de cette modernisation que les autres (48 %) ; dans les
domiciles des gens de service, le progrès du confort est réservé aux
riches, il se concentre dans 4/5ᵉ des patrimoines au-dessus de
3 000 L. L'aisance est ici liée à l'imitation des classes élevées ;
elle a conquis déjà une certaine indépendance pour le plus grand
nombre. Ainsi commence une nouvelle époque pour le chauffage
individuel et s'achève la longue période où l'homme qui tisonnait
son âtre « gardait une action de Prométhée » car il pouvait voir
l'instant où il fallait aider le bois à brûler et placer à temps les
bûches supplémentaires [25].

Les mentalités parisiennes longtemps façonnées par ces gestes
quotidiens mille fois répétés ont mis deux siècles à changer. Fin
xviᵉ siècle, Montaigne fait déjà l'éloge des poêles allemands et
suisses, quelques décennies plus tard l'hymne en est repris à la
gloire de la méditation philosophique par Descartes habitué du
chauffage hollandais. La France résiste et continue à se geler. Le
peintre François Keslar en 1619 lance une opération « chauffage

germanique » en mettant sur le marché français son « Espargne
Bois » destiné à mieux chauffer, à économiser le combustible,
grâce à un « fourneau artificiel par lequel les pauvres s'en trouve-
raient soulagés... [26] ». Le texte parle en clair des valeurs élémentaires anciennes, il s'agit de dompter le feu, élément avant tout
subtil, toujours en fuite, il faut le capter et le retenir, le séduire
comme un être vivant, l'alimenter de matériaux variés, bois, char-
bons forestiers, houilles. Keslar a soigneusement affûté ses argu-
ments publicitaires à la physique des valeurs symboliques. Il
propose des modèles adaptés à toutes les bourses, à tous les usages,
à étage, à gril, à bouilloire, à fourneau, en fer battu, en brique,
en faïence, utilisable en petite et en grande chambre, avec archi-
traves et frises, ou simples bordures ornementées à la bourgeoise.
C'est à la cheminée qu'il en a : « Quand en hiver, je reviens souvent à la maison ayant froid, j'aime beaucoup mieux me chauffer
auprès de mon fourneau que non, par-devant une cheminée
ouverte, là où souvent on est rôti par-devant et on gèle par-
derrière [28]. » Donc acheter allemand, le meilleur des poêles capable
de fournir une « agréable et luisante chaleur ». A cette dernière
image faite pour tromper car le feu est invisible, on saisit ce qui
manque à l'ustensile germanique : le « Licht macht Feuer » de
Novalis. La France a froid et Paris se glace, le vin gèle dans les
verres sur la table du Roi, en 1701 témoigne la Palatine, mais les
flammes brillent et bondissent dans les cheminées. Au premier
quart du XVIIIe, le grand roi disparu, un souffle calorique nouveau
s'installe quand la cohorte des fumistes parisiens et versaillais
expérimentent la petite cheminée pour les petits appartements.
Les premières retombées du nouveau mode de confort atteignent
les bourgeois et les serviteurs des grands.

Passé 1750, le poêle fait son entrée dans les intérieurs, l'administration s'en inquiète et en peuple ses bureaux, ses corps de
garde [29], l'architecture s'en empare et la mode s'en mêle [30]. Dans
les années quatre-vingt, James Sharp propose aux Français ses
« poêles américains » [31] ou grilles à effet ventilateur qui reprennent
les principes du physicien Gaugerdans, sa *Mécanique du feu* de
1709 et les éléments des cheminées de Benjamin Franklin, utilisant
la circulation de l'air extérieur. Sans odeur, il brûle de la houille
et il « agrée aux poumons les plus délicats ». L'épargne de combustible est de l'ordre des 2/3, la chaleur à portée de tous. « On peut
sortir tout nu du lit le plus chaud et cela dans la matinée la plus
froide sans le moindre danger. » Aux valeurs disparues, on en
substitue d'autres, celle du métal ami du corps humain, celle de
la climatisation réglable comme dans une serre, mais il s'agit de
composer et le grand avantage de l'« American Stove », bientôt
imité par les fondeurs français : « C'est de permettre la vue du
feu, chose en elle-même très agréable et d'où il suit que la chaleur

peut en sortir très librement et se répandre dans les appartements. » Voilà réconcilié l'effet des cheminées françaises avec la
liberté de circulation autorisée par les poêles américains, germa-
niques et hollandais : il n'est plus nécessaire d'être près de la
cheminée pour avoir chaud. Tout progrès a ses détracteurs, peut-
être parce qu'ils mesurent mieux que les consommateurs vite
ralliés l'enjeu d'une substitution d'un rapport aux éléments et
aux choses. Mercier grognon pressent des lendemains sans flammes
et sans joie dans un Paris moins aguerri contre la froidure où les
cheminées fument faiblement dans le ciel et où le peuple s'amollit.
« La vue d'un poêle éteint mon imagination, m'attriste et me rend
mélancolique ; j'aime mieux le froid le plus vif que cette chaleur
tiède, fade, invisible... [32]. » Alors, l'art des poêliers et des fumistes
propose une révolution du confort qui est pour tous mutation
symbolique, transformation du sens intime. Dépourvu des préjugés
du poète, le peuple fait un succès aux nouveaux ustensiles et aux
nouvelles manières, peut-être est-ce parce qu'il avait moins l'occasion de rêver à la flamme de l'âtre, on peut en douter, surtout,
parce qu'il doit économiser sur ses dépenses de chauffage, allumer
son feu moins souvent pour préparer les aliments et pour tiédir
la chambre. Mais pour la veillée, on va souvent les uns chez les
autres étalant la charge, et pour la cuisine, on tisonne précaution-
neusement les bûches. Dans le ciel parisien, les foyers populaires
se remarquent par leurs fumées claires et parcimonieuses [33], les
feux des riches, entretenus à longueur de journée et de nuit par
les pauvres, à leurs exhalaisons onctueuses et denses.

Liés au foyer, la préparation des repas et le repas lui-même,
apparaissent à travers un groupe d'objets précis dont la fonction
est signifiée par l'antique formule : vivre à pot et à feu. Rarement
absents, 6 % des inventaires de salariés surtout de célibataires ou
de compagnons qui peuvent manger à la table du maître, 30 %
des inventaires domestiques qui dînent et soupent à la cuisine et
à l'office. Parmi les biens d'usage, les ustensiles de ménage d'une
valeur assez faible pris séparément, composent une part importante
des meublants, qui se réduit avec le siècle. Que peut-il se passer
derrière cet effondrement des valeurs ? Deux choses, soit qu'on
assiste à l'affaiblissement d'un modèle ancien de mode de vie,
soit qu'on fasse intervenir des substitutions dans les formes et
les matériaux. Dans le premier cas, on devrait constater une diminution du nombre des objets ; dans le second, l'apparition de
matières et de produits nouveaux.

Le recul des valeurs moyennes de la batterie de cuisine est
spectaculaire :

	1695-1715			1775-1790	
Salariés	Domestiques			Salariés	Domestiques
481 L	2 000 L	moyenne		271 L	1 015 L
20 %	5 %	% des patrimoines		7 %	2 %

La domesticité installée chez elle accumule cinq fois plus d'ustensiles de ménage que les classes salariales, mais l'investissement moyen régresse partout chez les aisés et les pauvres. L'ampleur du mouvement suggère donc la disparition de nombreux objets mais l'évaluation n'est pas facile à faire car les notaires détaillent rarement les ustensiles de poterie ou la vaisselle de métal évalués en lot. Tentons l'expérience, pour les principaux objets de fer ou de cuivre assez coûteux pour être prisés et suffisamment variés pour décourager la pesée d'ensemble comme c'est le cas pour l'étain (« en pots, plats, assiettes 40 Livres d'étain sonnant ») (tableau 22).

Tableau 22

LES OBJETS DE CUISINE

	1695-1715		1775-1790	
	Salariés	Domestiques	Salariés	Domestiques
Poêle à frire	69 %	60 %	59 %	30 %
Poêlon	73	50	32	25
Marmites et chaudrons	86	50	54	60
Ecumoire	69	55	47	37
Passoire	40	20	20	15
Crémaillère	79	60	60	2
Trépied	20	15	62	40
Moyenne des objets de métal	10		6	
Fer-fonte *	98 %	98 %	98 %	98 %
Etain	98 %	97 %	61 %	60 %
Cuivre	99 %	96 %	63 %	55 %

* En fréquence d'apparition des objets.

La domesticité est toujours moins bien équipée, en fréquence ce qui tient à sa dépendance, mais en valeur absolue elle peut consacrer plus d'argent à des objets de prix plus élevés. Le recul se manifeste pour tous, ce qui signifie économie sur certains objets qui ne peuvent être fabriqués qu'en métal, tels les passoires, les écumoires, pour les autres, il peut y avoir apparition de matières nouvelles. Au début du siècle, les notaires inventorient en moyenne 10 ustensiles métalliques par ménage, à la fin ils n'en estiment plus que six. Louis XIV régnant, le fer, le cuivre, l'étain se partagent les ustensiles de table et de cuisine, le fer pour les trépiers, les crémaillères, les grils, les poêles à frire, le cuivre pour les poêlons et les chaudrons, l'étain pour la vaisselle [34], en valeur les objets de cuivre et d'étain représentent 9/10° de l'ensemble dans les intérieurs salariaux, les 2/3 chez les domestiques. A l'époque de Louis XVI, la préséance du fer et de la fonte se maintient bien, 95 % ; le cuivre recule de 98 à 63 ; l'étain, de 98 à 61. La fréquence des objets de poterie avoisine 100 %. Le grès, le verre, la faïence, les poteries de terre se substituent à l'étain dans la vaisselle ordinaire. En d'autres termes, la dévalorisation correspond moins à un recul total du nombre d'objets qu'à l'apparition d'ustensiles nouveaux, les trépieds, les fours de terre portatifs — 40 % des intérieurs domestiques possèdent un de ces nouveaux moyens de cuisson — mais surtout au progrès des produits bon marché, en particulier les poteries [35].

Sur ce point encore, les domestiques ont dès le début du siècle une avance qu'ils savent conserver, ils ont davantage de vaisselle de terre qui peu à peu se diversifie en véritables services de table, avec soupière, assiettes, plats, saladiers, compotiers, saucières, pots à eau, à beurre, salières et moutardiers. Vers 1775-1790, on les retrouve dans plus de la moitié des successions, faïences et porcelaines composant en valeur plus de la moitié du poste. Ce sont là les signes d'un nouveau rapport au repas. Dans l'ensemble des milieux populaires, ces signes correspondent sans doute à une adaptation économique. Les objets de cuivre, d'étain valent plus cher avant la Révolution car les cours des métaux ordinaires n'ont cessé de monter. Vers 1700, l'étain commun vaut 9 à 12 sols la livre et l'étain sonnant, mélangé avec du plomb, entre 12 et 15 sols, vers 1780, il a monté de 75 à 80 %. L'étain disparaît de la vaisselle populaire sauf pour les couverts et de menus objets. Il est remplacé par les « grais », et les « terres vernissées », les faïences et les poteries ; bref toutes les productions de l'industrie céramique dont les prix sont relativement meilleur marché. On enregistre donc clairement dans l'inventaire l'aboutissement d'une chaîne d'effets qui mettent en relation production et consommation, tentatives des manufacturiers et des marchands pour développer une série de fabrications massives et moins coûteuses, recherches des chimistes et des hommes de l'art pour abaisser les coûts et améliorer les qualités, adhésion des consommateurs populaires parisiens aux nouveaux produits de renouvellement plus rapide car ils sont plus fragiles [36]. Bref, on casse plus dans l'intérieur domestique à la fin du XVIIIᵉ siècle, les gestes de fidélité aux choses transmises de génération en génération vont disparaître, l'obsolescence nouvelle des objets de la vie quotidienne entraîne une autre mutation de sensibilité.

L'omniprésence des céramiques communes, terres vernissées chez les pauvres, faïences brunes et faïences blanches chez les riches, domestiques en tête qui affectionnent dès le règne de Louis XIV les pièces plus fines et plus décoratives, ne laisse de côté aucun domaine : elle se retrouve dans les objets de toilette, les ustensiles de cuisine, les jarres pour conserver l'eau, les chaufferettes et les pipes, les encriers et les pots de fleur. Dans l'évaluation totale du produit des Arts et Métiers, c'est en 1789 près de 10 %, une main-d'œuvre de 40 000 personnes, et plus de deux cents entreprises importantes. L'intérêt du marché parisien n'échappe pas aux entrepreneurs de Beauvais et de Rouen et encourage les initiatives de la solide corporation des potiers de terre qui épuisent les rares carrières de la ville et des faubourgs de Gentilly à Vaugirard [37]. Les marchands faïenciers qui ont le privilège de la vente des faïences et verreries et partagent avec les merciers celui des porcelaines exotiques et importées, font d'excellentes affaires [38]. Des marchands forains et des colporteurs ravitaillent la clientèle populaire sur les foires et les marchés et les potiers de Beauvais, pour réaliser de plus gros bénéfices ouvrent magasin dans la capitale. La faïence brune qui va au feu, vendue à la pièce et à la douzaine, a trouvé ses débouchés populaires : 7 L le mille contre 80 L pour la faïence blanche. Elle supplante même partiellement les terres vernissées dangereuses aux yeux des hygiénistes, aussi coûteuses, souvent plus lourdes. La mode venue d'en haut touche les médiocres et dans l'intérieur populaire, on peut quelquefois noter une touche brève d'anglophilie, un « petit pot en wedgwood », un « cabaret façon anglaise ». La transformation s'accélérera après la Révolution [39]. Dans le système des objets culinaires, le métal cède également la place à la terre. La consommation accélérée apparaît en même temps qu'éclate un ancien modèle d'organisation de l'espace de la cuisine et des repas.

Dans les intérieurs de la fin du xviiᵉ siècle domine encore un modèle ancien peut être d'origine rurale, en tout cas familier aux fils de paysan qui constituent la population de Paris. Plusieurs fonctions — chauffage, cuisine, éclairage — et plusieurs catégories d'objets — batterie de cuisine, vaisselles et couverts — sont regroupées autour du foyer. La cuisine se fait dans l'âtre, à l'aide de la crémaillère, plus rarement d'un trépier. Le corps de la ménagère s'habitue à se courber ou à s'accroupir dans la pratique des mille gestes quotidiens. L'essentiel est que tout est ramassé près de la cheminée, sur le sol, sur le manteau, ou accroché et posé sur des tablettes [40]. C'est le regroupement et sa valeur symbolique qui font l'originalité du système d'organisation domestique ; lueur vacillante du feu, couleur chaude des cuivres, poli brillant des ustensiles de bois, éclat mat des étains, tout parle d'un concret des valeurs [41]. Or vers 1780, l'ensemble est réorganisé. La crémaillère recule, elle disparaît presque des foyers ancillaires, toujours pionniers des changements, les sources de chaleur accessoires, petits réchauds, fours de briques réfractaires, et nouveaux moyens de cuisson, grils, broches, lèchefrites, bouilloires, se multiplient. Fourneaux et cuisinières de fer blanc sont encore réservés aux riches : 17 cas chez les domestiques, moins d'une dizaine dans le salariat. Ustensiles et fourneaux restent près de l'âtre, mais la vaisselle et les plats sont rangés dans des buffets et des vaisseliers. Lorsque le logement dispose d'une cuisine, la séparation est plus radicale encore [42]. Le vieux foyer pluri-fonctionnel et sa complexité symbolique ont amorcé leur progressif retrait, on commence à cuisiner debout.

Dans l'ensemble de la batterie de cuisine et dans la vaisselle, les permanences l'emportent sur les nouveautés si l'on excepte bien sûr l'invasion des poteries. Mais l'important est de voir de plus en plus d'objets aux usages spécifiques, les casseroles d'abord, les jattes, les sucriers, les coquetiers ensuite. C'est leur accumulation qui avantage les domestiques. De surcroît, l'usage des boissons excitantes est attesté dans de nombreux intérieurs (15 % et 25 %). Les aisés des classes populaires font leur café chez eux, quelques domestiques prennent le thé, tous donnent le ton. Mais à ces avances correspondent deux reculs : les instruments liés à la consommation de viande grillée et l'argenterie. Le premier traduit sans doute une évolution — à vérifier — des mœurs alimentaires : les fritures et les fricassées, les bouillons et les bouillis l'emporteraient sur les rôtis. C'est peut-être l'indice d'un passage de la consommation exceptionnelle de viande à une fréquentation plus courante, 80 % des inventaires l'attestent, mais de moins haute boucherie. L'argenterie, tasse, gobelet, vaisselle, personnelle ou de plus grand apparat, perd de sa représentativité, elle se maintient chez les plus riches [43]. Un transfert de sens vers d'autres objets et l'inutilité de constituer une réserve de valeur peuvent expliquer ce recul.

De toutes ces transformations trois conclusions sont à retenir. L'apparition du superflu intéresse les plus riches, surtout les domestiques ; pour le nécessaire, l'équipement usuel, la hiérarchie économique intervient de façon secondaire. Un glissement s'opère dans le monde des choses par le recul des matières nobles, solides, coûteuses et le progrès des matériaux ordinaires, bon marché, cassants : la perte de valeur réelle coïncide avec un changement des sensibilités. Enfin, une autre organisation des objets s'installe, les anciennes structures dépérissent peu à peu, la pluri-fonctionnalité des lieux et des objets cède la place à une spécificité des usages. Le peuple de Paris a fait un premier pas vers le monde de la consommation plus éphémère et du vieillissement des besoins. Les manières de table des riches : changer d'assiette après la soupe, utiliser des écuelles pour le potage, un couteau de table au lieu d'un couteau de poche, une fourchette au lieu de ses doigts, ont franchi une distance sociale considérable depuis le xvii° siècle [44]. Regarder le reste des objets domestiques permet d'apprécier d'autres écarts (tableau 23).

Tableau 23

LES MOBILIERS

	1695-1715		1775-1790	
	Salariés	Domestiques	Salariés	Domestiques
Les rangements				
Armoires	75 %	85 %	67 %	78 %
Coffres	62 %	75 %	18 %	73 %
Buffets	5 %	12 %	37 %	11 %
Bas de buffet	—	4 %	16 %	24 %
Vaisselier	9 %	5 %	17 %	6 %
Commodes	—	7 %	57 %	53 %
Huche	26 %	19 %	1 %	3 %
Les mobiliers de groupe				
Tables	91 %	80 %	77 %	75 %
Chaises	96 %	80 %	89 %	75 %
Bancs	5 %	5 %	2 %	1 %
Banquettes	1 %	5 %	1 %	2 %
Fauteuils	59 %	25 %	57 %	33 %
Les mobiliers d'apparat				
Commodes	—	7 %	57 %	53 %
Secrétaires et bureaux	1 %	14 %	6 %	11 %
Bibliothèques	—	1 %	4 %	13 %
Cabinet	—	14 %	—	23 %
Bergère	—	1 %	—	11 %
Table à écrire	—	—	14 %	23 %
Chiffonnier	—	1 %	—	11 %
Console	—	—	—	4 %
Porte-manteau	—	—	—	10 %
Table à jouer	—	3 %	4 %	10 %
Table à café	—	—	—	10 %
Sofa	—	—	—	2 %

Le mobilier renforce à sa manière l'unification de l'espace domestique présent partout, encombrant chez certains, mais reste très loin en nombre et en valeur de l'accumulation des classes supérieures. L'impression d'amoncellement et d'entassement est associée au peu d'espace réellement disponible, peut-être aussi à des choix qui font que l'on garde les choses usées et même délabrées par une sorte d'attachement élémentaire à l'héritage familial ou à une thésaurisation affective. Malheureusement, l'inventaire photographie un équilibre des acquêts sans qu'il soit jamais possible de reconstituer une histoire. De plus, le lexique du mobilier suit la logique du notaire et non celle de l'utilisateur ou du plan réel du logis, à quelques exceptions près on ne sait où sont les meubles et on ignore l'ordre et les réseaux de l'ameublement. C'est donc la fonction qui livre un regroupement et non l'inverse. De façon encore plus visible que literies et vaisselles, les meubles traduisent aussi un désir d'imitation et affirment une réussite. La belle pièce d'ébénisterie égarée dans un ensemble hétéroclite marque une liberté qui peut guider l'harmonie et le rapport entre les fonctions meublantes, rangement, sociabilité, apparat.

Aucune succession salariale n'est dépourvue du mobilier nécessaire à l'ordonnance des choses mais 15 % et 22 % des héritages domestiques, ce qui correspond à la fois aux deux types de logements des gens de service et à leur degré de qualification. La valetaille des dortoirs et des recoins a peu d'effets à ranger et peu de meubles où les serrer. Trois tendances apparaissent assez clairement. Le meuble-clef, c'est l'armoire partout présente dès le début du siècle, reculant légèrement à la fin car d'autres solutions sont alors possibles. Massive, avec ou sans corniche, elle a dans l'étroit logis du peuple un air monumental et imposant qui symbolise pour les riches la réussite, et pour tous la profusion des linges et des habits recélés. Aux fortunes de plus de 3 000 Livres, le chêne et le noyer, aux pauvres les bois blancs et le pin modeste. C'est un meuble coûteux, une belle armoire de noyer vaut vers 1780 entre 15 et 30 Livres, qui peut par son décorum révéler un sens particulier du luxe ou du secret. C'est en son sein qu'on retrouve une multitude de petits éléments de rangement, coffrets minuscules, boîtes lilliputiennes, coffres à secret où dorment papiers et quelquefois la « croix de ma mère », cassettes à serrures compliquées ouvertes sous l'œil attentif de la famille et des témoins ou plus prosaïquement couffins, sacs, paniers à fils, petits tonnelets. L'armoire familiale souligne la possession et la fécondité par sa taille majestueuse et en même temps elle dérobe aux regards d'infinies et minuscules propriétés. Dès que l'on franchit le seuil des 3 000 Livres de fortune, on trouve plusieurs armoires, ce qui correspond souvent à une individualisation des biens conjugaux. On fait armoire à part.

Seconde tendance, l'armoire coexiste avec le coffre, vestige d'un système ancien de rangement prolongé très tardivement dans le monde paysan, où il résiste jusqu'au XIX° siècle. Sa présence à Paris atteste les liens maintenus avec la campagne : couvert de cuir, fermé à clef solidement, c'est le meuble mobile par essence. Il fait prévaloir l'entassement sur le tri empilé et ordonné. Ce n'est pas tout à fait un archaïsme, c'est le témoin d'une autre géométrie du rangement, liée à la mobilité des hommes, c'est le meuble des errants aisés ; celui des domestiques qui le complètent par des malles et des valises. C'est aussi celui des célibataires, des veufs, des vieux domestiques solitaires ou des compagnons âgés logés chez le maître. Son usage n'est pas dicté par une aisance moindre mais par une situation particulière. Il peut résumer toute l'aventure sociale d'un pauvre bougre quand, laissé en dépôt aux voisins, aux amis, il est après la mort le seul bien qui reste d'une vie. Instabilité, mouvement jouent en faveur du coffre, stabilité, permanence font les vertus de l'armoire. Le peuple parisien hésite entre deux attitudes et finalement l'armoire l'emporte sauf chez les domestiques.

Dernier trait. Ce chassé-croisé s'accommode d'un recul parallèle des vieux meubles du rangement paysan, les huches et les maies qui dans le monde urbain ont perdu leur fonction alimentaire. On ne pétrit plus de farine, on ne réserve plus de grains et de pains. Le Parisien achète son pain rarement à la semaine, pour quelques jours et plus souvent à la journée : la naissance de la baguette « pas trop cuite » est très précisément datée des années 1775-1780 [45]. Pour ces maigres réserves alimentaires, le peuple locataire utilise les buffets, pour ces ustensiles de ménage, étagères et vaisseliers ; mais c'est déjà indication d'aisance. Ajoutons huches et coffres, vers 1700 cela correspond à un volume de rangement pour les 3/4, vers 1780 à moins du 1/20°. L'espace du rangement s'est fonctionnalisé, dans le sens d'une classification mieux ordonnée des choses accumulées. Or c'est déjà l'accumulation qui fait l'homme de Paris.

Les meubles nécessaires à la sociabilité familiale et amicale changent peu. Bancs et banquettes, vieux accessoires reculent, l'ensemble table-chaise l'emporte. Ils ne manquent que chez les domestiques logés, où quelquefois ils sont remplacés par des éléments démontables (planches et tréteaux) trouvés dans les retraits. C'est par la diversification des formes et le progrès du confort que les façons populaires de s'asseoir et de recevoir évoluent. Les tables de simple facture dominent à l'époque du Roi Soleil, pour deux usages. D'abord pour les repas : elle rassemble la famille assise sur des bancs et des chaises ; ensuite pour le rangement. On voit très bien cela dans un dessin de Lebrun gravé par Duflot : le père assis sur un escabeau, le dos à la cheminée haute dont le manteau supporte vases et pots, un enfant assis se recueille, un autre petit est debout priant mais l'œil fixé sur la soupière, la mère est sur ses pieds nourrissant à la cuillère son dernier-né. L'accent de la scène est religieux et archaïque, on mange dans le même plat, chacun a sa cuillère, à la lueur de l'âtre et d'une lampe à huile pendue au centre. La famille populaire parisienne grave, un brin austère, remercie Dieu de lui avoir fourni sa nourriture. La table et les sièges servent à la réunion familiale d'un repas sacralisé. En même temps autre utilisation, les tables avec tiroir peuvent accueillir nombre d'objets, couverts, menus papiers, menus linges. Dans les années pré-révolutionnaires, ces tables assez monumentales, généralement en bois de qualité, sont moins nombreuses, 4 au lieu de 30, dans le salariat ; 9 pour 27 dans la domesticité. Les tables légères, rondes assez souvent, dont la qualification est spécifiée : de nuit, à jouer, à écrire, à café, à manger, gagnent. Le nombre total des tables n'a pas vraiment changé mais le rôle rassembleur de la table de famille semble avoir diminué, concurrencé par d'autres meubles plus légers, plus fonctionnels dans leur désignation sinon dans leur utilisation. Une autre structure de l'espace familial est suggéré ici, mais le développement en est fortement limité dans les milieux populaires par l'exiguïté du foyer et le coût du logement. Le logis à pièce unique ne permet guère que sous une forme atténuée la fonctionnalisation du mobilier déjà visible dans les demeures des classes dominantes. Un même mouvement de fond semble emporter les sièges, dans un premier moment toujours rassemblés autour de la table à l'exception d'un fauteuil et de quelques tabourets répartis dans les autres pièces ou placés dans les coins : 3 chaises pour 1 fauteuil. C'est le mobilier de l'accueil pour le repas et la veillée près de l'âtre et de la table où l'on s'accoude. Sous le règne de Louis XVI, le nombre des sièges recule, ils sont de moins bonne qualité : la chaise paillée de bois blanc se rencontre trois fois quand le siège de noyer recouvert d'une tapisserie modeste se trouve une fois. La détérioration des conditions de vie de quelques-uns est ici à noter, reproduisant dans le mobilier ce que l'on a enregistré dans l'exiguïté et le coût. Des logis moins accueillants peuvent contribuer à fragmenter la vie familiale d'un certain nombre de gens de peu et à favoriser l'explosion des activités du domaine public [47]. Pour les plus riches en revanche, tout s'améliore, tout progresse, et en premier pour les riches domestiques : à eux les bergères, les fauteuils recouverts de velours d'Utrecht et de satin de Bruges. Dans cette gamme plus étendue des meubles vers la commodité et le faste se dévoile l'imitation, l'accès aux modèles mis au point par un artisanat maître de ses gestes et de son art, mais qu'une frontière économique ferme à la majorité laborieuse.

Avec le mobilier d'apparat, cette limite est franchie : c'est celui de la minorité heureuse dans ses entreprises : 1/20ᵉ des cas vers 1700, moins du 1/4 vers 1780. Des pièces d'ameublement du riche grimpant quelquefois les étages populaires : la commode, le cabinet, la console, le chiffonnier, le secrétaire et le bureau ou quelques meubles dignes d'un salon plus relevé. Aucun de ses avantages, ou presque, n'arrive dans les classes inférieures, alors que la domesticité colle d'un peu plus près aux manières aristocratiques : les enrichis seuls bénéficient d'un essor qui symbolise encore aujourd'hui pour beaucoup les raffinements du temps et le triomphe des arts mineurs. Un reflet pâli de la fête aristocratique gagne les milieux populaires par une circulation lente et secrète qui ne s'accélère que pour certains biens chargés de plus d'efficace et de prestige. Ainsi va la commode, meuble ambigu, cher (20, 30, 40 Livres, parfois plus), il associe le rangement empilé du coffre dans ses tiroirs superposés à l'organisation de l'armoire à tablettes, c'est une capacité de resserre accrue, appréciable dans une population en mal d'espace. Ce n'est pas forcément une fantaisie de riche car elle peut prendre place partout. A côté des bois nationaux, noyer, chêne, dominant dans les 3/4 des modèles, on voit des espèces exotiques — le bois de rose et le palissandre — et des compositions recherchées où les placages font une percée. Bref par son coût, ses ornements, ses bois et ses bronzes, c'est un meuble de prestige pour quelques gens aisés, mais par son caractère allégé, sa capacité à ranger beaucoup sous un faible volume c'est aussi le meuble de la consommation et de la mode. Au total, le mobilier populaire permet à la fois de comprendre la réorganisation de l'espace domestique, le triomphe du rangement ordonné sur l'empilement ou l'accrochage, dont les armoires et la commode sont les porteurs, le cheminement des produits imaginés pour les classes supérieures vers les logis du peuple. Bien sûr, leur décor échappe aux séductions Régence, aux raffinements Louis XV ou à la théâtralisation de l'âge néo-classique mais il est touché à son tour par la remise en ordre des choses sous le signe de la consommation et des apparences.

Les jurés-priseurs ne laissent passer ni un vieux miroir cassé, ni une tapisserie usagée et mitée, le geste est révélateur de l'investissement social et utilitaire qu'on peut y retrouver. En valeur, c'est peu de chose [48], même pour la domesticité, et cela concerne surtout les riches. Le spectacle de la maison, c'est déjà le discours sur le luxe tenu par quelques compagnons favorisés et les domestiques heureux. L'illusion lointaine du faste des dominants à laquelle ils accèdent intéresse deux domaines : le premier rassemble les éléments d'une décoration murale, le second regarde ce qui relève d'une hygiène élémentaire dont on comprend toute l'importance si l'on pense à l'exiguïté des logements. Les éléments périphériques de la pièce, tapisseries, rideaux des portes, embrasures des fenêtres, papiers peints, miroirs composent la tonalité et définissent l'ambiance des foyers (tableau 24).

Tableau 24

LE DECOR DE LA MAISON

Fréquences :	1695-1715		1775-1790	
	Salariés	Domestiques	Salariés	Domestiques
Tapisserie	100 %	98 % (Bergame 78 %)	73 %	42 %
Toiles peintes	—	1 %	4 %	12 %
Papiers peints	—	1 %	17 %	25 %
Siamoises	—	—	4 %	7 %
Tulles peints	—	—	2 %	10 %
Rideaux-Portières	34 %	75 %	53 %	70 %
Embrasures				
Miroirs	65 %	71 %	61 %	66 %
Trumeaux		7 %	29 %	33 %
Petits miroirs				
moins de 10 pouces		42 %		15 %
10-20 pouces		52 %		58 %
au-dessus de 20 pouces		6 %		27 %

Chez les domestiques, très tôt, le sens du confort apparaît, et progressivement les nouveautés décoratives : tentures fixes, papiers collés, supplantent les tapisseries anciennes. Ils généralisent dans leur logement personnel des pratiques qui appartiennent aux maîtres : la tapisserie est un bien meuble, le papier un bien immeuble. Le succès des nouvelles matières peut aussi correspondre à une économie (c'est le propriétaire qui fait les frais de l'aménagement) et elles coûtent moins cher. Les bergames vétustes ne s'imposent plus de la même façon dans des logements mieux chauffés. Le décor domestique enregistre partiellement ici les fluctuations de la mode architecturale et décorative alors que celui du salariat parisien se modifie peu et, signe peut-être d'une détérioration, il intéresse moins de monde. La tapisserie s'y maintient tout le siècle, les matériaux neufs font une timide apparition. Le retard sur l'aristocratie est de près de cinquante ans pour l'intérieur des gens de service, d'un peu moins d'un siècle pour les aisés des classes laborieuses. L'avance sur le monde rural et les villes de province est manifeste [49] et le rôle d'intermédiaire des domestiques accentué. Pour ceux-ci, les tentures murales peuvent être une manière de thésaurisation, certaines tapisseries au point d'Angleterre et de Hongrie valent 40 Livres l'aune, une tenture de Flandres dépasse 400 Livres pour 20 aunes, un

Aubusson 200 Livres pour 15 aunes. Leur présence souligne la
volonté imitative, mais elle passe avec le temps et l'évolution
du goût. La verdure est démodée et moins utile. A l'aube du siècle,
on peut se procurer de la bergame bon marché à 4-5 Livres l'aune,
c'est indispensable pour le maintien d'un équilibre fragile du point
de vue thermique. L'espace populaire tend à se clore complètement
pour une régulation de la maigre chaleur dispensée par les cheminées ; rideaux, portières, voilages, tentures y contribuent et
c'est un trait ancien. Dans les maisons parisiennes bourgeoises
et populaires du premier XVIIe siècle, la tapisserie est présente
partout. Savary le constate au XVIIIe siècle : il y a peu d'artisans
ou de gens de basse condition qui ne se fassent un point d'honneur
d'avoir dans leur chambre une tenture de Bergame, c'est un symbole de réussite, un signe de conformité esthétique, une nécessité
calorifique. La clôture du lit conjugal ne fait que redoubler celle
du foyer familial. Les portières et les tapis surtout sont réservés
à l'élite populaire. Au total, pour la majorité, le décor reste
dominé par le vert des bergames ou le gris écru des serges, rarement le rouge, pour une minorité, les fantaisies historiées, les
coloris vifs, les motifs, raies, fleurs, ramages introduisent une tonalité plus variée imitée des privilégiés. Pour le plus grand nombre,
il s'agit de combattre humidité des murs, vents coulis, courant
d'air, pour quelques-uns de jouer de maigres résonances esthé-
tiques. La désolidarisation — éléments du décor mural — chauffage — s'ajoute aux autres indices de la réorganisation des espaces.
Elle évoque les volumes plutôt que les surfaces, car elle traduit
le passage des espaces confinés de l'âge classique à l'ouverture et
à l'aération des temps pré-révolutionnaires. Papiers peints, rideaux
de tulle ou de mousseline proposent une ambiance moins ren-
fermée. Mais c'est beaucoup plus qu'ailleurs le gain des riches.
Dans la majeure partie des classes populaires, le régime de la
pièce unique en limite la portée. Là, les problèmes de circulation,
de passage, d'aération, qui préoccupent architectes et publicistes
sont en quelque sorte soumis à un changement d'échelle [51]. Les
déplacements quotidiens s'y jouent dans des distances infimes,
les gestes sont mesurés pour des fonctions essentielles et routi-
nières, les volumes s'organisent dans l'exiguïté, les valeurs du
chaud et du confortable sont proclamées et les classes populaires
n'y adoptent que « ce qui convient à leurs éthos en ignorant
délibérément le reste [52] ». La chambre unique du peuple de Paris
est irremplaçable. Son entassement, sa modestie décorative, sa
réelle pauvreté n'en réduisent pas la fonction protectrice soulignée
par maints détails. Pour ceux qu'une moindre précarité a pu
stabiliser et intégrer quelque peu, s'y joue l'essentiel, la douceur
et la violence, la sécurité et la fragilité. Qu'elle s'entrebâille à
un autre style de vie, le miroir en témoigne.

Sa présence est confirmée partout et très tôt (tableau 24). Avoir une glace, un miroir, c'est dès la fin du xvii° siècle un trait d'urbanité et de parisianisme. C'est à peine un luxe, l'objet devient d'usage habituel et dans les intérieurs plus riches, il se multiplie sur les murs. Il se diversifie aussi, à la simple glace aux bordures de bois doré ou peint s'ajoutent, le siècle finissant, les miroirs à la dauphine, les glaces ovales, et surtout les trumeaux. Leur généralisation est liée à l'évolution des formes de la cheminée qui permet désormais de les accrocher au manteau. Le miroir joue sa partie dans le décor populaire et les humbles trumeaux parisiens font écho aux recommandations des Robert de Cotte et des Blondels [53]. Intégrés dans un ensemble, il y a au moins deux miroirs dans plus de la moitié des 400 inventaires. Ils sont bien utiles pour capter, réfracter et amplifier la lumière. Le progrès ici suit la croissance des tailles, vers 1780 pour les 2/3 des gens du peuple, il y a plus de miroirs mais aussi ils sont de plus grande taille. Cette vogue ornementale est rendue possible dans la mesure où l'accroissement de la production et l'amélioration des conditions techniques ont fait chuter les prix de revient : vers 1680, la vente de glaces n'atteint pas 200 000 Livres ; en 1788, elle dépasse 2 Millions 700 Livres. C'est le triomphe de Saint-Gobain et de sa manufacture privilégiée, triomphe qui ne repose pas seulement sur la diffusion accrue des glaces chez les riches, mais aussi sur une consommation urbaine massive. Pendant le siècle, les ventes ont quadruplé. Le miroir du peuple, c'est le succès de l'industrie royale protégée et des efforts de la jurande des miroitiers parisiens qui ravitaillent merciers, mercelots et colporteurs. L'avance parisienne se traduit sous le règne de Louis XVI par la multiplication des modèles et surtout l'augmentation des dimensions : vers 1700, le miroir de 20 pouces est rarissime, vers 1780 c'est plus du quart des glaces inventoriées. Mais ces manifestations imitées d'un luxe de prestige mettent en jeu des résonances autres qu'économiques.

Le miroir parisien, c'est la recherche d'une redondance, d'un redoublement des apparences pour les êtres et pour les choses. Dans la domesticité aisée, sa fréquence et même son abondance traduisent une volonté de multiplier les objets et les biens, sa superfluité ne range pas la glace dans le domaine des choses indispensables mais la porte au premier rang du domaine de la consommation réglée par les apparences. Comme le vêtement, le miroir fait l'homme quotidien, c'est un instrument du paraître ; on y rectifie son allure, on y corrige son image autant qu'on s'y contemple soi-même. On y cherche sa vérité : « qui odit veritatem odit lucem » ou, comme dit Montaigne son « bon biais », son « vrai visage ». Le miroir est alors manière d'un progrès de la conscience individuelle. Il donne à chacun le moyen de se découvrir, de se voir et se redoubler, sa logique consiste donc, comme l'écrit, la signature, les objets personnalisés, à conférer un statut social, à prouver l'importance d'une personne. Les glaces aident à mimer d'autres gestes, instruments d'intégration dans l'univers socialisé des pratiques supérieures ; elles aident à gagner une autonomie. C'est, contre la discipline des catéchismes et des civilités, l'instrument d'une autre éducation où l'on peut acquérir identité et souplesse des corps, unis dans le redoublement des apparences. On conçoit le conflit de morale qui se joue autour du miroir : auxiliaire de la toilette, arme de la coquetterie, symbole de la luxure, instrument de la dénaturation, les moralistes chrétiens, depuis Saint-Jérôme, n'ont cessé de tonner contre cet objet méprisable qu'ils tentent d'apprivoiser et de reconquérir par l'usage du « speculum mentis ». C'est une lutte contre la fascination de soi-même qui se déroule dans ses reflets. La sagesse populaire des contes, condamne ceux qui se perdent à trop passer de temps devant leur miroir. La prolifération de la glace d'appartement ne m'apparaît pas le signe d'une conscience bourgeoise affirmée [55]. Le phénomène est plus complexe, et on y perçoit la diffusion large d'un geste aristocratique, la force d'un modèle de fête et de faste, celui du jeu des Lumières dans les miroirs des châteaux et des hôtels, celui du prestige de la puissance psychologique confirmée, redoublée dans la contemplation des reflets [56]. La reproduction infinie de cette conquête, dans le moindre intérieur populaire, étend dans la conscience du peuple une libération trouble à la fois solaire et nocturne. C'est le signe qu'on participe à une petite part des beautés de la vie, qu'on est ainsi plus pleinement soi-même, et en même temps c'est la confirmation d'une connaissance fragile, aisément brisée. Les croyances qui s'attachent au miroir, sa magie traditionnelle qui dans le monde paysan perdure jusqu'à nous, étaient de toute évidence renforcées par sa rareté [57]. La surabondance des glaces urbaines dénoue-t-elle les charmes anciens ? La chiromancie populaire est un domaine mal connu dans les villes de la modernité, mais rien ne permet de penser que les moralistes chrétiens et les opticiens aient pu chasser ou exorciser les pratiques anciennes qui se cachent. Le miroir populaire dont on redoute la brisure, reste peut-être à la fois une fenêtre sur les mondes invisibles et l'un des moyens où l'être compose avec l'avoir.

Dans cet ordre d'idée, l'hygiène des logis du peuple mérite un instant d'attention. On s'en tiendra à quelques indices révélateurs d'une évolution des comportements qui n'est pas à lire dans l'optique d'une hygiène plus tardive ou d'une pré-médicalisation des pratiques. Les coutumes de propreté et de malpropreté associées aux habitudes de vie du peuple par tous les observateurs sont signe d'autre chose, d'une autre culture du corps, d'autres gestes de civilité. Le comptage des objets qui intéressent l'hygiène de l'individu fait apparaître une frontière entre l'éthos traditionnel relevant d'un ordre du nécessaire et les habitus nouveaux où le progrès chemine à travers le superflu. Au départ, le problème essentiel est celui de la faible fréquence des objets relevés : est-ce à dire que leur absence signifie clairement que les pratiques qui leur correspondent n'existent pas, ou bien que le prix bas des choses concernées les a fait oublier par des priseurs point trop zélés qui les évaluent à l'occasion quand elles sont bien rassemblées ou en plus grand nombre ? Pour certains, balais, brosses, plumeaux, toujours évalués quelques liards, le doute n'est pas possible, l'objet sans valeur échappe au regard, les pièces de toilette sont prisées toujours au-delà d'un certain prix, jamais en deçà, ainsi les brosses montées en argent, les peignes d'écaille, les boîtes à poudre en argent. Enfin, l'absence peut très bien signifier l'inverse de ce qu'on a l'habitude de lui faire dire, et, pour les ustensiles peu coûteux traduire l'accoutumance routinière voire l'abondance dont parle la vendeuse de balais, le marchand de couteaux, de ciseaux, de peignes des *Cris de Paris* saisis par Bouchardon. La liste de ces objets est donc brève et les changements qu'on y note prennent sens (cf. Tableau 25).

Les rasoirs d'abord, peu nombreux car chers, retrouvés chez les domestiques et les aisés, et qui progressent lentement. Les valets rasent leur maître, et prennent vite l'habitude du rasage individuel. Quant aux autres, ils fréquentent la boutique du perruquier ou l'éventaire du coiffeur. Taconet dans une héroïde poissarde évoque le geste quotidien (« En se rasant soi-même, on gagne un sou de sûr »). Une mutation, qui conduit au rite journalier du rasoir est commencée, les maîtres eux-mêmes renoncent au service du barbier à domicile préférant ceux d'un valet de chambre ou se faisant eux-mêmes la barbe. Par contre-coup, c'est un rite de sociabilité qui va entrer en décadence, celui de la fréquentation hâtive de l'homme de l'art dont la boutique est pour beaucoup un lieu de rencontre, de discussion, de répit. On s'y chauffe l'hiver près du poêle et l'on y met en pièce Calonne et Necker. Un geste masculin, public, se replie au foyer. Les autres indications sont d'interprétation difficile et il semble que pour les hommes et les femmes l'accent soit mis sur les apparences en quelque sorte les soins du corps de bienséance. Quelques seringues intriguent évocation moliéresque des thérapies digestives ou déjà instrument de l'hygiène féminine dans les ménages émancipés comme Rétif le note chez les courtisanes de haut vol : « Sa chambrière qui s'appelait Lépine, arriva, tenant un vase, une éponge et une seringuette, elles passèrent dans le cabinet... » Les soins du corps féminin sont attribut des classes supérieures et des prostituées, pas de bordel sans baignoire et les bidets

— bella vista — s'y font nombreux. Les préoccupations de santé génitale ont pu avoir leur écho dans le peuple par l'intermédiaire des domestiques, hommes et femmes sont de bons observateurs, et par l'habitude de fréquenter filles de noces et catins que leur rôle hâtif contraint à l'hygiène du sexe. C'est à l'occasion que le peuple peut se « désampuantir ». Sa propreté quotidienne ne peut être qu'externe, périphérique, comme le veulent les manuels de civilité ad usum populi [59].

Tableau 25

LES OBJETS DE TOILETTE ET LES MATERIELS DE L'EAU

	1695-1715		1775-1790	
	Salariés	Domestiques	Salariés	Domestiques
Rasoirs	1	15	3	25
Plat à barbe	—	2	8	5
Seringues	15	10	24	20
« Miroir de toilette »	31	36	45	46
Nécessaires de toilette	—	2	2	6
Fontaines	52	35	24	15
Seaux - baquets « jarres »	7	8	19	12
Pot à eau	1	14	5	16
Cuvettes	1	2	1	4
Pot de chambre	1	3	5	4
Chaise percée	—	4	—	6

Le corps (dans les civilités puériles, rééditées du XVIᵉ au XIXᵉ siècle, 75 textes repérés avant 1828 [60]), est un absent qu'on masque sous les vêtements, qu'on fait taire et qu'on discipline. Le discours de la propreté est d'abord celui de la décence, il cerne sans se renouveler sur deux siècles les mêmes lieux de ce qui prouve le convenable, les dents, les cheveux, la face, les yeux et les mains. Quand la propreté devient plus précise, elle y ajoute les pieds, objets de soins attentifs, elle autorise les ablutions renouvelées et avec quelqu'audace prescrit le bain mensuel. Etre propre pour le peuple c'est respecter d'abord les apparences et les observateurs moraux n'échappent pas à la convention cléricale qui fait de la propreté des corps le reflet de celle des âmes. « On trouve cette propreté extrême jusque chez les Grisettes parce qu'elle est une dépendance du caractère » écrit Rétif, moins dévot, mais tout autant persuadé que les grâces corporelles commencent par la pureté des vêtements [61]. La femme idéale, la vraie sylphide de l'aristocratie, présente un modèle inaccessible : « Un bain fréquent entretient sa santé, dans la saison des chaleurs, en hiver même, elle passe quelques minutes, trois fois la semaine dans l'onde tiédie... » La parisienne du peuple doit se contenter, elle, d'ablutions plus légères et moins répétées. Elle ne peut prétendre être la « perle » dont l'eau est l'élément, ou la « Musulmane » dont Rétif investit son imaginaire. L'eau est rare, c'est un luxe dans les intérieurs populaires. On y dispose pour la conserver que d'un nombre limité d'ustensiles et pour les remplir il faut de l'argent. Les fontaines de cuivre, valant 10 et 20 L, ne sont pas rares vers 1700, elles le deviennent vers 1780, remplacées par des modèles de grès ou de faïence dure, moins coûteux, des jarres, des baquets et des seaux. Là encore, on note l'indice d'une détérioration qui frappe toutes les catégories mais à laquelle la domesticité est moins sensible disposant du matériel mieux pourvu des maisons nobles et bourgeoises. Pour tous, le maniement de l'eau est peu commode, et de nombreuses habitudes sont inconcevables ou presque : la lessive qu'on confie à d'innombrables blanchisseuses dont les rumeurs font bruire la rivière, ou que l'on fait dans la cour, près du puits commun, le bain qu'on ne peut prendre qu'au fleuve, usage d'homme, ou dans quelques établissements plus nombreux à la fin du siècle. La montée timide des pots et des cuvettes, la présence accidentelle des pots de chambre et des chaises percées associent ces ustensiles au luxe. Pour le reste, la cheminée où pisser dans la cendre est habituel, les lieux d'aisance collectifs renvoient à des mœurs communes fort éloignées de notre sensibilité désodorisée. Jeter un pot de merde par la fenêtre ne surprend personne même s'il excite la fureur de celui qui le reçoit [63]. « Ah Jarnigoi c'en est ! », pisser dans la rue et les allées des maisons n'offusque que les grands et les Anglais, ainsi Young qui note le fait comme caractéristique des mœurs étranges des Français. L'abbé Perraut conseille la propreté au peuple des villes, signe que quelque chose change, ailleurs : « Ils conviendraient qu'ils se lavent fréquemment dans tous les temps. Cela importe autant à la santé qu'à la propreté... [64]. » C'est là une audace qui ne trouve pas ses moyens (cf. Tableau 26).

L'hygiène élémentaire, l'isolement pour les gestes les plus intimes, relèvent du luxe et ne sont autorisés qu'aux privilégiés, amateurs récents des lieux à l'anglaise [65]. Pour le peuple, les latrines et l'eau rare des puits nauséabonds [66] ou de la Seine sont l'horizon ordinaire. De surcroît, l'eau est précieuse et coûteuse : une voie revient dans les étages en moyenne à 2-3 sols vers 1780, cela met le mètre cube à plus de 3 et 4 Livres, deux jours de travail ! Un usage parcimonieux s'impose pour la vaisselle, la lessive, le ménage, les ablutions du corps. Toutes ces données ne sont pas bouleversées avec le siècle sauf en marge et parfois elles s'aggravent. Elles suggèrent une ambiance spécifique de la réalité quotidienne qui ne peut qu'offusquer les médecins et les observa-

Tableau 26 — L'EAU DISPONIBLE

fréquence et pourcentage	1695-1715				1775-1790			
	Salariat		Domesticité		Salariat		Domesticité	
1 seau/15 litres	10	17 %	10	26 %	1	7 %	12	54 %
2 seaux/30 litres	15	25 %	9	24 %	3	21 %	7	32 %
3 seaux/58 litres	23	39 %	10	26 %	8	58 %	3	14 %
4 seaux et plus	11	19 %	9	24 %	2	14 %	—	
	59	100	38	100	14	100	22	100
87 litres								
2 900 Litres	637 L/28 L				1648/43 L		857 L/61 L	

Moyenne par ménage : 49 Litres

La voie d'eau parisienne fait un peu moins de 30 Litres, le seau courant une demie-voie, la capacité des fontaines a été ainsi calculée

1

3

4

7

8

9

10

11

13

14

Couturiere élégante allant livrer son ouvrage.

A Paris chez Esnauts et Rapilly, rue St Jacques à la Ville de Coutances.
Avec Priv. du Roi.

16

19

20

21

26

27

In Nomine JESUS flectatur omne genu.

LE JOUR DU SAINT NOM DE JESUS EST LE
QUATORZIEME JOUR DE JANVIER, ET LA
CONFRERIE ERIGE'E EN L'EGLISE PAROISSIALE
SAINT DENIS D'ARGENTEUIL.

ANTIENNE DU SAINT NOM DE JESUS.

Que le Nom de JESUS est agreable, puis qu'il a été sanctifié de toute éternité, annoncé par l'Ange Gabriel, prophetisé par Salomon. Il n'y en avoit point d'autre qui nous pust sauver; c'est le Nom de JESUS, qui est nôtre vie, qui doit garantir tout le peuple des pechez qu'il avoit commis.
Verf. Seigneur, ayez la bonté de nous delivrer, afin que vôtre Nom soit sanctifié.
Resp. Soyez nous favorable, puisque nous invoquons vôtre Nom.

ORAISON.

SEIGNEUR, qui avez rendu vôtre Nom Redoutable à tous les demons, & agreable à tous les Fideles: Faites la faveur à tous ceux qui l'invoqueront sur la terre, de pouvoir gouter la douceur de vôtre consolation, & jouir à l'avenir des biens que vous preparez par l'entremise de JESUS-CHRIST nôtre Sauveur.

Les Indulgences pleniéres sont le jour du saint Nom de JESUS, le Dimanche de la Passion, le jour & Fête de l'Assomption de Nôtre Dame, le jour de S. Denis, & le jour de S. Martin.

JEAN MAUGER, Marguillier en Charge en 1745.

28

PORTRAIS DES SOUFRANCE DE R F DAMIEN ATTANTATEUR DE LAS
PERSONNES SACRE DU ROY LOUIS XV LE 5 JEANVIER 1757

29

PAR PERMISSION.

LES COMEDIENS
FRANÇOIS ET ITALIENS
Donneront aujourd'hui Samedi 1. Octobre 1768.

MAHOMET I. OU LE FANATISME
Tragédie de Mr. de Voltaire, ornée de son Spectacle & suivie

DES CHASSEURS OU LA LAITIERE
Opera Bouffon en un Acte de Mr. Anseaulme mis en musique par Mr. Duny.

On prendra au Théâtre & aux premieres Loges 48 sols, à l'Amphithéatre & Secondes Loges 24 sols, au
Parterre & aux Galeries 12. sols.

On commencera à cinq heures & demie du soir,

C'est à la Salle des Spectacles.

Défenses sont faites aux Gens de Livrée d'entrer même en payant.

30

FIGURE
DE LA BÉTE
FAROUCHE

ET EXTRAORDINAIRE, QUI DÉVORE LES FILLES
Dans la Province de Gévaudan, & qui s'échappe avec tant de
vîtesse, qu'en très-peu de tems on la voit à deux ou trois lieues
de distance, & qu'on ne peut l'attraper ni la tuer.

EXPLICATION.

On écrit de Marvejols, dans la Province de Gevaudan, par une Lettre en date du premier Novembre mil sept cent soixante-quatre ; que depuis deux mois il paroit aux environs de Langogne, & de la Forêt de Mercoire une Bête farouche qui répand la consternation dans toutes les Campagnes. Elle a déja dévoré une vingtaine de Personnes sur-tout des Enfans & particulièrement des Filles. Il n'y a guére de jours qui ne soient marqués par quelques nouveaux désastres. La frayeur qu'elle inspire empêche les Bucherons d'aller dans les Forêts, ce qui rend le bois fort rare & fort cher.

Ce n'est que depuis huit jours qu'on a pu parvenir à voir de près cet Animal redoutable. Il est beaucoup plus haut qu'un Loup : il est bas du devant, & ses pattes sont armées de griffes. Il a le poil rougeâtre ; la tête fort grosse, longue, & finissant en museau de Lévrier ; les oreilles petites, droites comme des cornes ; le poitrail large & un peu gris ; le dos rayé de noir & une gueule énorme ; armée de dents si tranchantes, qu'il a séparé plusieurs têtes du corps, comme pourroit le faire un razoir. Il a le pas assez lent, & il court en bondissant. Il est d'une agilité & d'une vitesse extrême : dans un intervalle de tems fort court on le voit à deux ou trois lieues de distance. Il se dresse sur ses pieds de derriere, & s'élance sur sa proie, qu'il attaque toujours au cou, par derriere, ou par le côté. Il craint les Bœufs, qui le mettent en fuite. L'allarme est universelle dans ce Canton ; on vient de faire des Prières publiques ; on a rassemblé quatre cens Paysans pour donner la chasse à cet Animal féroce ; mais on n'a pu encore l'atteindre.

Vû par moi Censeur pour la Police.
Vû l'Approbation, permis d'Imprimer à la charge d'enregistrement à la Chambre Syndicale. Ce 24. Novembre 1764.
DE SARTINE.
Régistré sur le Régistre Nº 16. de la Communauté des Libraires & Imprimeurs, page 197.

Se vend AUX ASSOCIÉS. Chez F-G. DESCHAMPS, Libraire, rue Saint-Jacques.

33

34

38

39

La Liste des gagnans de la Loterie

40

41

teurs, et qui ne peut changer qu'avec « la maîtrise de l'eau [66] ».
On s'y emploie dans les nouveaux quartiers à travers d'innombrables projets et avec la réalisation des pompes à feu de Chaillot.
Mais l'ingéniosité populaire et l'offensive de la médecine savante
ne peut en aucune façon pallier des manques aussi considérables.
Les initiatives ne vont pas dans le sens d'une consommation populaire de l'eau, elles ne s'accompagnent pas de la pédagogie propre
à enseigner des rituels d'hygiène nouveaux. En bref, l'univers sen-
soriel et olfactif du peuple n'est pas le nôtre. « Nul bain pendant
mille ans » simplifiait un peu vite Michelet mais dans son étonne-
ment perçait la curiosité d'une anthropologie soucieuse des différences extrêmes.

La réalité ordinaire du peuple, c'est celle de l'entassement, de
la promiscuité des âges et des sexes, l'intimité est d'abord refuge
pour la sexualité et non pour l'analité, le lit fermé la tolère un
peu, non la chaise ou le pot à caca présents dans les pièces uniques,
ni les latrines ouvertes au haut des escaliers.

C'est donc bien un monde étrange où de micro améliorations
changent la qualité de la vie, celle du chauffage et du décor,
où de menues rationalités s'introduisent furtivement, celle du
rangement et de la séparation des espaces, où des accélérations
se manifestent pour une consommation plus rapide des choses.
Mais ces changements ne sont nets que pour les plus riches dont
la vision de l'espace domestique reflète celle des classes supérieures.
Pour les autres, détériorations et progrès s'équilibrent, les contraintes du logis et la pesanteur des habitudes demeurent immuables.
L'éthos populaire parisien s'accommode d'un confort sauvage.
L'historien rêve d'accéder à la démographie des choses.

Notes du chapitre v

1. S. Tardieu, *La vie domestique dans le Mâconnais rural pré-
industriel*, Paris, 1964.
2. R. Arnette, *op. cit.*, pp. 105-106.
3. J. Meyer, *La vie quotidienne en France au temps de la Régence*,
Paris, 1979, pp. 128-129.
4. S. Mercier, *op. cit.*, t. 12, pp. 1-5 (Paris ou la Thébaïde).
5. C. Peyssonnel, *Les Numéros*, Amsterdam-Paris, 1782, 4 fascicules,
n° 2, pp. 32-33.
6. R. Arnette, *op. cit.*, pp. 120-124.
7. AN, Min. Cent., L XXX IX, 807, 23 août 1785.
8. AN, Min. Cent., XXVIII, 473, 8 février 1779.
9. 1700, un lit pour 4 : 7 cas 1789 3 - 2 cas et pour 7 2 cas un
pour 5 = 4 cas.
10. AN, Min. Cent., XIX, 612, 17 septembre 1715.
11. Je remercie ici Jean Nagle des renseignements qu'il a bien
voulu me confier sur les manières du sommeil à l'âge classique.
12. 30 % vers 1700 dans les inventaires salariés, 40 % vers 1780,
35 % et 45 % des successions domestiques.

13. R. ARNETTE, *op. cit.,* p. 108.

14. 6 mentions de charbon dans les successions salariales, 8 dans la domesticité ; L. TRÉNARD (éd.), « Le charbon avant l'ère industrielle », Actes du Colloque de Lille, Paris-La Haye, 1966, pp. 53-101.

15. G. BACHELARD, *La formation de l'esprit scientifique, contribution à une psychanalyse de la connaissance objective,* Paris, 19.

16. C. MORAZÉ, *Nouvel essai sur le feu,* Mélanges L. FÈBVRE, Paris, 1953, pp. 83-95.

17. Fondamental, M. H. BOURQUIN, *L'approvisionnement en bois de Paris, de la Régence à la Révolution,* Paris, Thèse de droit, 1969, pp. 146-151. Entre 1726 et 1789, la hausse nationale du prix du bois calculé par C. E. LABROUSSE est de 91 %, à Paris marché protégé, le bois neuf monte de 47 %, le bois flotté de moindre qualité de 42 %.

18. M. de GALLON, *Conférences de l'ordonnance de Louis XIV sur le fait des eaux et forêts,* Paris, 1725, 2 vol., t. 2, pp. 40-44.

19. J.-F. MORAND, *Mémoire sur la nature, les effets, les propriétés et les avantages du charbon de terre,* Paris, 1770.

20. D. ROMAGNÉ, *Etude des délits jugés par la maîtrise des eaux et forêts de Paris à la fin de l'Ancien Régime,* Mémoire de maîtrise, Université de Paris-VII, 1975.

21. 33 % des inventaires salariés, 55 % des inventaires domestiques, 70 % au-dessus de 3 000 L.

22. 13 cas de tapis et 19 de garnitures d'ouverture.

23. Bergame, il faut lire : « façon de Bergame », la majorité de ces tentures parisiennes viennent de l'ouest textile et des centres beauvaisiens, picards, flamands.

24. J. BAUDRILLART, *Le système des objets,* Paris, 1968, pp. 60-61.

25. G. BACHELARD, *La flamme d'une chandelle,* Paris, 1964, pp. 54-55.

26. F. KESLAR, Espargne bois, c'est-à-dire Nouvelle et par ci-devant ncn commune ni mise en lumière, invention de certains et divers fourneaux artificiels, par l'usage desquels, on pourra annuellement espargner une infinité de bois et autres matières nourrissant le feu et néanmoins entretenir les poêles une chaleur commode et plus salubre... Oppenheim, 1619.

27. F. KESLAR, *op. cit.,* pp. I et II.

28. F. KESLAR, *op. cit.,* p. 8, pp. 57-58.

29. AN. Z'H 652, Marché passé pour le bureau de l'Hôtel de Ville pour fourniture et réparation de poêles de fonte servant dans l'intérieur de l'Hôtel de Ville et dans les corps de garde, au total dans la maison de ville 13 poêles de fonte et 7 de faïence, dans les corps de garde des remparts et des quais 23. 24 novembre 1774, mis en place en octobre par Jean-Louis BARBIER quincailler.

30. J.-C. PERROT, *op. cit.*

31. J. SHARP, *Exposé des principes et des effets des grilles à feu ventilateur,* Londres, sd (vers 1780).

32. L. S. MERCIER, *op. cit.,* t. 10, p. 303-311. Cheminée.

33. L.-S. MERCIER, *op. cit.,* t. 10, p. 311 ; C. PEYSONNEL, *op. cit.,* fasc. II, pp. 35-36 (nos poêles en encoignure et nos cheminées de Franklin).

34. En fréquence, la représentation des 3 métaux avoisinent 98 %.

35. F. ARDELLIER, *op. cit.,* pp. 51-54 ; R. ARNETTE, *op. cit.,* pp. 113-115.

36. F. ESPAGNET, *La céramique commune en France de la fin du XVIIIe siècle au XIXe siècle,* Thèse de 3e cycle, Paris-I, 1978, pp. 15-16, pp. 52-55, p. 169.

37. F. ESPAGNET, *op. cit.,* pp. 24-25, pp. 53-54.

38. F. ESPAGNET, *op. cit.,* pp. 177-180, 188-190.

39. F. Espagnet, *op. cit.*, pp. 213-238 ; pp. 258-260.

40. Exemple type du début du siècle : « Une crémaillère, un gril, un lèchefrite, deux petites poêles de fer, une passoire, une écumoire, 4 moyens chaudrons, et 2 poêlons de cuivre jaune, deux casseroles et un pommier de cuivre rouge, et dans une petite armoire 40 livres d'étain sonnant et 10 livres d'étain commun, AN, Min. Cent., 466, 17 déc. 1710.

41. R. Arnette, *op. cit.*, p. 116 et J. Baudrillart, *op. cit.*, p. 61.

42. Chez P. J. Forthomme, compagnon cordonnier, « Dans une *cuisine* sur la cour, une crémaillère, un trépied, un gril, divers instruments de cuisine, poêles, casseroles, 20 pièces de verrerie et de poterie en différents ustensiles de ménage ; dans la *chambre*, 6 plats, deux douzaines d'assiettes, et 15 pièces de poterie dans un vieux vaisselier de sapin... » AN, Min. Cent., 466, 9-12-1777.

43. 27 % entre 1695-1715 chez les domestiques, 36 % à la fin, en valeur moyenne 90 L et 80 L, 17 et 21 % dans le salariat.

44. N. Elias, *La civilisation des Mœurs*, Paris, 1973.

45. S. Kaplan, *Bread, Politics and political economy in the reign of Louis XV*, La Haye, 1976, 2 vol., t. 1, pp. 347-389.

46. Le Bénédicité de Lebrun, gravure de Duflot.

47. A. Farge, *op. cit.*, pp. 40-41.

48. Dans le salariat 12 L vers 1700, 25 L vers 1780, soit 1/10 des biens d'usages, mais dans la domesticité on note un recul de 600 L à 400 L qui souligne le rôle décoratif joué par le mobilier d'apparat. Presque tous les inventaires intéressés situés au-dessus de 1 000-2 000 L de fortune sauf pour quelques éléments partout répandus. Cf. tableau 24.

49. M. Baulant, art. cit. *(Niveaux de vie...)*, pp. 520-530 ; R. Lick, art. cit. *(Les intérieurs)*, pp. 293-300.

50. F. Ardellier, *op. cit.*, pp. 87-89. L'aune de Paris vaut 1 m 18. 4 à 6 aunes font un périmètre couvert de 5 m, 12 de 15 m.

51. J.-C. Perrot, *op. cit.*, t. II, pp. 681-682 ; S. Mercier, *op. cit.*, t. I, p. 277, t. II, p. 185.

52. R. Hoggart, *La culture du pauvre*, Paris, 1957, pp. 62-63.

53. P. Verlet, *La maison au XVIIIe siècle*, Paris, 1966, pp. 96-97.

54. C. Pris, *La Manufacture de Saint Gobain XVIIe-XIXe siècles*, Paris, 1975, 3 vol., t. I, pp. 730-837. La révolution technique met en cause le passage des glaces obtenues par soufflage à celles obtenues par coulage et polissage.

55. J. Baudrillart, *op. cit.*, pp. 27-28.

56. H. Polge, *Les miroirs et les ombres*, Archistra, 1972, n° 14-15, pp. 47-63.

57. G. Lascault, *Figurées, défigurées, petit vocabulaire de la féminité représentée*, Paris, 1977, pp. 110-111.

58. Rétif de la Bretonne, *Monsieur Nicolas, op. cit.*, t. 3, p. 110 ; p. 498, « Agnès raccommodait le lit puis se lavat... », pp. 227-228, l'histoire de la mère de Sephir « On vient chez moi j'ai 5 ou 6 grandes baignoires, je lave, je masse, je dédurillonne, je désampuantis, je parfume, je blanchis... ».

59. R. Chartier, M.-M. Compère, D. Julia, *L'éducation en France du XVIe au XVIIIe*, Paris, 1976, pp. 138-144.

60. C. Rimbault, *Le corps à travers les manuels de civilité du XVIe au XIXe siècle*, Mémoire de maîtrise, Université de Paris-VII, pp. 67-88.

61. Rétif de la Bretonne, *op. cit.*, Les Parisiennes, pp. 45-48.

62. Le matériel de lessive est très rare, ni cuvier, ni chaudron à laver pour la majorité, peu d'équipement pour le repassage, en revanche un

quart des successions domestiques et un tiers des salariés ont des dettes de blanchissage vers 1780.

63. A. Farge, *op. cit.* *(Vivre dans la rue)*, pp. 35-36 ; les dossiers des commissaires sont emplis de ces matières.

64. J.-A. Perreau, *Instruction du Peuple,* Paris 1786, pp. 179-180, pp. 187-191. La malpropreté du peuple contribue à la décomposition urbaine.

65. J.-C. Perrot, *op. cit.,* t. II, p. 915.

66. B. Fortier, *La maîtrise de l'eau, XVIIIe siècle,* 1977, pp. 193-201.

Chapitre VI

Le vêtement populaire

« L'habit fut acheté : je l'avais choisi ;
il était noble et modeste... »

MARIVAUX.

Pour comprendre la culture matérielle du peuple le vêtement
est un bon témoin, car il introduit immédiatement aux phénomènes
de consommation et c'est un moyen de regarder la hiérarchie sociale
des apparences. Dans le Paris du XVIII° siècle on est, on doit être
habillé conformément à son état : « C'est un mauvais proverbe que
celui, l'habit ne fait pas le moine !, il le fait, certes ! il le fait au
moral comme au physique, au simple comme au figuré. Qu'un
homme prenne une robe de procureur, d'avocat, de greffier, de
magistrat, aussitôt il a l'esprit de corps... un capuchon monacalise
celui qui le met fut-ce en badinant, fut-ce en masque... [1]. » Pour
Rétif, aucun doute, le vêtement est costume, il faut avoir celui
de son état ; un cordonnier peut-être proprement habillé pour
celui-ci, on n'en reconnaît pas moins un cordonnier, un gagne-petit
auvergnat, un gagne-denier, un maçon sont tout de suite, à leurs
habits, identifiés comme tels les belles demoiselles de boutiques,
les jolies charcutières sont habillées conformément à leur rôle qui
n'est pas celui des bouchères... [2]. Le vêtement confère à tous une
identité sociale mais en même temps il révèle le caractère et la
personnalité de celui qui le porte, il marque l'individualité et
l'originalité de chacun plus encore que la démarche et les gestes,
les traits ou les déformations de la stature ; c'est un moyen d'identification immédiat [3]. On sait quel est à Paris l'habit que doit avoir
chaque condition mais en même temps le costume permet un jeu
dont les règles varient avec les individus et les occasions. S'il
s'agit d'abord de se conformer à l'échelle des convenances, il est
aussi possible d'échapper à la pesanteur des apparences. Le paraître s'associe au fonctionnel, la volonté de se soustraire au conformisme perturbe les codes vestimentaires, les pratiques quotidiennes
du peuple détournent de leur première signification les principes

de l'habillement des classes supérieures. C'est à l'histoire des circulations et des mimétismes sociaux que nous convie l'inventaire des vêtements du populaire. Au-delà des signes familiers, c'est aux corps qui les porte, et, qu'ils masquent, que nous sommes renvoyés. A travers linge et vêtement se révèle un rapport entre les hommes, les femmes et leur corps, le caractère privé et public s'y combinent assez pour redonner sens symbolique aux gestes, permettre de retrouver l'attachement aux anciens usages et l'étincelle réfléchie des modes. Le cheminement de la démarche est tout tracé du fait tangible de l'héritage à la réalité des spectacles urbains, de l'accumulation légataire à la pratique vestimentaire quotidienne, adaptation spontanée aux circonstances et à l'évolution des conventions qui, en ville comme ailleurs, n'épargnent personne. Le vêtement populaire enregistre, tel un fragile sismographe, des évolutions massives et des adaptations menues où se mêlent toujours l'effet de la nécessité et celui de la circulation entre groupes et classes propices au changement.

Ouvrir armoires et coffres livre une profusion qu'il n'est pas facile d'organiser en langage compréhensible. D'abord les lacunes rendent l'interprétation difficile sur certains points, elles risquent de faire sous-estimer en nombre et en valeur le poids de la garde-robe. Toujours absents linge et vêtements des enfants, rien dans la coutume notariale et la juridiction sur les successions ne permet de comprendre ce fait ! Jamais inventoriés les habits des mineurs et bien sûr des nourrissons mais cela se comprend. Occasionnellement les vêtements du survivant manquent soit qu'on les considère comme un bien propre échappant au partage successoral, soit qu'ils aient trop peu de valeur pour mériter prisée. Fréquemment même, la garde-robe du défunt n'est pas comptabilisée, elle a pu être vendue pour payer les dettes du temps de la maladie, elle a pu être transmise aux enfants par un geste immédiat qui confère aux habits une valeur symbolique et matérielle non négligeable, ou plus simplement, parce que le défunt a été enterré avec le peu de vêtements qu'il possédait. Le document notarial est peu bavard, davantage dans la domesticité, 60 % d'inventaires y présentent vers 1700 une information suffisante, 75 % vers 1780, que dans le salariat, 45 % et 70 % de renseignements utiles. On doit tenir compte de ces absences qui, surtout pour les patrimoines de faible valeur, sous-estiment fortement l'évaluation globale mais dont l'atténuation avec le temps prouve l'importance accrue du phénomène vestimentaire. Il faut répéter que l'inventaire ne livre pas les stratégies d'acquisition, donc ne permet pas de calculer la place tenue par ce poste dans les budgets populaires que dominent les dépenses alimentaires incompressibles, le loyer et le chauffage, ni d'évaluer les rythmes de renouvellement des garde-robes, les choix tracés entre la nécessité et le superflu, la part de l'héritage de la transmission — importante dans le monde ancillaire — et de l'achat, la manière de se vêtir selon les saisons. L'inventaire photographie une stabilité précaire, il n'enregistre pas le mouvement qui dans les pratiques de l'habillement s'avère fondamental autant pour l'individu que pour le groupe. Or Paris et la ville sont sans doute beaucoup plus favorables à celui-ci qu'à celle-là, car la vie de tous y est animée par les retombées de la consommation des riches. Le luxe corrupteur des villes dénoncé par les moralistes a ses effets vestimentaires par suite d'un grand système de redistribution de l'excès aristocratique qui met en cause fripiers et revendeuses et le peuple lui-même, en cas de besoin vendeur ; les vêtements de la richesse achèvent leur carrière sur le dos des pauvres qui peuvent se parer de guenilles somptueuses réutilisées et reprisées. Le trait majeur c'est qu'alors les hardes passent de corps en corps, connaissent un voyage où à chaque étape elles subissent une transformation spontanée, une adaptation dont les bigarrures composent le spectacle du costume.

Vêtements et linge représentent à tous les niveaux de fortune une part faible du patrimoine mais elle est sans conteste plus considérable dans les successions inférieures tant de la domesticité que du salariat (tableau 27). Les temps pré-révolutionnaires voient se manifester en valeur réelle comme en proportion un progrès spectaculaire et c'est le seul poste des biens d'usage qui le manifeste. Bref, le xviiie siècle est pour le peuple celui de l'accumulation vestimentaire primitive : taux d'accroissement de l'ordre de 200, multiplication par trois ; ici, en clair, la consommation fait sa percée [4]. Bien sûr la progression varie selon les niveaux de fortune et les catégories : elle est accélérée pour les plus pauvres, elle est plus forte pour l'ensemble des classes salariées que pour les domestiques qui partent avec de gros avantages, enfin elle varie selon les sexes. A l'époque de Louis XIV, le trousseau de la plus grande partie du salariat est médiocre pour les hommes et pour les femmes moins de 17 Livres, le manouvrier des budgets étudiés par Vauban consacre la quasi-totalité de ses gains à son alimentation, ce qui reste au terme d'une vie de travail est très limité. Mais déjà les domestiques ont des vestiaires deux fois plus coûteux et la garde-robe des servantes et des femmes de chambre vaut deux fois plus que celle de leur compagnon de labeur. Le comportement du groupe, sa fixation sur les apparences imitée de celle des possédants sont ici très nettement caractérisés. Enfin, les écarts s'accentuent encore sous le règne de Louis XVI. La garde-robe d'une femme de chambre vaut alors le double de celle du valet, et, les salariés, hommes et femmes, les ont imités. La compagne du gagne-denier a vu la valeur de ses vêtements multipliée six fois, lui-même ne la voit que doubler. Bref toutes les femmes semblent gagnées par l'air de

Tableau 27

LE VETEMENT ET LE LINGE
DANS LES FORTUNES POPULAIRES

	1775-1790		1775-1790	
	Salariés	Domestiques	Salariés	Domestiques
1. Valeur globale dans l'ensemble des successions vêtements	2 704 L	5 472 L	8 534 L	17 505 L
2. Moyenne sur 100	27 L	55 L	85 L	175 L
3. Moyenne sur les garde-robes reconstituées	32 L	95 L	118 L	239 L
hommes	17 L	34 L	36 L	88 L
femmes	15 L	61 L	92 L	151 L
4. % du vêtement dans la fortune globale	3 %	1,2 %	4,4 %	2,1 %
5. % dans la fortune mobilière	5 %	10 %	10 %	25 %
6. % dans les fortunes ≤ 500 L	7,3 %	14 %	16,1 %	20 %
7. > 3 000 L				
8. Linge valeur moyenne	0,6 % 15 L	0,4 % 59 L	1,6 % 48 L	1,3 % 118 L

frivolité des classes supérieures, les servantes dès le début du siècle, les femmes du salariat à la veille de la Révolution seulement. Pour Rétif et pour Mercier c'est dans les années soixante-dix-quatre-vingt que les femmes du peuple commencent à se mettre au meilleur goût, à soigner leur parure et où les coquettes se mettent à porter « des robes garnies d'agrément [5] ». La lecture des inventaires peut parfois révéler des cas extrêmes : Jean Bertos, garçon rôtisseur, meurt le 4 novembre 1784, il laisse 38 Livres de vêtements, sa femme dispose d'une garde-robe de 346 Livres. La disproportion est telle qu'on entrevoit ici la marque d'une passion [6]. Ce dimorphisme peut toutefois s'atténuer dans les échelons supérieurs des fortunes, surtout pour la domesticité, au-dessus de 3 000 Livres, la moyenne est de 225 Livres pour les hommes, de 230 Livres pour les femmes. Maîtres d'hôtels, « hommes de confiance », ont des habits qui s'ornent et se diversifient, ils accèdent à un raffinement proche — toutes choses égales — de celui de leur maître. Pour les fortunes inférieures des gens de service, ce trait n'apparaît pas, portiers, cochers, laquais, palefreniers ne sont pas touchés par la grâce costumière au même titre que leurs épouses et que leurs supérieurs hiérarchiques. La valeur des garde-robes est un bon test pour mesurer l'influence du succès économique sur le code d'habillement populaire, peut-être aussi la part des rôles impliqués pour chaque sexe par les traditions sociales et, dans le cas des Parisiennes, la pratique des dots. Le menu linge qui occupe une place deux fois moins importante que celle du vêtement de dessus présente des caractéristiques tout à fait comparables, même importance dès le début du siècle chez les riches, même croissance chez tous et plus spectaculaire chez les pauvres que pour les aisés, même dimorphisme sexuel qui est en partie rattrapé par les hommes à l'époque de Louis XVI. Sous ces mouvements de surface concernant prix et intérêts du marché populaire, il faut voir ce qui se cache quant à l'accroissement possible du nombre de vêtements et de pièces de linge possédés et à la possibilité d'importantes transformations des matériaux du textile.

En ce qui concerne le nombre des pièces vestimentaires, des conclusions analogues s'imposent mais l'essor semble mieux réparti entre les sexes. Vers 1700, la garde-robe masculine habituelle se compose de 4 à 5 pièces principales — culottes, veste, habit, justaucorps, gilet — vers 1780, elle comporte 9 à 10 éléments, manteaux et redingotes, même usés ne sont plus rares. Pour les femmes en revanche, 6 ou 7 vêtements principaux décrochés des armoires sous le règne de Louis XIV, deux fois plus sous celui de Louis XVI. Le peuple de Paris s'habille mieux et paraît mieux protégé car il peut s'approvisionner facilement dans le circuit des reventes, habits, vêtements, pièces de linge circulent entre les milieux, vont et viennent dans les familles, peuvent constituer quelquefois les seuls biens possédés. Les noyés repêchés dans la Seine portent parfois plusieurs pantalons et vestes l'un sur l'autre, en plein été, il ne s'agit donc pas de se tenir chaud, mais de conserver sur soi ses maigres richesses [7]. Pour un grand nombre de nouvelles habitudes de consommation se font jour. Plus encore, dans les vestiaires masculins et féminins, le changement se manifeste surtout dans l'accessoire et le superflu, les pièces secondaires, linge, mouchoir, objet de parure sont multipliées par cinq dans le beau sexe, par quatre pour le sexe fort ; leur variété s'accentue. Ainsi la valorisation accrue du vêtement populaire provient d'une diversification plus grande donc d'une attention plus développée aux manières nouvelles du paraître pour lesquelles Paris est un laboratoire d'habitude prodigieux ; en même temps, il y a une transformation qualitative profonde porteuse d'un luxe primitif qui évoque une attitude fondamentale des gens du peuple comme une réponse au défi de la nécessité. Au XVIIᵉ siècle finissant, il s'agit encore d'un geste marginal, à la fin du XVIIIᵉ il est à la portée de tous. Toutefois, peut-on tracer la limite inférieure imposée à ces changements ? L'inventaire notarial laisse de côté la population non intégrée, entendons les nouveaux venus frais

migrants et pauvres incontestés, tous ceux qui sont pour la Police
gibier ordinaire de milliers de délits, considérés alors comme de
vrais crimes [8]. Laissons de côté les francs coquins et criminels
patentés, ils adorent les beaux habits comme ils imitent les belles
manières, et le peuple s'est longtemps souvenu de l'habit rouge
de Mandrin. Pour les autres, le vêtement se réduit à l'essentiel. La
précarité du logement, la mobilité l'imposent ; à qui loge en garni,
en dortoir, sous les ponts ou dans les bateaux en station sur la
Rivière, le rangement est impossible, la crainte d'être volé interdit
qu'on laisse derrière soi son bagage et ses hardes. On a sur soi-
même toute sa garde-robe réduite par la pauvreté économique au
nécessaire. Les témoins en justice rendent compte de cet aspect
« fort déguenillé » des gens de peu, comme ils savent identifier
à leur habit les travailleurs intégrés, qui ont le costume de leur
état — habillés en charretiers, en menuisiers, en compagnons de
rivière [9]. Les « malvestus », les « guenilleux » avouent leur impé-
cuniosité vestimentaire, la nécessité de faire durer au maximum
une garde-robe réduite au minimum, la crasse et la saleté dues à
l'absence de soins corporels. Cependant, les témoins sont comme
les notaires ; face aux guenilles et aux haillons, ils manquent
d'impassibilité et révèlent leur hantise. Les gueux et les malvêtus,
c'est tout un : « méchants », « usés », « mauvais », « rapés »,
« élimés », « usagés », « déchirés » sont les mots qui servent à
qualifier leur pauvreté au même titre que leur conduite [10]. Ce n'est
pas au greffier de justice et aux jurés-priseurs qu'il faut demander
de comprendre ce dont les haillons et les mauvaises hardes peuvent
être aussi le signe, l'indice de la contamination des habitudes par
les transformations de la fripe.

Les métamorphoses du vêtement populaire se mesurent essentiellement à l'évolution de trois paramètres principaux : la fréquence des formes saisies dans le lexique des modèles, la variété
des tissus qui éprouve les sensibilités à travers les modifications
de l'aisance et du confortable, le spectre des couleurs évocateur
du spectacle de la rue et de la transformation des perceptions
visuelles.

Voyons la femme du peuple, vers 1700-1715 sa garde-robe
comporte cinq pièces principales, la jupe rencontrée dans 89 % des
inventaires, le jupon 53 %, le manteau 87 %, le tablier 88 %, le
corps et le corset 41 %. L'organisation de l'habillement féminin
est fidèle aux tendances établies dès le xvɪᵉ siècle, la jupe est
l'essentiel, montée à plis, quelquefois fendue, toujours attachée
aux hanches par des cordons, elle se superpose à un, parfois
plusieurs jupons. Le tablier est indispensable, épinglé à la chemise
ou au corsage plus rare. Le corps et le corset sont peu fréquents,
ce qui traduit une souplesse d'allure très différente de la rigidité
visible dans le costume des riches. Les chemises sont partout

mais aucun dessous, le caleçon féminin est réservé aux chasseresses et aux femmes de mauvaise vie. La présence de manteau en lainage prouve qu'une certaine adaptabilité aux saisons est acquise. Les accessoires, environ une douzaine, visent d'abord le coiffé : bonnets, fichus, coiffes, cornettes, 78 % ; puis la jambe, bas de fil et d'étame sont possédés par la majorité ; les mouchoirs de col (16 %), les mouchoirs et les écharpes sont moins nombreux, les souliers et les gants sont rares, 20 % de chaussures ce qui souligne la cherté de l'objet et le fait que les souliers passent de pieds en pieds. Peut-être aussi enterre-t-on avec l'unique paire possédée ?

La garde-robe d'une domestique n'est pas différente, mais les pièces sont plus nombreuses et les ensembles mieux constitués, un tiers de jupe — tablier — manteau ; le tout est plus varié, le corset se double du bustier, le mouchoir de col s'orne de guipure, les cols s'agrémentent de dentelles, les souliers — présents dans le quart des inventaires — peuvent être de qualité, en étoffe de soie, en damas, en cordoue ou en maroquin. Mais la vraie différence vient de l'accumulation, là où une manouvrière dispose de 2-3 jupons, la servante en a 4-5, la femme de chambre 6-7, les femmes de service ne lésinent pas sur le linge fin qui peut être repris des maîtresses, les chemises notées dans 88 % des prisées se comptent par douzaine et les plus fortunées ajoutent des camisoles, vêtement de femme du monde et cher, 3 à 5 Livres. Les bas de fil s'entassent par douzaine dans les coffres, ceux de soie ne sont plus rares, les mouchoirs à moucher s'accumulent. Le linge de la soubrette est fin et varié alors que celui de la manouvrière reste simple et rustique. Partout on dort tout nu, mais les premiers vêtements de nuit apparaissent dans un dixième des vestiaires domestiques, le caleçon de jour reste toutefois inconnu (une mention).

La garde-robe féminine du temps de Louis XIV est taillée dans des matériaux solides : la laine domine (48 %), le coton est rare, la soie plus encore ; le linge et les tabliers sont coupés dans des toiles frustes, de lin et de chanvre. Les camelots, les bourracans, les tiretaines et les droguets, quelques mélanges, basin, molleton, peluche, dominent la panoplie textile. Dans la domesticité féminine draps de laine, ratines, popelines côtoient aussi nombreux que dans les armoires salariées, les étamines et les espagnolettes un peu plus légères et meilleur marché. L'aisance des gestes et la souplesse des étoffes ne sont accessibles qu'au petit nombre des aisées. Les couleurs sont sombres et uniformes : 45 % de noirs, de gris, de bruns, peu de teintes chaudes et claires, 21 % de tissus rouges, 16 % de blancs, et les motifs surtout à rayures ou à ramages 15 %. La domesticité n'innove pas par des tonalités propres, elle choisit pour les deux tiers des coloris froids et sombres, mais elle leur ajoute des violets, des muscs, des marrons-noisette, des roses, quelques jaunes et des verts. Les carreaux sont mêlés aux raies. Au total, si l'on excepte quelques soubrettes frivoles et promptes à copier leur maîtresse, la femme du peuple et la servante ont une apparence stricte et imposante, une présence uniforme et sombre, plus proche encore des paysannes de Lenain que des femmes fêtées par Watteau. Tous les hauts niveaux, dans le peuple ouvrier comme dans la domesticité, sont touchés par plus de fantaisie et de grâce.

Pour les hommes, on l'a vu, l'essentiel est de disposer de quatre pièces principales, la veste, 65 % ; la culotte, 80 % ; le justau-corps, 95 % ; l'habit complet composé de ces trois éléments est rare : un quart des vestiaires salariés, la moitié de ceux des gens de service. Les manteaux apparaissent peu (27 %), les mieux pour-vus possèdent des capotes, pour la mauvaise saison. Le chapeau complète la tenue surtout les tricornes noirs et les feutres gris. Les souliers deux fois plus chers que ceux des femmes sont cependant plus nombreux : 37 % des inventaires. Les traits d'élégance et de mise sont peu fréquents, les cols, les manchettes, les cravates (40 %) diversifient quelques garde-robes plus coû-teuses surtout dans la haute domesticité qui apprécie les fanfre-luches et les dentelles. La livrée n'apparaît pas ici, c'est un bien du maître qui est affirmation de possession patriarchale et signe d'appartenance à une maison, bien sûr réservé aux riches seigneurs et aux bourgeois gentilshommes. Le vulgaire se contente de galonner les habits ordinaires et finalement la tenue de l'homme de service diffère de celle des gens de peu moins par l'uniformité que par la variété. La plupart des domestiques, et quelques riches compagnons se distinguent par l'abondance donc la possibilité de changer de mise selon les saisons et les circonstances ; ils ont trois, quatre culottes, quatre, cinq vestes, un castor, un caudebec, un manchon, une paire de gants, tout cela permet de camper un personnage plus hardi. Leurs armoires contiennent une dizaine de chemises et même chez quelques précieux des caleçons de jour et de nuit, le pauvre n'a que de mauvaises liquettes et ne porte pas de dessous. Les bas de fil et d'étame sont comme pour les femmes le chaussé ordinaire. Archaïsme et simplicité confèrent à la mise du peuple une solidité paysanne. On la retrouve dans les tissus : 80 % de draps de laine, la toile rustaude des chemises, chanvre et lin 80 % ; coton, soie, mousseline, velours plus légers distinguent les coquets et les riches. L'uniformité d'ensemble est accentuée par la dominante plus sombre encore que pour le sexe faible de la palette vestimentaire : noirs, gris, bruns forment une toile de fond pour les trois quarts, le rouge l'égaie pour un dixième, les blancs, les bleus, les jaunes, les verts étincellent ici ou là. *La marmotte* de Watteau au Musée de l'Ermitage ou l'homme

du peuple qui dans *L'enseigne de Gersaint* regarde ouvrir les
caisses de tableaux, illustre bien à la fois le modèle vestimentaire
dominant dans les classes laborieuses et leur tonalité sobre. Le
corps et les gestes sont raides comme la tenue, la souplesse est
réservée aux riches et la couleur. Dans la foule populaire, le domestique se distingue par la qualité des étoffes — les satins et les
moires ne sont pas rares, quelques indiennes ajoutent une note
d'avenir ; par la variété des ornements, galons d'or et d'argent,
lisérés de velours, broderies de soie coloriées, dentelles et boutons
étincelants. La marque du service se juge à l'œil non moins qu'à
une démarche hardie, il confère un éclat et un brillant limité
mais ostentatoire qui ne trompait pas son monde.

Voilà donc le costume populaire parisien des jours où Louis XIV
achève son long règne, chez les hommes comme chez les femmes,
il est simple et solide, il est fait pour durer, résister aux fatigues
du travail, supporter les intempéries et aider à lutter contre la
froidure des hivers. Il est sombre et confère à la rue une absence
de gaieté et de couleur qui ne devait guère trancher sur le gris
des pavés et le noir de la boue. Son âpreté conserve un parfum de
terroir, au sabot près, car le peuple se chausse et ce n'est pas
négligeable. L'horizon vestimentaire de la foule a une uniformité
un peu sévère qui transparaît dans les belles séries des *Cris de
Paris* édités vers 1700 par François Guérard et que relèvent à
peine quelques traits choisis, le bonnet tuyauté, le chapeau rond
rejeté en arrière, le rabat et la steinkerque mis à la va-vite [11]. Le
peuple des images, le vieux rémouleur, l'homme marchant dessinés
à la sanguine et au crayon noir par Watteau [12], peu après, a une
allure grave et compassée, car les jours de crise et de misère se
prêtent peu aux réjouissances fussent-elles vestimentaires, mais la
crainte de passer pour un va-nu-pieds ou un haillonneux confère
à tous une dignité certaine. La recherche, la profession, l'élégance
vont aux riches, et aux intermédiaires qui, aux marges des classes
populaires, s'imprègnent des goûts et des manières des dominants.
Si le vêtement et la mode sont un langage au temps de Louis XIV,
le peuple de Paris est encore peu alphabétisé...

Vers 1775-1790 tout change, le costume masculin d'abord. Les
habits complets se retrouvent dans 84 % des inventaires, vestes
et culottes couplées sont partout mais le justaucorps à grandes
basques, si caractéristique des *Cris de Paris* de Boucher et de
Bouchardon, disparaît, détrôné par le gilet. L'image retarde dans
ce domaine sur la réalité des inventaires car la substitution définitive n'est pas accomplie chez les Saint-Aubin ou dans l'imagerie
orléanaise des années quatre-vingt [13]. Le manteau, la capote sont
désormais concurrencés par la redingote qu'adoptèrent massivement les cavaliers petits maîtres à la fin du règne de Louis XIV.
Désormais, là où le notaire inventoriait vers 1700 deux pièces, il

Tableau 28

TISSUS ET COULEURS DES VÊTEMENTS

	1695-1715				1775-1790			
	Salariés		Domestiques		Salariés		Domestiques	
	H	F	H	F	H	F	H	F
Laine	76 %	42 %	62 %	55 %	60 %	6 %	42 %	10 %
Laine et mélange	1 %	6 %	4 %	5 %	—	—	12 %	1 %
Coton	1 %	11 %	8 %	10 %	20 %	57 %	21 %	59 %
Toile	13 %	18 %	17 %	12 %	1,5 %	16 %	10 %	7 %
Soie	3 %	16 %	4 %	15 %	4,5 %	20 %	12 %	19 %
Divers	7 %	7 %	5 %	5 %	15 %	1 %	3 %	4 %
Bruns	25 %	10 %	32 %	14 %	7	5 %	5 %	3 %
Noirs	40 %	25 %	25 %	33 %	21	7 %	15 %	8 %
Gris	10 %	10 %	18 %	22 %	30	12 %	25 %	11 %
Rouges	11 %	21 %	15 %	10 %	6	20 %	4 %	22 %
Blancs	9 %	16 %	6 %	5 %	12	23 %	11 %	24 %
Jaunes-Bleus-Verts	5 %	3 %	2 %	6 %	17	26 %	22 %	28 %
Divers	—	—	2 %	10 %	3	4 %	13 %	4 %

en trouve trois ou quatre. Chez les plus aisés, domestiques élégants les premiers, on voit apparaître le frac, les chapeaux sont sur toutes les têtes et alors « le chapeau à trois cornes retapé à la Suisse est demeuré vainqueur. Il a chassé tous les chapeaux ronds, en ce qu'il donne à celui qui le porte un air bien plus franc, bien plus fier, bien plus décidé... [14] ». Le pantalon toutefois pose un problème à l'historien de la culture matérielle ; on le cherche, car la Révolution l'impose comme vêtement symbole du sans-culotte mais on ne le trouve jamais dans l'inventaire des futurs combattants des journées. On sait que c'est le vêtement de travail des marins et des compagnons de rivière, il est porté par quelques petits métiers de la rue ; vers 1775, dans la suite des *Cris parisiens* de Jean-Baptiste Leblond, le vendeur de grains, l'opérateur Turpin et Scaramouche sont en pantalon : trois pour vingt-quatre culottes ! On sait aussi que le bas de chausse en fil est coûteux, fragile, argument qui justifierait une substitution... mais aucune information ! Sont-ils vendus ? enterrés avec les défunts ? C'est peu probable pour des vêtements de travail. Ou bien échappent-ils au notaire car indignes de son regard ? Bref, le pantalon du travailleur et des artistes de foire connaîtra son heure de revanche sur l'aristocratique culotte, mais auparavant son histoire reste obscure. Enfin, la gent masculine populaire accepte toutes les nouveautés sur l'essentiel et l'accessoire, les bas sont à tous les pieds (81 %), les souliers aussi, pour les trois quarts, ce qui représente sans doute un bien définitivement adopté par tous si l'on suppose une première paire acquise plus tôt. Les cols sont dans les deux tiers des armoires, les manchettes dans les trois quarts des commodes. L'écart entre domestiques et salariés se maintient mais plus par l'abondance que par la recherche, chez les premiers deux ou trois paires de chaussures pour une chez les seconds, une douzaine de bas d'étame pour six ou sept. Le linge avantage beaucoup les gens de service, le quart seulement avec moins de douze chemises, la moyenne est de vingt-cinq ce qui permet une rotation rapide ; les vêtements d'intérieur — robes de chambre, peignoirs, bonnets de nuit, serre-têtes, chaussons — rendent plus confortable la vie privée des aisés. Les caleçons inconnus vers 1700 sont prisés une dizaine de fois. Une volonté de mieux-être authentifiée par un changement plus actif de linge et d'habits, un sens neuf pour le goût vestimentaire, semblent marquer le peuple parisien. Certes, les tissus lourds restent prédominants mais les cotons grignotent les draps, les flanelles, les nankins, surtout pour les vestes et les gilets ; les soies, les molletons gagnent du terrain. La matière du costume masculin se diversifie et l'inventaire enregistre le résultat du développement de la manufacture textile, des spéculations des entrepreneurs, en bref des impératifs d'une production déjà mobilisée pour la consommation massive [15].

On s'habille un peu plus léger, une attention à l'agréable et à la gaieté n'est plus inconcevable. Les couleurs sombres perdent de leur prépondérance, deux tiers encore pour les noirs, les gris et les bruns, mais les coloris chaleureux et éclatants progressent, les bleus, les jaunes, les verts, les roses ne sont plus exceptionnels. Surtout, le troisième quart du siècle voit le succès des motifs à rayures et à carreaux, ce dont témoignait Mercier : « Le zèbre du cabinet du Roi est devenu le modèle de la mode actuelle ; toutes les étoffes sont rayées ; les habits, les gilets ressemblent à la peau du bel onagre. Les hommes, jeunes et vieux, sont en rayures des pieds à la tête : les bas sont aussi rayés... [16]. » Le mot est lâché, l'homme du peuple respire un air de mode. La nouvelle consommation masculine prouve une diffusion large de la diversité, le sentiment d'une représentation désormais nécessaire, le sens de la fête pour l'œil, au total une révolution sensible. L'utilitaire, le solide composent avec le futile, les familiers des grands et les riches enregistrent une capacité de consommation directement liée à leur faculté imitative, décuplée dans le contact des rapports quotidiens.

Les femmes ont sans doute donné le branle. Leur garde-robe progresse spectaculairement et son contenu se diversifie à l'extrême. Le jupon reste la pièce principale, 95 %, mais il s'associe désormais à la robe absente des inventaires vers 1700, 57 % des vestiaires de salariées, 63 % des trousseaux domestiques. Les tabliers deviennent majoritaires, les corsets sont dans la moitié des armoires. Les plus aisées et les femmes de chambre ont toute la panoplie augmentée de casaquins, de caracos, de mantelets et de pelisses. La mode varie les ensembles, met mieux en valeur le corps féminin, accumule les brimborions indispensables. La coiffe se maintient (51 %) mais concurrencée par les têtes et les bonnets, le fichu et le tour du col orné supplantent le vieux mouchoir de col : tous ces éléments sont dans 96 % des inventaires. Manchettes, pour l'agrément, manchons pour l'hiver se généralisent, les gants plus nombreux (18 %) sont encore signe d'aisance (30 % des domestiques). Les souliers sont dans tous les trousseaux en une et plusieurs paires. La Parisienne change de chaussures et fait travailler les quatre mille maîtres des deux corporations coopérantes des savetiers et des cordonniers. Pour les femmes comme pour les hommes du peuple de Paris, la chaussure est une conquête du Siècle des Lumières [17].

Comme celle des hommes, plus encore, la gamme costumière féminine a d'autres résonances, elle joue moins sur l'utilitaire et la solidité que sur la recherche d'une mise en scène, l'originalité des formes, des couleurs, des motifs. Les dessous sont soignés, chemises et camisoles de toile fine, en moyenne 15 à 20, les culottes font leur apparition. Ici se dessine un nouveau rapport au

corps, réservé aux plus fortunés mais prêt à être imité par un plus
grand nombre, l'accumulation lingère propice au renouvellement
vise un confort moins que le luxe des apparences. L'essentiel,
c'est la légèreté des étoffes, moins de laines et de draperie, mais
triomphe des cotons voire des soieries. La femme du peuple
s'habille mieux, la domestique se vêt mieux encore ; à elle, la
gamme souple des satins, le moelleux du taffetas, la gaieté des
toiles de Jouy, l'exotisme emparisianisé des siamoises, des perses,
des nankins. L'influence de la mode dominante se perçoit dans
les nuances nouvelles de l'échelle des coloris : noirs, gris, bruns,
teintent moins du quart des étoffes ; le blanc un bon quart ; les
rouges un petit quart ; les bleus, les jaunes, les verts et surtout
d'innombrables nuances tendres et assourdies colorent le reste,
roussette, canaris, mauve tourterelle, gorge de pigeon, lie de vin,
brun puce. L'œil de la Parisienne s'affine et sa perception s'adoucit,
le spectacle de la rue perd de ses contrastes, les signes de reconnaissance sociale s'affaiblissent, tout change au gré des saisons et
des ordonnances du goût répercutées par des voix innombrables,
affichées sur les élégantes, progressivement imitées et recomposées.
L'évolution des motifs textiles est de ce point de vue éclairant, les
raies l'emportent (20 %) mais elles coexistent avec les bouquets,
les fleurs, les ramages, les carreaux. Rien ne distingue ici l'inventaire moyen des classes laborieuses de celui des domestiques si
ce n'est l'abondance, la recherche des détails accumulés, même la
différence de fortune s'atténue partiellement mais sans jamais
disparaître devant le nivellement des apparences [18]. Un exemple
test : les bas ; chaque domestique en possède au minimum une
douzaine de paires, ils sont souvent blancs, gris et noirs, quelquefois couleur chair, quelquefois rayés, la majorité de fil mais un
bon tiers de soie ; chaque femme du peuple en conserve une demi-
douzaine, surtout blancs rarement colorés, le plus souvent de fil
et peu fréquemment de soie. L'écart culturel se maintient, par la
possibilité de mieux choisir dans un éventail plus largement ouvert
de produits, de couleurs, de qualités. La révolution des modes
féminines se fait par une lente circulation des modèles. Rétif de
la Bretonne s'en est constitué le chantre fasciné et Mercier
l'observateur passionné.

Pour tous deux, la novation costumière fait partie intégrante du
grand mouvement de transfert rendu possible par la machine
urbaine qui commence sa lente dérive, loin des campagnes :
« Tandis que le galon d'or et d'argent entre dans la livrée de la
servitude, le sarrau de toile couvre à peine le laboureur et le vigneron. La classe travaillante (entendez ici paysanne) voit les valets
en habit de drap galonnée et les femmes de chambre en robe de
soie, même avec quelques petits diamants. Cette malheureuse

classe commence à s'estimer elle-même fort au-dessous de l'ordre domestique... [19]. » Mercier qui dénonce l'accroissement des domesticités urbaines a bien vu l'effet de réfraction qu'elles ont pu jouer : elles copient admirablement leur maître « au bout d'un certain temps » pour le pire et le meilleur. « Adieu filles aux jupons lourds, filles muettes de l'Europe pauvre », pourrait-on déjà dire à propos des femmes du peuple qui les regardent et les imitent à leur façon. « La Grisette est plus heureuse dans sa pauvreté que la fille des bourgeois. Elle se licencie dans l'âge où ses charmes ont encore de l'éclat ; son indigence lui donne une pleine liberté, et son bonheur vient quelquefois de n'avoir point eu de dot... Aux premiers besoins de la vie se joint celui de la parure : la vanité non moins mauvaise conseillère que la misère, lui répète tout bas d'ajouter la ressource de sa jeunesse et de sa figure à celle de son aiguille [20]. » Dans la ville démoralisante où se répandent les modèles du goût, les filles du peuple sont entraînées par le double effet de la nécessité et du spectacle des richesses au-delà de la morale et de la nature, elles se rangent dans la société des conventions ; loin d'être libérées, elles risquent la perte d'elles-mêmes. Sébastien Mercier voit le peuple perdre sa simplicité de mœurs, compromettre son authenticité et sa santé pour la conquête fragile des apparences : « Le Parisien en général est sobre forcément, se nourrit très mal par pauvreté, pour donner au tailleur et à la marchande de bonnet... [21]. » La consommation vestimentaire est l'un des mécanismes qui animent la ville-théâtre, chère au disciple de Rousseau, où se corrompent à la fois les personnalités et les relations sociales. Le style de vie des oisifs, voués aux jeux des masques, à la frivolité ostentatoire, à la non-transparence des êtres [22], devient la norme d'un plus grand nombre et c'est pourquoi la Révolution dans sa phase cruciale n'a pas fait l'économie d'une remise en cause des manières de se vêtir. La modernité que pressent bien Mercier réside dans cette vulgarisation des habitudes de la cour et de la ville, public restreint d'une première novation, vers les masses silencieuses, et cette transformation des mœurs que la « Révolution industrielle » ne fera qu'accélérer, est déjà confusion des rôles extérieurs donc des conditions, bouleversement des perceptions donc du langage et des consciences, prélude à l'avènement du « fétichisme de la marchandise ».

Rétif vit et observe ce changement comme une fête. Monsieur Nicolas n'est pas riche, mais le jour où il est reçu compagnon imprimeur, il obtient de ses parents son premier habit complet en tissu de baracan gris à boutons de fil d'or ; quand le soir après son travail il se prépare à partir en ribotte il se lave le visage, enfile sa culotte de droguet noir, ajuste à ses mollets des bas de fil blancs, met ses souliers de cuir vernis à boucle d'argent, revêt son gros bergopzom vert à gland et à brandebourgs, bref, avec sa petite épée, ses cheveux poudrés — il ne porte pas perruque — il s'apprête à passer aux yeux des grisettes un peu tendres et des jolies filles de boutique dans la rue Saint-Honoré, pour quelque chevalier pomponné[23]. Vers 1760, Rétif n'est pas encore le « spectateur nocturne » qui arpente la ville drapé dans « un vieux manteau bleu », caché sous un « large feutre » et qui se vante de n'avoir acheté aucun habit de 1773 à 1796. Il sait alors être coquet et se mettre au-dessus de son état, comme dans sa vieillesse il affectionnera au contraire de se présenter mal vêtu chez les puissants. L'itinéraire vécu révèle le sens théâtral du vêtement et comment « faire une petite toilette[24] », c'est déjà choisir de paraître autre que ce qu'on est. Aux yeux de l'observateur moral, le costume joue sa partie dans la corruption des êtres par la ville. Voilà la vraie révolution vestimentaire, fille d'une mince abondance. « Il m'arriva d'avoir un habit de lustrine noire, des bas de soie blancs et d'aller voir une jeune beauté. Hé bien, en route je me surpris à être fier et dédaigneux. Je craignais d'être touché par un homme du peuple...[25] » Les vêtements empruntés aux autres classes transmettent préjugés et vices. L'homme mal vêtu devient suspect, l'habit noir du peuple, signe d'un danger. Car le sombre sied encore au populaire, les inventaires le prouvent, la couleur noire n'est pas réservée aux riches dévots, aux espions et aux gens d'Eglise[26], Mercier le note : « L'habit noir s'accorde merveilleusement avec les boues, l'intempérie des saisons, l'économie et la répugnance à faire une longue toilette...[27]. »

Deux stratégies se combinent dans le comportement de Rétif face au vêtement : celle de la séduction sociale qui peut être progrès d'égalité ou indice de corruption, celle de la propreté que dicte la vraie pédagogie vestimentaire. Révélateur des pratiques uniformisantes, le dialogue des deux blanchisseuses : « L'une de ces filles disait à l'autre. Comme tu te quarrais dimanche avec ton déshabillé, blanc garni ! Mais c'est que ça t'allait ! Je le crains bien ! c'est d'une belle dame, et ça c'est fait de bonne main, par Mam'zelle Raguidon de la rue Guillaume... Je serais ben bête d'acheter des hardes ! J'ai du blanc tous les dimanches, et toujours du nouveau ! Ces femmes-là ne salissons pas ; j'achève et je brille. Bas, chemise, jupon rien n'est à moi... et toi la Cataud ? Et moi ? mais n'en dis mot ! Ou je te vendrais comme tu m'avais vendue, c'est tout de même. Et je prête des mouchoirs, des chemises, des cols, des bas au grenadier Latéreur ; et moi au guet à pied Lamerluche, des casaquins à la petite Marion, des chemises à la Javotte, et puis j'en loue...[28]. » Ainsi, une élégance nouvelle transpire dans les manières du peuple. *Les Nuits* racontent la fascination vestimentaire du spectateur nocturne qui ne sait plus

distinguer la « vraie sylphide » de la « sotte ouvrière ». Une jolie
robe de taffetas gris perle, un fourreau de satin blanc transforment
en femme de qualité celle qu'on voyait en robe de drap et en
jupon d'indienne [29]. Dans de multiples anecdotes, d'innombrables
pygmalions blanchissent et décrassent, vêtent, transforment,
conquièrent les jolies filles du peuple [30]. La description du costume
féminin est élément pour une éthique préoccupée de rester fidèle
à la Nature et de résoudre les confusions sociales.

C'est pour cette pédagogie que Rétif requiert l'hygiène vestimentaire. L'opposition du blanc des robes et du linge avec le
noir des boues supporte à chaque page une philosophie de la
féminité, une morale qui exorcise le sale, le malsain et le trouble :
« le goût de la propreté » est indice de toutes les vertus, celle
qui a le malheur de ne pas être propre s'attirera tous les malheurs,
mais l'inverse est tout aussi vrai. « Voyez cette jeune Sophie que
des gens riches ont adoptée en la tirant du sein de la misère, ils
furent enchantés de la propreté des haillons qui la couvraient,
ils étaient déchirés, mais propres tirés à quatre épingles [31]. »
Rétif retrouve, sans s'y référer, la grande leçon des Civilités, la
propreté est d'abord convenance, des habits à la personne, à la
bienséance des conditions et des âges [32]. La propreté du vêtement
couronne un apprentissage, c'est, entre autres choses, les manières
du corps, les gestes de la table, l'apprentissage du silence, le moyen
d'une discipline, l'affirmation d'une conquête sur la sauvagerie des
instincts et la nature animale du peuple [33]. Significatif en ce sens
le geste des gens de peu qui se divertissent, en temps de carnaval,
à jeter des matières grasses et des ordures sur les beaux habits
blancs des femmes de condition [34]. Le discours de Rétif retrouve
celui des hygiénistes, la symbolique sociale et l'obsession personnelle en supplément. Le vêtement comme le logement a son rôle
à tenir dans la moralisation des classes pauvres. La longue énumération des inventaires montre qu'elles accèdent alors aux moyens
de cette pédagogie venue d'ailleurs, les observations de Rétif et
de Mercier prouvent que son intériorisation s'accélère. Le peuple
n'est plus en haillons, il doit être propre, il lave ses chemises et
ses hardes. « Il n'y a pas de ville où l'on use plus de linge qu'à
Paris et où l'on soit aussi mal blanchi. Telle chemise d'un pauvre
ouvrier, d'un précepteur et d'un commis passe tous les quinze
jours sous la brosse et le battoir et les huit ou dix chemises du
pauvre hère sont bientôt trouées, limées, déchirées... Aussi celui
qui n'en a qu'une ou deux ne les livre pas au battoir des blanchisseuses ; il se fait blanchisseur lui-même, pour conserver sa
chemise. Et si vous en doutez, passez le dimanche dans l'été sur
le Pont-Neuf, à quatre heures du matin, vous verrez sur le bord
de la rivière au coin d'un bateau, plusieurs particuliers qui vêtus
à cru d'une redingote, lavent leur unique chemise ou leur seul

mouchoir... [35]. » Le 4 septembre 1763, François Fontaine, manœuvre de cinquante-six ans, est conduit par les gardes des ports devant le tribunal de l'Hôtel de Ville, pour gestes contraires à la pudeur ; il s'en défend en précisant « qu'il n'a fait qu'enlever sa chemise pour la laver à cause de la vermine... [36] ». Dans la ville, tel est le sort du gueux vêtu d'un habit grossier, d'une veste d'étamine, de bas de laine, et de souliers épais, coiffé d'une antique perruque, « habillé de la veille pour le lendemain, et du lendemain quelquefois pour le reste de la semaine [37] » remarque Diderot attentif aux mœurs du peuple. La population de Paris se renouvelle constamment ; une société incertaine brasse citadins anciens ou de fraîche date avec les nouveaux venus paysans, les heureux s'intègrent au cercle restreint des établis plus ou moins fortunés, les pauvres et les malheureux piétinent dans la rue, tous participent à un spectacle où les normes vestimentaires sont en train de se modifier. Le milieu parisien favorise l'acculturation dans toutes sortes de domaines et celui du costume n'est certainement pas le moins important pour les classes laborieuses car elles peuvent, à leur façon, jouer une partition originale. Pour aller des normes aux manières, les romanciers et les littérateurs peuvent témoigner sinon des façons quotidiennes de se vêtir, du moins de la façon dont elles sont perçues. L'intervention du vêtement, voire du linge, dans les situations romanesques et les anecdotes destinées à illustrer le pittoresque de la vie populaire, peut révéler le sens des usages vestimentaires, prouver l'écho plus ou moins entendu de leurs transformations sensibles, donner quelques indications sur les moyens dont l'esprit de se vêtir vient au peuple.

De ce point de vue, toute une tradition littéraire est à interroger, celle des paysans et paysannes parvenus ou pervertis qui de Marivaux à Rétif tiennent dans la dénonciation de la corruption urbaine un emploi actif. Pour tous les romanciers, le trait majeur réside dans l'importance accordée au phénomène d'imitation dans la transmission des gestes et l'acquisition des habitudes. Aller en ville, c'est pour les jeunes paysans de romancie mettre pied dans le « monde de la Lune » car les comportements, donc les règles du jeu social, ne sont plus clairement lisibles ; bref, tous doivent faire leur éducation. Regardons le voyage parisien de Jacob, le paysan parvenu imaginé par Marivaux [38].

Ce n'est pas tout à fait un pauvre, mais le fils d'un bon vigneron, possédant terres et train de culture, produisant le meilleur vin du pays, un Champagne qui se vend bien à Paris, coq de village assis et fermier de son seigneur. Jacob est garçon, il monte à la ville où son frère l'a précédée, marié à une « aubergiste à l'aise » ; il n'y vient pas d'abord pour s'établir mais pour porter chez le maître la provision annuelle de vin. Il y reste, « les premiers jours que j'y avais passé m'avaient éveillé le cœur, et je me sentis tout à coup en appétit de fortune... ». C'est bien un migrant volontaire, il a du répondant, des manières, il est un brin arriviste et il réussira. « J'avais dix-huit à dix-neuf ans ; on disait que j'étais beau garçon, beau comme peut l'être un paysan dont le visage est à la merci du hâle de l'air et du travail des champs. Mais, à cela près, j'avais effectivement bonne mine... » A lui les chemins du succès qui s'ouvrent par une transformation des apparences en quelques jours, il lui faut perdre ses façons rustiques et abandonner ses habits campagnards. Le théâtre du changement ? l'hôtel d'un grand seigneur. Les pédagogues de la modification ? les domestiques de la maison « qui l'affectionnèrent tout d'un coup », les femmes de chambre, Toinette la blonde et Geneviève la brune, un laquais qui a pris de l'amitié pour lui, la maîtresse elle-même, qui conseille et surveille. « Le soir du même jour on m'appela pour faire prendre ma mesure par le tailleur de la maison... », « Deux jours après, on m'apporta mon habit avec du linge et un chapeau et tout le reste de l'équipage ». Frisé, poudré, le jeune rustique est nettoyé, blanchi, vêtu, dégrossi, il peut faire son entrée sur la scène des aventures urbaines. Bien sûr, Jacob parle des attraits de la ville, des mécanismes qui laissent à quelques-uns des possibilités de réussir, des atouts culturels et personnels qu'il faut pour cela. Ce qu'il dit avec plus de force encore, c'est la nécessité d'une conversion des mœurs et le rôle symbolique et réel qu'y joue le vêtir. La conquête des us et coutumes parisiens commence par un changement de costume ; à nouveau décor, nouvelle peau !

Quarante ans plus tard, Rétif de la Bretonne reprend le même thème et retrouve les mêmes gestes. Si le pauvre Edmond échoue là où Jacob a pu faire fortune, c'est peut-être que la conjoncture est plus difficile, c'est sûrement parce que son créateur veut dissuader ses lecteurs de céder à l'appel citadin, « Une fortune faite à la ville par un vrai mérite est le gros lot d'une loterie ; cent mille y perdent pour un qui gagne... [39] », et les persuader définitivement du danger de l'immoralité urbaine. Le processus reste toutefois inchangé et il n'est pas sûr que le bagage culturel acquis, façons d'ouïr, de voir, de faire, n'aient pas eu, à long terme, une importance plus grande que la déculturation passagère d'innombrables fils du terroir. Les femmes ne diffèrent pas des hommes, pour la Marianne de Marivaux, comme pour la sœur d'Edmond, la socialisation parisienne passe par les métamorphoses du costume. L'héroïne des années trente réussira son insertion, l'autre la ratera ; au départ elles partageaient des chances identiques. Suivons Marianne [40].

Elle a dans son bagage une bonne éducation provinciale, « J'appris à faire je ne sais combien de petites nippes de femmes, industrie qui m'a bien servi dans la suite... », une figure avanta-

geuse, les ressources de son esprit, la force de sa sagesse. Son entrée
dans la vie citadine est brutale, sa protectrice modeste meurt à
l'auberge, on lui vole ses hardes, son assimilation se fait progressivement et les débuts d'un avenir neuf sont marqués par le cadeau
d'un habit nouveau... « Je l'avais choisi ; il était noble et
modeste, et tel qu'il aurait pu convenir à une fille de condition qui
n'aurait point eu de bien. Après cela, M. de Climal parla de linge
et effectivement j'en avais besoin... » Avec ce beau linge commence
la tentation mais « le petit cas de conscience ainsi décidé, mes
scrupules se dissipèrent, et le linge et l'habit me parurent de
bonne prise... [41] ». La robe de Marianne symbolise autre chose que
les séductions du monde, elle signifie une rupture dans les mœurs,
l'entrée dans le concert social, l'acquisition d'une sensibilité différente. Au total, les romans d'apprentissage et de conquête évoquent
trois fonctions principales qui dialoguent entre la vie et l'imaginaire : la stratégie amoureuse, les masques sociaux, l'utopie.

Dans la première figure, le vêtement est essentiel tant aux
séductions libertines ; voyez M. de Climal, voyez Rameau le neveu
qui rêve son personnage d'entremetteur, « est-ce que tu ne saurais
pas faire entendre à la fille d'un de nos bourgeois qu'elle est mal
mise ; que de belles boucles d'oreille, un peu de rouge, des dentelles, une robe à la polonaise lui siéraient à ravir... [41] » ; qu'aux
parades sexuelles et aux jeux amoureux plus ordinaires. Rétif,
dans *Monsieur Nicolas* et dans *Les Nuits,* dans *Les Contemporaines*
aussi, en a dressé le florilège [42]. Tout s'y mêle, le coup d'œil quotidien : « Jeanne n'avait l'air que d'une grisette bien qu'elle fut
en robe du soir », les remarques sur l'art de la coquetterie et les
artifices du charme : « ainsi vêtue, elle était appétissante... »,
« il fit prendre à Félicité la mesure d'une polonaise de taffetas
vert, il y voulut des bouffettes de rubans et des glands d'or sur
la croupe... », les notations sur l'efficacité voluptueuse de la
parure et le fétichisme bien connu de la chaussure. Dans un
second temps, les romans parisiens utilisent les vêtements pour
marquer les distances sociales et aussi en brouiller les contours,
on y a comme dans la vie le costume de son état (il était habillé
comme un commis, elle était vêtue à la bouchère), mais en même
temps les conventions s'altèrent, la grisette fait toilette bourgeoise,
le compagnon s'habille en petit maître, le valet conquiert et
transmet la maîtrise des apparences, le marquis court les aventures
en surtout de baracan grossier. L'attirance vestimentaire conduit
toujours à la confusion des rangs. Enfin la vie rêvée des romanciers confère au costume romanesque sa dimension d'utopie
— sexuelle — chez Rétif, voir dans *Monsieur Nicolas,* ou dans
Les Contemporaines, la *Fille de trois couleurs* [43], ou souvent
sociale. L'imaginaire utopique qui raisonne de tout définit impératifs et habitudes. Mais c'est généralement pour rendre à chacun

son costume et maintenir toutes choses à leur place. Toutefois l'invention romancière peut ouvrir d'autres voies, c'est le sens de la figure du compagnon ouvrier Loiseau [44]. Cet ami de Rétif, membre du joyeux quatuor typographique des années cinquante, camarades de travail et de plaisir dont les joies et les peines confèrent à *Monsieur Nicolas* une part de sa fascination, gagne assez pour se bien vêtir, mais il s'habille de bure ascétique, soigne son linge et porte ses cheveux coupés au bol, il affecte une mise sévère, c'est déjà un incorruptible. Loiseau incarne un peuple éduqué, réfléchi, républicain, indifférent à l'ensorcellement vestimentaire. Quand les temps seront à la réalisation des espoirs politiques, Hébert pourra s'écrier, liant ensemble nature féminine et sortilège du vêtement : « Ces mâtines de femmes, avec leurs foutus chiffons, ont toujours foutu et les hommes et les maisons à bas [45]. »

Ainsi se définissent des normes et des usages, un répertoire de conduites qui enregistrent la naissance du système de consommation fondé sur le transitoire. Mais celui-ci suppose aussi un art de faire qui s'inscrit dans des pratiques de la vie ordinaire dont on peut recueillir trois figures principales : celle de l'économie ménagère qui s'interroge sur le renouvellement des choses, celle des habitudes populaires en matière d'achat, enfin, résultante du mouvement général, celle du spectacle familier que l'on peut entrevoir à partir des habits portés par les victimes du tragique accident arrivé le 30 mai 1770 et par les cadavres échoués à la Basse Geôle de la Seine entre 1796 et 1800.

La consommation familiale de vêtements n'est pas chose facile à reconstituer car on l'a déjà vu, les budgets populaires sont pratiquement inconnus. Les gens du peuple ne tiennent pas de comptes et de livre de raison. Pour une majorité de salariés urbains, les revenus sont absorbés par l'essentiel, le pain et le logement, et il est difficile de mesurer l'influence de l'économie parisienne sur l'évolution des niveaux de vie [46]. On doit se contenter d'estimation générale comme en faisaient les contemporains. A l'aube du XVIII° siècle, Vauban a tenté d'évaluer ce qui restait au tisserand et manouvrier une fois payées les six livres de pain quotidien nécessaires à une famille de quatre personnes. Si elle dispose de près de 150 L par an, elle en dépense plus de 60 pour son alimentation, et plus de 40 pour disposer d'une pièce unique, à Paris [47]. Sur les cinquante livres restantes, elle doit prélever son chauffage, son éclairage, et comme le dit Vauban « l'achat de quelques meubles, quand ce ne serait que de quelques écuelles de terre ; des habits et du linge... [48] ». Le bilan permet au commentateur actuel de porter un jugement modestement optimiste, la famille ouvrière a dû manger d'habitude à sa faim et supporter les grandes crises, mais elle se trouvait toujours aux limites du nécessaire car les écarts de prix et les hasards de l'interruption de l'emploi pouvaient réduire ses disponibilités à zéro ; un jour de travail ôté, une poussée de fièvre de la mercuriale des blés et c'est pour la majorité du peuple de Paris la menace des restrictions alimentaires et la contrainte du recours à la charité. Rien dans tout cela ne permet de penser qu'avec un seul salaire le peuple pouvait avoir un tout petit peu au-delà du nécessaire. C'est par un surtravail et le cumul des ressources et des gains au sein de l'entreprise familiale qu'il pouvait arriver à constituer un petit capital mobilier, le célibataire est, on l'a vu, avec le couple peu prolifique, légèrement avantagé. C'est souvent chez eux que l'on note les premières accumulations vestimentaires et que les ressources permettent d'envisager à l'occasion l'achat du superflu, mais les mentalités moyennes sont portées vers d'autres investissements que le vêtement. On conçoit sur ce point l'avantage des domestiques ; au travail, ils gagnent à tout coup et dans le domaine de l'habillement peuvent récupérer les défroques de leur maître soit par don, soit par rachat à faible prix aux Maîtres d'Hôtel et aux femmes de confiance qui gèrent les garde-robes.

Dans les années pré-révolutionnaires, quelque chose a changé et les indications se précisent [49]. Les budgets reconstitués de façon certaine pour les paysans de l'Aunis, le tisserand picard et le maître soyeux lyonnais permettent, faute de mieux, par comparaison, de comprendre ce dont disposent en matière vestimentaire les ménages populaires de Paris. Le paysan célibataire gagnant vers 1765, 183 Livres par an consacre 66 % à sa nourriture qui s'améliore, 18 % dans son ménage — impôts compris —, reste 16 % pour le vêtement [50]. A Abbeville, une famille de quatre personnes dispose de 370 L par an, la table compte pour les deux tiers, le foyer pour 20 %, reste 10 % pour le costume [51]. Dans le ménage lyonnais, vers 1785, on touche ici la couche supérieure du peuple, les strates inférieures de la bourgeoisie, quand plus de deux mille Livres entrent dans l'escarcelle près de 50 % servent à l'alimentation, moins de 15 % au renouvellement de la garde-robe, notons qu'ici un surplus de dépense va au foyer et à l'atelier, ainsi qu'aux frais divers occasionnés par les enfants [52]. L'indépendance du maître fabriquant est toutefois précaire et il est rejeté vers ses ouvriers par la hausse des prix [53]. Au total, on a là, compte tenu des conditions parisiennes plus favorables pour les salaires, peut-être plus défavorables pour les prix et les habitudes de consommation, l'écart des investissements possibles : 24 L par an pour le migrant célibataire, 138 L pour l'artisan et sa femme, moins de 10 L pour le manœuvre du textile. Toutes choses égales, c'est entre 10 % et 15 % de son maigre revenu que le peuple ayant un emploi peut consacrer à sa mise ; garçon ou fille travaillant dur, et Rétif le prouve, il peut donner dans la coquetterie, marié avec double salaire il veille plus ou moins à sa vêture et à celle de son épouse selon qu'il a plus ou moins d'enfants à sa charge. Domestique il est toujours privilégié et a la faculté de briller et de changer plus souvent. Il est intéressant de voir sur quels objets et à quels rythmes jouent le renouvellement des garde-robes.

Les académiciens rochelais accordent au manœuvre rural tous les deux ans : 4 chemises à 48 sols, un col à 1 Livre, deux mouchoirs à dix sols pièce, deux paires de bas à 30 sols, six paires de guêtres à 16 sols, un chapeau commun à 2 Livres, un bonnet de grosse laine encore 1 Livre et pour un habit de tiretaine neuf 22 L, usagé et acheté chez le fripier 10 Livres, manquent encore les sabots, 8 paires de bois d'aubier ou 6 paires de bois fort, 4 Livres 4 sols, sans oublier le blanchissage des chemises 4 à 5 Livres. Bref, tout compris, c'est avec la chaussure et l'entretien 32 Livres par an, et la plupart des vêtements ne peuvent être renouvelés que lentement : un an pour les sabots, deux ans pour le reste. La majorité des nouveaux venus installés au même moment à Paris, avait peut-être dans son bagage sinon cette garde-robe minimum, au moins les habitudes de consommation qu'elle suppose. Les revendications lyonnaises permettent de préciser les cadences de remplacement et de mesurer pour les milieux urbains l'effet d'une modeste aisance.

Le canut dispose d'un habit plus coûteux changé tous les huit ans pour 80 Livres ; pour son travail quotidien il enfile une veste de matelotte et une culotte renouvelés tous les trois ans, soit 30 Livres, et de même un chapeau, 12 Livres ; il use par an 2 chemises à 10 Livres, 2 paires de bas, 2 mouchoirs, un bonnet et une bourse à cheveux, le tout 12 Livres, enfin, 2 paires de souliers et un remontage lui coûtent encore bon an mal an 12 Livres ; un peu plus de variété, un habit plus cossu, des vêtements pour le travail, des souliers et non des sabots, peut-être aussi une qualité moins rustique, voilà le contrecoup de la consommation urbaine et d'une situation moins précaire. Sa femme dépense un peu plus, 80 Livres/an pour 50 Livres, le dimorphisme des garde-robes parisiennes est donc lié à une surconsommation et enregistre sans doute l'effet d'un renouvellement plus rapide. En province, c'est tous les trois ans que l'épouse du canut change de robe et de jupe (30 Livres), de casaquin, de mantelet, et de corsets, comme son mari elle use deux chemises par an ; deux paires de bas, deux mouchoirs de col, deux paires de poches, deux tabliers, deux paires de souliers et une paire de galoches, un bonnet rond pour le travail, une coiffe de nuit, une pour sortir. On a là un plafond calqué sur l'essentiel et calculé en période de crise pour justifier une augmentation des tarifs : 138 Livres par an, au même moment le vestiaire parisien du salarié moyen vaut, linge compris et évalué au prix de l'occasion, 133 Livres. L'amoncellement vestimentaire entrevu pour une majorité met donc bien en cause les possibilités du marché et le système de la revente qui permettent de satisfaire des normes plus élevées à moindre coût. On en conçoit l'importance pour le vêtir de tous à regarder les garde-robes distribuées par le bureau de ville en 1751, à l'occasion de la naissance du Duc de Bourgogne, à six cents jeunes couples « de l'artisanat, de manouvriers, ou autres que l'insuffisance de leur fortune ou du produit de leur travail met hors d'état de pourvoir à leur établissement... [54] ». Chaque fiancé reçoit un habit de drap d'Elbeuf, une chemise, des bas de laine, une paire de souliers, une paire de gants ; les jeunes filles touchent, avec une dot de 300 L, une robe et son jupon d'étoffe mêlée de soie, fil ou coton, une cornette, un mouchoir de col, une paire de manchettes de mousseline, une paire de bas de laine, une paire de souliers, une paire de gants et un chapeau à fleurs. Au midi du siècle, les mariages de la ville sont à l'heure du nouveau système de consommation, ils en fixent au départ dans la vie, la dimension envisageable avec raison pour le plus grand nombre, le seuil des espérances vestimentaires du peuple installé [55].

C'est le système de vente qui permet de répondre aux nouvelles exigences. Les vêtements du peuple s'achètent chez d'innombrables tailleurs, couturières, lingères, marchandes de modes, cordonniers et savetiers, qui taillent, cousent, épinglent, piquent, faufilent, ourlent, brodent des kilomètres d'étoffes, taillent et tapent des cuirs à la douzaine ; tous sont d'abord mobilisés pour servir les riches et les aisés, la clientèle parisienne, française, européenne de la mode. La rue Saint-Honoré, « quintessence de l'urbanité » avec ses boutiques de mode, ses chapelières, ses fourreurs, ses bijoutiers en constitue l'étincelante vitrine nocturne, avec ses filles « parées comme des chapelles de confrérie ». C'est là que Rétif arbitre les élégances du soir et mesure « la révolution nouvelle de l'habillement des femmes due au goût exquis d'une souveraine adorée [56] ». Mais ni le neuf, ni la mode ne sont, sauf exception (recours à la couturière ou tailleur des quartiers, travail familial de couture), à la portée de tous. C'est chez le fripier et la revendeuse qu'on va ordinairement s'habiller. Là, hardes et habits, plus ou moins usagés, s'entassent au terme d'un circuit complexe.

Il est d'abord alimenté par la vente des riches aux marchands de vieux habits et aux marchands de mode ; « au lieu de donner suivant l'usage les robes qu'elle quittait à sa femme de chambre, elle fesait venir une marchands à la toilette et elle les vendait presque toutes fraîches... [57] » remarque Rétif dans *Les Parisiennes*, mais aussi par le petit commerce de leur domestique surtout ceux qui sont au service personnel des grands ; hardes et nippes sont alors nettoyées, recousues, débarrassées des ornements réutilisables, les boutons sont changés, les dentelles retaillées, le costume du peuple est retouché dans celui des gens aisés. Les marchands d'occasion s'approvisionnent aussi dans les ventes aux enchères après inventaire, telles les crieuses de Vadé ou de Taconnet [58] (« Pour du linge j'en ai, z'et qu'est quasi tout neuf, chaque jour je m'en donne à ce bout du Pont Neuf »). Mais la revente n'est pas uniquement geste de riches ou de domestiques, elle est aussi pratiquée en cas de besoin par les gens de peu. M. Nicolas un jour de déveine, pour payer son loyer, vend ses chemises aux revendeuses de la rue St-Victor. « La première m'offrit 12 L de ce que je mettais en vente, quatre chemises qui en valaient au moins 48 alors, je crus pouvoir en demander 24, la femme sortit une autre la remplaça, celle-ci m'offrit 9 L... [59]. » La coquetterie, l'imitation peuvent y pousser, ainsi cette ouvrière en mode « qui aimait être propre fit l'inventaire de ce qu'elle avait de vieux, elle en donna une partie à Lisette (l'apprentie) et l'envoya au St-Esprit vendre ce qu'il y avait de plus considérable afin de se donner quelque chose de neuf [60] ».

Enfin, il y a le vol : un tiers des neuf mille délits jugés entre 1750 et 1790 devant le châtelet de Paris sont des vols d'effets, de linge et d'habits [61], et de 1774 à 1790 les juges qui ne connaissent que ceux qui se font prendre, voient passer devant eux plus de 500 voleurs d'habits [62]. Le détail de ces affaires dévoile déjà un bric à brac : 161 vols de hardes, 62 vols de mouchoirs, 35 vols de linge, le reste porte sur de multiples larcins, pièces d'étoffes, morceaux de tissus, écheveaux de laine, bouts de dentelle. Tout est bon à la délinquance vestimentaire qui est surtout affaire de jeunes hommes (25 % de femmes seulement) et d'occasion ; on s'empare indûment d'un habit qui traîne à la fenêtre, de hardes qui sèchent sur l'étendoir des blanchisseuses, des effets qu'on vous a confiés. Rarement les malandrins opèrent avec l'efficacité de ceux qu'observe le Spectateur Nocturne, rue de Grenelle près de la Halle, où l'un d'eux pille systématiquement les maisons, rue d'Orléans où un autre s'empare des robes et des jupons des filles publiques à leur fenêtre [63]. Les revendeurs et les revendeuses bien que très surveillés par la police contribuent à ces fructueux trafics, une centaine a des ennuis avec la justice dans les quarante dernières années de l'Ancien Régime [64], la majorité sont des occasionnels de la délinquance qui est dictée par l'inadaptation voire la misère, une minorité sont de fieffés coquins et des criminelles habituées qui utilisent les finesses de leur profession pour pratiquer le réel. A l'occasion ce petit peuple fournit de bons auxiliaires aux policiers et des mouchardes efficaces. C'est que leur activité les place au centre du trafic, ou l'illégal et le légal devaient parfois mal se distinguer.

Tout un milieu vivace et coloré, proche du peuple dans son recrutement, son mode de vie, ses habitudes, sert ainsi à le vêtir [65]. Il a sa hiérarchie que dictent la clientèle, les lieux et les moyens de vente et d'approvisionnement. Les revendeuses à la toilette et les revendeurs de vieux vêtements sont les plus huppés, la plupart ont boutique ouverte où s'entassent vieux habits, nippes, bijoux, tissus, tapis. Les fripiers et les fripières tiennent au Saint-Esprit les échoppes pleines de hardes et de vieux linge, le registre conservé de l'une d'entre elles, Anne Jeanne Marière, montre tous les vêtements, tous les tissus trouvés dans les inventaires : velours pour les robes, lustrine pour les habits, futaine pour les gilets, drap pour les vestes et les culottes, mousseline pour les fichus et les mantelets, siamoises, indienne, cotons, nankin, pékin, pour les jupes, les jupons, les vestes, soie pour les casaquins, elle vend et achète au menu peuple [66]. Les revendeuses en vieux et les crieuses de vieux habits et vieux chapeaux parcourent les rues, servant d'intermédiaires aux marchands mieux lotis [67]. Ce monde a ses habitudes, ses rythmes, ses manières, ses lieux, les piliers des Halles, le Saint-Esprit, le quai de la Ferraille, le quai de l'Ecole, le bas du Pont Neuf, il parcourt la ville dans ses déambulations actives, il coupe, recoud, dépèce et refaçonne l'habit ordinaire du peuple. Aux yeux des observateurs, il porte toutes les tares du populaire : sale, désordonné, confus, bruyant, marginal et facilement criminel [68]. On peut dans cette mauvaise réputation retrouver la marque essentielle de la misère populaire, c'est oublier que toute la ville ou presque utilise la friperie ; on peut y voir la marque de l'adaptabilité parisienne aux conditions d'un marché conditionné par la dépense ostentatoire et la redistribution. « C'est une ressource pour une infinité de citoyens peu fortunés qui seraient obligés autrement de se priver de ce qui leur est le plus nécessaire » pense l'avocat Des Essarts [69]. Enfin, c'est une preuve de l'existence des pratiques de détournement par lesquelles le peuple parisien utilise les choses des autres pour les faire siennes et par une adaptation spontanée compose ses propres codes, affiche sa personnalité et c'est ce langage spécifique qu'il faut retrouver dans le spectacle de la rue.

Mais le tableau habituel de la vie ne se laisse pas facilement entrevoir faute de documentation. Plutôt que la peinture et l'iconographie dont le déchiffrage exigerait une réflexion plus fondée pour dépasser l'usage illustratif qu'on en fait ordinairement, on peut avoir recours aux sources laissées par la violence et la mort. Deux séries sont consultables : la première est la liste des cadavres et de leurs effets dressée par la police parisienne au lendemain de l'épouvantable catastrophe du 30 mai 1770, 132 victimes [70] ; la seconde est celle des registres de la morgue subsistant pour la période 1796-1800, 184 accidentés et suicidés [71]. Mais pour faire

parler les vêtements des morts, il faut prendre quelques précau-
tions. L'accident de la rue Royale laisse sur le pavé une majorité
de femmes qui n'ont pu échapper à la bagarre », 88 pour seulement 44 hommes, tous leurs vêtements sont décrits à une exception près — ceux d'une femme de gagne-denier remis avant inventaire à son mari. Les greffiers de la Basse Geôle recueillent et
décrivent scrupuleusement 142 cadavres de suicidés ou d'accidentés mâles dont 34 ne portent aucun vêtement, soit parce qu'ils
se baignaient nus dans la rivière, soit parce que les commis ont
été négligents, et pour 42 dépouilles féminines 11 sont « sans
aucune espèce de vêtement » mais il est impossible de savoir pourquoi. Dans les deux cas, un souci bureaucratique guide la confection répétitive et monotone des listes, pour les enquêteurs de 1770
il s'agit de limiter l'effet psychologique d'un accident qui prend
vite allure de symbole [72], d'assurer la reconnaissance des victimes
— six dépouilles seulement ne seront pas reconnues — et de restituer aux familles les pauvres héritages qu'elles portaient sur
elles ; pour les juges de paix du Directoire et leurs commis mor-
ticoles, le souci d'identification est d'autant plus naturel que la
police vient de traverser la crise révolutionnaire et tente de
contrôler la montée des violences [73]. Pour la société policée du
xviiiᵉ siècle reconnaître les corps légués par la mort violente
— accidents, crimes, suicides — est signe de défense car rien
n'est plus embarrassant que les cadavres dans le placard et les
affaires de police sans conclusion. Et en ce domaine déjà tous les
détails comptent ; marques particulières, lacune de l'habillement,
ce qui dénote et ce qui manque, doivent permettre à des bureau-
crates scrupuleux de résoudre le problème individuel posé par
l'étrangeté singulière de chaque cadavre projeté par le hasard
sur les dalles humides de la Basse Geôle du Châtelet. Toutefois,
il faut tenir compte que ce dont nous disposons — en particulier
dans le domaine vestimentaire — est à chaque fois marqué par
la violence, brutalement en 1770, insidieusement vers 1796. Rue
Royale hommes et femmes ont perdu les souliers dans la bousculade et des filous ont parfois commencé le pillage des cadavres.
A la morgue, les hommes et les femmes sont tous mieux chaussés
malgré souvent le séjour prolongé dans la rivière, car ils n'ont
plus seulement des chaussures à boucles mais des souliers à cordon
et même des brodequins. Ici les procès-verbaux confirment indirectement un usage général, à Paris peu de va-nu-pieds, et prouvent
une micro-évolution technologique, la généralisation du lacet, le
recul des boucles. Même conclusion pour les chemises : la source
n'est fiable qu'indirectement. En 1770 comme autour de 1796,
elles sont décrites avec une grande précision (toile grossière ou
fine, usée ou neuve, brodée, marquée), pourquoi alors leur absence
répétée — et celle des détails — dans nombre de fiches ? Un

peuple sans chemise ? Mais un architecte, un avocat, une revendeuse à la toilette en 1770. En l'an IV, pour douze hommes,
six sans chemise ! L'année d'après tous en portent. Les greffiers
ont pu se lasser, négliger leur tâche, hériter de cadavres déshabillés après inspection, et les procès-verbaux ne contredisent pas les
inventaires, les Parisiens ne courent pas les rues peau nue sous
la veste ou habillés de leur seule culotte. De la même façon, chapeaux et coiffures ont disparu envolés dans la bousculade ou
engloutis par le courant.

Enfin, les états des greffiers livrent un échantillon social trié.
Par l'âge d'abord [74], et le sexe, trop de femmes en 1770, point
assez vers 1800 car elles se suicident moins, peu d'enfants et de
jeunes, beaucoup d'adultes et de vieillards ce qui biaise les conclusions dans un sens identique à ce qu'on voit chez les notaires.
Socialement tout Paris est représenté, les dominants et les aisés,
les maîtres et les boutiquiers, mais surtout le peuple : 65 % en
1770, 60 % entre 1796 et 1800. Dans les deux cas, l'image est
très proche de celle perçue dans les contrats de mariage de 1749.
On a donc une vision valable des choix vestimentaires des Parisiens un soir de mai et pendant les différents mois de l'année
à la fin du Siècle des Lumières [75] (tableaux 29 et 30).

Premier caractère à noter, l'uniformité de l'habillement tant
pour les hommes que pour les femmes durant ces trente années.
Dans le vestiaire masculin, deux associations dominent : l'ensemble
culotte, pantalon et chemise, l'assemblage veste et habit, culotte,
pantalon, chemise. L'habit est souvent choix d'hommes âgés, le gilet
rare en 1770, est devenu une pièce commune avant 1800 — 75 %
des garde-robes. Le pantalon inconnu au temps de Louis XVI
couvre le postérieur de quatre Parisiens sur dix à l'âge des Direc-
reurs. Un lot de redingotes et de capotes protègent les plus frileux
en mai 1770 ou se retrouvent sur le dos des aisés pendant les mois
d'hiver. L'adaptation aux saisons est affaire de classe, l'empilement
vestimentaire est rarissime sauf pour les gilets, moyen précaire de
lutter contre le froid. Les différences d'état et de fortune, l'entregent vestimentaire est immédiatement saisissable, un monde de
geste et d'habitudes sépare le négociant d'Argenton, habillé d'un
surtout galonné de drap de Silésie, d'une culotte et d'une chemise
fine montée en dentelle [76], ou bien Pierre Legros, coiffeur pour
dames réputé (Melchior Grimm déplore sa disparition [77]), avec son
habit de drap galonné d'or, sa veste écarlate galonnée d'or, sa
culotte de velours noir, sa chemise de toile, ses bas de soie [78],
des pauvres compagnons, Guillaume Goubert en habit et veste de
drap bleuâtre, culotte de serge noire, bas de coton, chemise de
grosse toile [79] ou Jean Cléry repêché dans la Seine en gilet de
velours rayé blanc et rouge, avec deux pantalons de coutil gris,
sa chemise et son bandage herniaire [80]. Pour tous, l'hygiène des

Tableau 29

LES GARDE-ROBES D'APRES LES PROCES-VERBAUX : LES
HOMMES

(Le calcul de fréquence est tout à fait indicatif)

Hommes	1770 Nombre de cas : 44		1796/1800 Nombre de cas : 108	
Vestes	34	(80 %)	41	**(37 %)**
Habits	26	(59 %)	20	(19 %)
Culottes	37	(84 %)	63	(59 %)
Pantalons	—	—	44 (+ 4)	(41 %)
Gilets	7	—	(81 (+ 11)	(75 %)
Redingotes, **manteaux**	4	—	11	(11 %)
Souliers	7	—	59 (1)	(52 %)
Bas	33	(75 %)	66	(61 %)
Chemises	18	(41 %)	96	(88 %)
Mouchoirs	23	(51 %)	12	(11 %)
Caleçons	—	—	9	**(% 8)**

Tableau 30

GARDE-ROBE D'APRES LES PROCES-VERBAUX : LES FEMMES

Femmes	1770 Nombre de cas : 88		1796/1800 Nombre de cas : 31	
Robes	9	(11 %)	2	(6 %)
Jupes et ou ju- pons	86 [36 (2) 17 (3)]	(98 %)	28 [14 (2)]	(93 %)
Casaquin	52	(60 %)	19	(61 %)
Camisoles dés- habillés	5	(3 %)	7	(22 %)
Mantelet	13	(12 %)	—	—
Manteau	3	—	—	—
Tablier	40	(45 %)	10	(30 %)
Poches	23	(26 %)	17	(55 %)
Souliers	2	—	12	(31 %)
Corset	17	(18 %)	14	(44 %)
Bas	57	(65 %)	24	(77 %)
Chemises	28	(34 %)	26	(80 %)
Mouchoirs	45	(51 %)	10	(31 %)

caleçons est inconnu — aucun en 1770, 9 de 1796 à 1800. L'essentiel est acquis, la précarité n'est pas loin pour beaucoup, les différences sont affirmées dans les apparences.

Pas de variété plus marquée dans les garde-robes féminines. Marie Auroux, femme d'un marchand de bois, a revêtu deux jupons, une chemise de toile de ménage, une palatine de gaze et des bas de fil blanc, elle a 24 ans quand on la relève rue Royale ; Marie Fournier, femme d'un porteur d'eau, a 60 ans, elle porte une chemise, deux jupons, un de serge l'autre de calemande et une vieille paire de poches, pas de bas [81]. Trente ans plus tard, Marie Gayon, employée des bains Poitevin, tombe à 20 ans dans la Seine, elle a sur elle un jupon de mauvaise indienne, un casaquin de toile à carreaux bleus [82] et blancs, une chemise de toile, des bas de laine noire. Pour la majorité l'habillement est uniformisé, les 4/5 portent jupons (ou jupes la distinction n'est pas aisée), casaquin et chemise, le corset indique des habitudes plus relevées chez les domestiques, les travailleuses de la mode, les épouses de bons artisans. Des camisoles, des déshabillés un peu relevés, quelques mantelets, peu de manteaux, mais en revanche des bas à tous les pieds, des tabliers à carreaux en bon nombre, et les paires de poches indispensables aux bonnes ménagères. Le soir du 30 mai 1770, quelques domestiques ou quelques ouvrières en linge, un petit nombre de veuves ou de bonnes marchandes seulement ont fait toilette ; Anne Josèphe Godeau, 24 ans, femme de chambre rue Royale avec sa robe d'étoffe des Indes ; Marguerite Simonet, 16 ans, ouvrière en linge avec son casaquin plissé de coton blanc, son petit corset de toile coton, ses deux jupons d'indienne et son manteau d'étoffe d'indienne ; Marie Cottier, 62 ans, veuve d'aubergiste, porte, elle, robe et jupons doublés de taffetas noir doré, chemise garnie de feston, bas de coton blanc, deux jupons de dessous en piqué et en indienne, un bonnet de dentelle et des jarretières de soie rouge et verte [83]. Chez les femmes du peuple venues voir tirer le feu d'artifice comme chez celles que les hasards de leur pauvre vie jettent à la rivière, tout parle du nécessaire, quelques traits du superflu, soierie, détails des accessoires, richesses des dessous. L'ensemble est conforme au niveau moyen des inventaires notariés. Couleurs et tissus enregistrent beaucoup plus clairement les modifications séculaires (tableaux 31 et 32).

La foule entassée place Louis-XV est bigarrée, les hommes portent des vestes noires, des habits gris, des culottes brunes et sombres, les femmes ont mis leurs jupes blanches, des casaquins blancs et rouges, des jupons bleus, des déshabillés d'indienne bleus et blancs, les motifs à raies et à carreaux dominent dans les toiles des tabliers ; de-ci, de-là, une pièce de couleur éclatante, jaune, orange, ou un tissu teint de couleur froide, vert, ou sombre, noire, brune, nuancent les valeurs du spectacle. Trente ans plus

Tableau 31

LES COULEURS DU VETEMENT D'APRES LES PROCES VERBAUX

	Hommes		Femmes	
	1770 100 = 92 mentions	1796-1800 100 = 355 mentions	1770 100 = 120 mentions	1796-1800 100 = 116 mentions
Gris	34 %	27 %	12,6 %	8 %
Noir	22 %	9 %	8,4 %	7 %
Brun et musc	7 %	7 %	4,2 %	6,5 %
Blanc	13 %	20 %	22,6 %	35 %
Vert	5,5 %	5 %	1,6 %	2 %
Jaune-	6 %	4 %	3,5 %	4,5 %
Orange-	} 18,5 %		} 29 %	
Olive		15 %	24,3 %	23 %
Bleu	7 %	13 %	18,4 %	14 %
Rouge-	5 %			
Rose				
	Motifs — 6	74	Motifs — 50	48
Rayé	2 %	55 %	19 %	26 %
Carreaux	1 %	4 %	15 %	7 %
Fleurs et ramages	3 %	5 %	13 %	9 %
Dessins-Pois	—	10 %	3	6
	Unis — 91 %	80 %	Unis — 63 %	75 %

Tableau 32

LES TISSUS DANS LES GARDE-ROBES D'APRES LES PROCES VERBAUX

	Hommes		Femmes	
	1700	1796-1800	1770	1796-1800
Laine : drap bouracan - camelot ratine - serge - tricot	66	148	33	17
Mélange de laine	1 — 62 %	16 — 48 %	15 — 14 %	8 — 18 %
Toile coton - cotonnade - indienne inde - cretonne - basin - siamoise - Nankin - Pékin - Velours de coton	13 — 12 %	91 — 24 %	184 — 54 %	71 — 50 %
Soie - satin damas taffetas	4 — 4 %	25 — 6 %	12 — 3,5 %	6 — 4 %
Toile chanvre lin - treillis - coutil - fil	20 — 18 %	73 — 20 %	87 — 25 %	40 — 28 %
Peau	4 — 4 %	5 — 1,5 %	—	—
Divers	—	1 — 0,5 %	10 — 3,5 %	—
Fréquence	108 — (100)	359 — (100)	341 — (100)	142 — (100)

tard, la Révolution stabilisée, la palette des couleurs masculines
explose sur les vêtements ordinaires ; la variété des étoffes, la
fantaisie des associations, la finesse de nuances extrêmes composent un ordre nouveau pour l'œil, le peuple laisse ses vestes grises
dans les armoires, il passe des habits lilas, enfile des gilets de
coton blanc à raies jaunes, met des culottes de drap vert bouteille,
s'encoquette de camisoles ou de carmagnoles roses mouchetées de
pois sombres, peaufine des ensembles recherchés : Michel Datte,
un imprimeur âgé, fait figure ancienne avec sa veste de camelot
couleur ardoise, et sa culotte de satin noir [84] ; Charles d'Aubigny
garçon limonadier de 25 ans repêché au port de la Grenouillère
avait le matin de sa disparition choisi une carmagnole de Nankin
rayé violette, sur un pantalon de même tissu, deux gilets l'un de
soie, rouge, l'autre de bazin piqué, aux pieds des bas bleus et des
souliers pointus [85], dont il ne reste qu'un. Bleu et blanc, rouge
et blanc, bleu et rouge, sont les couleurs les plus fréquemment
associées. Les femmes portent des jupons écarlates, des jupons
de toutes nuances, des corsages et des tabliers de motifs variés
et de tendres couleurs ; elles innovent moins que les hommes.
il y a là une libération double : par rapport au vieux dimorphisme
qui réservait aux femmes du peuple les plaisirs de l'œil et aux
hommes la majesté et l'uniformité des teintes obscures ; par rapport
au système social des apparences qui faisait de la couleur une
affirmation d'appartenance et de puissance affichée dans le spectacle de la rue et souligné par des détails excessifs. Avec une
simplification certaine des formes, les manières sensibles du grand
monde sont descendues dans les milieux populaires comme pour
un geste de défi aux difficultés et aux désespérances de l'heure [86].
  Mais ce comportement traduit deux choses encore : l'aboutissement de la révolution textile, les pratiques populaires du détournement matériel. Les matières de la nouvelle consommation l'emportent dans le vêtement des noyés de l'An VIII, les lainages
ont perdu leur écrasante majorité, les tissus légers, les indiennes
et les cotonnades meilleur marché l'emportent. Il n'est pas sûr
que le peuple soit mieux couvert, il est certain qu'il est désormais
contraint à un renouvellement plus rapide, il est poussé à consommer. En même temps il y a, à travers les pratiques des fripiers
et des revendeuses, adaptation des gestes réservés aux cercles raffinés de l'aristocratie et de la mode. Dans la grisaille de la vie
ordinaire, le vêtement permet des choix et des sensualités, ceux
des jeux de la lumière et de la couleur, ceux du divertissement
des perceptions — dont Rétif mesure le rôle dans la vie amoureuse — ceux des plaisirs tactiles qu'on peut éprouver à palper
des étoffes moins rêches et grossières, à mettre des habits plus
souples et moins lourds, ceux de l'amusement fantaisiste adoptant
un détail, distinguant un modèle. Accidentés et suicidés tombent

à l'eau avec leurs vêtements de tous les jours, façonnés à leurs
mesures par le travail, adaptés à leurs corps par l'habitude et
l'allure, composés avec un esprit d'utilisation empirique des détails
— les boutons [87] —, les pièces d'uniformes réutilisées — insou-
ciants aux modes des nouveaux privilégiés comme au bric-à-brac
patriotique et politique. Le peuple a modelé son vêtir comme il a
construit son espace.

Les couches populaires de Paris connaissent au XVIII⁰ siècle une
révolution vestimentaire, elles passent des temps du stable et du
solide, souvent transmis, à ceux du changeant et du renouvelé ;
elles enregistrent un changement de sensibilité. L'œil devient plus
aigu, le spectacle plus mobile, les impératifs des modes supérieures
se font parfois entendre. Les contrastes entre les hommes et les
femmes s'atténuent sans disparaître, mais le sens de la parure est
conquête de tous. Trouvera-t-on ce constat trop optimiste parce
qu'il laisse de côté les misérables et les paumés ? Peut-être, mais
de la lecture des procès-verbaux je tire une leçon double. D'abord,
ils parlent de la culture des pauvres donc d'une activité originale,
inutile d'imaginer en parcourant leur litanie monotone un peuple
couvert d'habits usés, tâchés, rapiécés. Certes cela existe : les
expressions comme « mauvaises », « vieux », et « vieilles »,
« usées », « déchirées », « rapiécées » sont employées 36 fois en
1770, 57 fois autour de 1798 ; les greffiers comptabilisent au
même moment plus de 550 et plus de 600 pièces vestimentaires.
Les haillonneux sont rares. En second lieu, il est plus important
de voir comment le peuple transige avec les conditions matérielles
qui lui sont faites que de l'imaginer misérable et indifférent à sa
mise. La culture de la pauvreté telle qu'elle se met en place à
l'aube de la Révolution est faite d'accommodements, elle interprète
une évolution générale, elle s'adapte à un certain rythme de
l'obsolescence des choses. Pour la première fois dans l'histoire
s'expérimente avec le vêtement populaire un système de consommation massive fondé sur le transitoire et faisant place au superflu.
Sur ces nouvelles frontières se fixent les oppositions sociales des
apparences.

Notes du chapitre VI

1. RÉTIF DE LA BRETONNE, *op. cit. (Les Nuits)*, pp. 2521-2522.
2. RÉTIF DE LA BRETONNE, *Les Contemporaines, op. cit.*, pp. 73-74
(Les Trois Belles Charcutières), le souci des apparences apparaît aussi
dans les *Parisiennes*, avec acuité comme un élément de la hiérarchie
sociale, par exemple dans les gravures.
3. R. COBB, *op. cit. (Death in Paris)*, pp. 22-23 et pp. 70-86. Toute
l'admiration que méritent les réflexions de l'auteur intuitif et génial
dans ses interprétations guidées par la meilleure connaissance du Paris
des Lumières n'empêche qu'on ne puisse réutiliser le dossier pour
étayer moins rapidement peut-être certaines affirmations. Contraire-

ment à R. Cobb, nous croyons à une histoire sociale où le chiffre ne déshumanise pas, mais avec lui nous voulons être fidèle au peuple.

4. Accroissement des fortunes, rappelons-le, est de 128 % pour le salariat ancillaire, 90 % pour les classes inférieures.

5. Rétif de la Bretonne, *op. cit.* (*Les Contemporaines*), (*La Petite Laitière*), p. 105 ; *Monsieur Nicolas*, t. III, pp. 293-294.

6. AN. Min. Cent. CXI. 36 L 4.XI.1784.

7. R. Cobb, *op. cit.* (*Death in Paris*), pp. 21-22.

8. A. Farge, *op. cit.* (*Le vol d'aliment*), pp. 142-170 ; G. Aubry, *La jurisprudence criminelle du Châtelet de Paris sous le règne de Louis XVI*, Paris, 1971.

9. G. Picq, M. Pradines, C. Ungerer, *op. cit.*, pp. 145-147.

10. R. Cobb, *op. cit.* (*Death in Paris*), pp. 70-73.

11. Massin, *Les cris de la ville*, Paris, 1978, pp. 52-57.

12. M. Pitsch, *Essai de catalogue sur l'iconographie de la vie populaire à Paris au XVIIIᵉ siècle*, Paris, 1952, pp. 97-110 et pp. 197-201, voir le n° 648 cabinet du dessin du Louvre et 690 au Louvre.

13. Massin, *op. cit.*, pp. 63-65, 67-69 ; 84-85 ; M. Pitsch, *op. cit.*, pp. 174-190.

14. S. Mercier, *op. cit.*, t. 10, p. 191.

15. F. Braudel et C. E. Labrousse, *Histoire économique et sociale de la France*, t. 2, 1660-1789 ; pp. 227-250 ; pp. 514-527 ; pp. 545-553.

16. S. Mercier, *op. cit.*, t. 10, pp. 191-192 (Diversités).

17. S. Mercier, *op. cit.*, t. 11, pp. 21-22.

18. F. Ardellier, *op. cit.*, pp. 81-83. Anne Geneviève Lou, cuisinière, fortune de 500 L : 3 robes et jupons, 2 camisoles et jupons, 1 caraco et jupon, un mantelet, deux tabliers, 11 autres jupons de toile blanche, basin, coton, 2 jupons de dessous, 6 paires de poches de basin, 3 coiffures de gaze, 6 coiffures de dentelle, 2 pièces d'estomac, 8 bonnets, 3 coiffes, 17 fichus, 3 paires de bas, 3 paires de manchettes, 34 chemises de toile, 6 camisoles de mousseline (pas de soulier indiqué) valeur *317 L* (60 % de la fortune d'une domestique, notons-le, célibataire).

Jacqueline Marie François, femme de chambre, fortune de 15 800 L : 11 robes et jupons, 2 robes et tabliers, 3 mantelets, 2 tabliers, 15 paires de poches, 7 jupons, 12 corsets dont 8 doublés, 4 pièces d'estomac, 4 coiffures façon Valencienne, 4 têtes de mousseline, 11 coiffes, 19 bonnets, 16 fichus de linon et mousseline, 5 paires de manchettes de mousseline, 4 paires de gants, 6 paires de mitaines coton, 1 paire de velours, 4 paires de chaussures de cuir, 1 paire d'étoffe, 18 chemises de mousseline, 10 culottes de toile, 2 camisoles, 3 cornettes, 12 paires de bas, 43 mouchoirs, valeur *316 L*, 2 %.

19. L.-S. Mercier, *op. cit.*, t. VI, pp. 100-111.

20. L.-S. Mercier, *op. cit.*, t. VIII, pp. 117-118.

21. L.-S. Mercier, *op. cit.*, t. 8, pp. 120-124.

22. J. Starobinski, *Jean-Jacques Rousseau, la transparence et l'obstacle*, Paris, 1957.

23. Rétif de la Bretonne, *op. cit.*, *Monsieur Nicolas*, pp. 33-34, 46, 80, 89.

24. Rétif de la Bretonne, *op. cit.*, *Les Nuits*, p. 1199 ; p. 2549.

25. *Ibid.*, pp. 2519-2520.

26. Contrairement à ce qu'affirme un peu vite R. Cobb, *op. cit.*, p. 25. (*Death in Paris.*)

27. S. Mercier, *op. cit.*, t. 1, p. 239.

28. Rétif de la Bretonne, *op. cit.* (*Les Nuits*), pp. 182-183.

29. Rétif de la Bretonne, *op. cit.*, (*Les Nuits*), p. 580, pp. 887-892, p. 1041.

30. *Ibid.*, *op. cit.* (*Les Contemporaines*), plus particulièrement, *Le Nouveau Pygmalion*, pp. 35-41 ; *La jolie fille de boutique*, pp. 147-148.

31. *Ibid.*, *op. cit.*, (*Les Nuits*), pp. 3135-3136 (*La couturière malpropre*) et *Les Parisiennes*, *op. cit.*, pp. 50-51.

32. C. RIMBAULT, *op. cit.*, pp. 82-84, voir par exemple A. de CORTIN, *Nouveau traité de civilité*, Paris, 1673 ; et J.-B. DE LA SALLE, *Les règles de la Bienséance et de la Civilité*, Paris, 1713.

33. RÉTIF DE LA BRETONNE, *op. cit.*, (*Les Parisiennes*), pp. 45-52.

34. RÉTIF DE LA BRETONNE, *op. cit.*, (*Les Nuits*), pp. 372-373.

35. L.-S. MERCIER, *op. cit.*, t. 5, pp. 102-103, et J.-A. PERREAU, *op. cit.* (*Instruction au peuple*), pp. 179-189, « Le peuple et le peuple le plus pauvre (il s'agit du paysan) n'a pas la facilité de changer de vêtement, mais il peut les tenir nets et sains en les lavant, en les exposant tantôt à l'air, tantôt au feu ; car ils sont de tissus de laine pour la plupart, et la laine qui n'est pas tenue proprement est très malsaine... »

36. AN Z¹H 620, 4 septembre 1763.

37. D. DIDEROT, *Le Neveu de Rameau*, éd. Paris, 1972, p. 91 et 178.

38. MARIVAUX, *Romans*, Biblio. de la Pléïade, Paris, 1949, « Le paysan parvenu », pp. 568-576.

39. RÉTIF DE LA BRETONNE, *Le paysan perverti ou les dangers de la ville*, La Haye-Paris, 1776, 4 vol., t. 1, pp. 30-60, pp. IV-V.

40. MARIVAUX, *op. cit.* (*La vie de Marianne*), pp. 94-109.

41. D. DIDEROT, *op. cit.*, p. 108.

42. RÉTIF DE LA BRETONNE, *op. cit.*, (*Les Nuits*), p. 580, p. 590, p. 645, pp. 781-783 (Chaussez les femmes comme un homme, ce charme n'existe plus... Lorsque ma petite Isabelle va être ma femme, elle sera coiffée, habillée, chaussée, le plus en femme possible... »), pp. 1041, p. 1113, 1165, 1171, 1179, 1217, 1271, 1431, 1472, 1512, 1595, 1719 (Aglaé avait un déshabillé blanc avec un bonnet rond qui la rendait charmante), p. 1836-1838, p. 1873, 1931 (vous vous êtes encore retroussée plus haut), p. 2150, 2171, 2218 (elle ajustait sa jarretière dans l'allée), 2284-2285, 2311-2360 (les Talons hauts), p. 2372, 2419 (le laquais téméraire), p. 2439, p. 2425 (les robes coupées), p. 2788, 2857, 2865, p. 2960, 3135. Dans M. Nicolas citons pp. 31-33, p. 75, p. 143 (Zéphire avait mis une petite robe de toile), pp. 144-145 (Loiseau sortit avec Manon...), pp. 159, 277, 288, 293, pp. 227-28, pp. 484-85, p. 502 (ce fut dans ce voluptueux costume que je la possédais...). Dans *Les Contemporaines*, citons encore les Trois belles charcutières, la Petite laitière et la Jolie fille de boutique.

43. RÉTIF DE LA BRETONNE, *op. cit.*, (*Les Contemporaines*), VI nouvelle.

44. *Ibid.*, *op. cit.* (*M. Nicolas*), t. 3, pp. 114-189.

45. Cité par G. LASCAULT, *op. cit.*, p. 36.

46. M. MORINEAU, *op. cit.*, pp. 203-215.

47. M. MORINEAU, *op. cit.*, p. 212.

48. VAUBAN, *La Dime Royale*, éd. COORNAERT, Paris, 1933, cité par M. MORINEAU, pp. 233-235.

49. M. MORINEAU, pp. 225-228 ; pp. 229-230 ; pp. 454-457.

50. Mémoire sur la Nécessité de diminuer les fêtes, sl, 1763. Budget du paysan salarié célibataire (nous avons réduit les chiffres à l'unité supérieure) : alimentation, 109 L, maison (logement, chauffage, éclairage, impôt, 12 L) 40 L, vêtements 27 L.

51. M. MORINEAU, *op. cit.*, p. 230 : alimentation 240 L, maison (impôt non compris) 104 L, vêtements 26 L.

52. M. MORINEAU, *op. cit.*, pp. 471-479. Dépenses pour l'atelier 593 L, maison 392 L, alimentation (calculée pour 4 personnes soit

le ménage d'artisan et deux ouvriers) 804 L, vêtements (calculé pour 2 personnes) 138 L (7 % du total de la recette familiale, 15 % des dépenses de la famille rapportées à deux personnes), 314 L de « super-

53. M. Morineau, *op. cit.*, pp. 456-457 ; M. Garden, *op. cit.*, pp. 232-353.

53. M. Morineau, *op. cit.*, pp. 456-457 ; M. Garden, *op. cit.*, pp. .

54. H. Vanier, *La vie populaire en France*, Paris, 1965, p. 188.

55. Rétif de la Bretonne, *op. cit.*, (*Les Nuits*), p. 163, le spectateur nocturne inventorie les baluchons de deux amants, l'un clerc, l'autre une orpheline : 6 chemises d'homme, des cols, des bas, 1 bonnet de coton, 2 culottes blanches dans l'un des paquets, et dans l'autre 6 chemises de femme, des bas, des bonnets, ronds et fort propres, quelques rubans, 2 tabliers de linon, 2 jupes de soie, 2 casaquins, 2 paires de poches...

56. *Ibid., op. cit.*, (*Les Nuits*), pp. 2284-2295, pp. 2310-2135.

57. Rétif de la Bretonne, *op. cit.*, (*Les Parisiennes*), p. 163.

58. Vadé, *La Pipe cassée*, *op. cit.*, pp. 30-34, Taconnet, *Parade et Héroïde poissardes*, Paris, 1759, pp. 21-22.

59. Rétif de la Bretonne, *op. cit.* (*M. Nicolas*), t. 4, p. 411 ; (*Les Nuits*), p. 1179 : « Ton mari est malade, quand tu auras vendu tous ses habits où vous présenterez-vous ?... »

60. *Ibid., op. cit.*, (*Les Nuits*), p. 2485-2486.

61. A. Farge, *op. cit.* (*Le Vol d'aliment*), p. 114 (310 crimes contre les personnes, 10 % ; 2168 vols dont 87 vols d'aliment).

62. C. Aubry, *La jurisprudence criminelle du Châtelet de Paris sous le règne de Louis XVI*, Paris, 1971, pp. 106-110.

63. Rétif de la Bretonne, *op. cit.*, (*Les Nuits*), pp. 645-646 et p. 1059-1060.

64. D. Dutruel, *Les revendeuses à Paris dans la seconde moitié du XVIIIe siècle*, Mémoire de maîtrise, Paris-I, 1975, pp. 184-196 et pp. 198-209.

65. D. Dutruel, *op. cit.*, pp. 19-76.

66. AD Seine (A de Paris), D 4 B 6, 49, 2957, 4 octobre 1773.

67. Dans les cris de Paris et l'iconographie parisienne, les images se répartissent ainsi :

La ville (loisir, circulation, culture et activités non spécifiées)	376	56 %	
La maison ameublement, construction, ramoneurs, porteur d'eau	75	11 %	26 %
Alimentation	145	23 %	50 %
Mode et vêtements	70	10 %	24 %

68. L.-S. Mercier, *op. cit.*, t. I, pp. 208-210 (*Marchés*) ; t. II, pp. 253-255 (*Piliers des Halles*) ; t. III, pp. 180-181 (*Revendeuses*).

69. Des Essarts, *op. cit.*, art fripier. Au total c'est sans doute plus de 4 000 revendeurs et revendeuses qui travaillent pour le marché de l'occasion, le registre de police — le seul conservé — Y 9508 pour 1767-1769 en dénombre plus d'un millier, 1129 femmes et 240 hommes, cf. D. Dutruel, *op. cit.*, pp. 37-39.

70. AN, Y 9769 et Y 15707, je tiens à remercier très vivement Arlette Farge qui m'a communiqué références et pièces du dossier.

71. AD, Seine (Archives de Paris), D 4 VI 7, nous n'avons traité que 184 des procès verbaux contenus dans ce dossier, au total 404, ceux de l'An IV à l'an VIII ; et ceux qui concernent les accidentés de la rivière ; pour la présentation du document et une approche sociale et culturelle, cf. R. Cobb, *op. cit.* (1979).

72. S. Kaplan, *La Bagarre*, La Haye, 1979.

73. R. Cobb, *op. cit.*, pp. 32-41 (*Le juge de paix et l'historien*).
74. Ages calculés en 1770 et 1796-1800 comparés à la pyramide des âges français en 1801, in J. Dupaquier, M. Reinhard, J. Armengaud, *Histoire Générale de la Population Mondiale*, Paris, 19, p. 258.

	1770	1796-1800	1801
0- 9 ans	7,5 %	4,5 %	21,9 %
10-19 ans	17 %	10 %	18,4 %
20-39 ans	24,7 %	43,5 %	30,4 %
40-49 ans	13,8 %	17 %	11,6 %
50 ans et au-dessus	39 %	25 %	17,7 %
	100 (118)	100 (168)	100 (25 M.)

75. Cf. A. Daumard et F. Furet, *op. cit.*

	1770	1796-1800	Paris 1750
I Négociants Officiers	6,4 %	11 %	11 %
II Artisans-Boutiquiers	30 %	28 %	27 %
III Peuple	63,6 %	61 %	62 %

76. AN, Y 9769.
77. M. Grimm, *Correspondance Littéraire*, t. V, p. 21, 1er juillet 1770. (Legros si connu dans toute l'Europe pour coiffer toutes les dames.)
78. AN, Y 9769.
79. AN, Y 9769.
80. AD, Seine, D 4 V 17, An VII, 13 Florial. (Jean Cléry a 40 ans, il est repêché au Pont de la Révolution, Pont Royal).
81. AN, Y 9769.
82. AD, Seine, D 4 V 17, An V, 24 Messidor (Marie Gayon a 21 ans, elle est tombée accidentellement en passant d'un bateau à l'autre).
83. AN, Y 9769.
84. AD, Seine, D 4 V 17, An VI, 8 Brumaire.
85. AD, Seine, D 4 V 17, An V, 19 Messidor.
86. R. Cobb, *op. cit.*, (*Death in Paris*), pp. 76-77.
87. *Ibid.*, pp. 78-79.

TROISIEME PARTIE

LES SAVOIRS DU PEUPLE

« *La véritable grandeur est libre,
douce, populaire...* »

La Bruyère.

Chapitre VII

Les façons de lire

« Mais elle ne lit pas cette populace, elle ne lira jamais tant qu'elle sera populace... »

RÉTIF DE LA BRETONNE.

Dès le XVII⁰ siècle, le monde urbain est un univers culturel privilégié, et dans la constellation des villes françaises, la capitale bénéficie d'une avance incontestable. Le Paris culturel, élaboré à l'ombre de l'Etat monarchique, bénéficie d'un réseau d'équipements et d'institutions qui lui permettent de conserver le XVIII⁰ siècle durant sa progression et de consolider ses avantages : premier centre de production du livre, métropole indiscutée du mouvement académique et de ses extensions provinciales, carrefour de la novation savante, philosophique et littéraire, et en même temps chef-lieu de la réflexion théologique et de la tradition universitaire. Le paysage est trop connu pour qu'il soit nécessaire d'insister mais il n'en demeure pas moins que l'effort acculturant qui vise au premier chef les élites sociales ne peut manquer d'avoir ses retombées sur le peuple. Paris offre sans doute plus qu'aucune autre ville du royaume des occasions de culture ; parce qu'elle produit et transmet, livres, journaux, images, parce qu'elle retient et attire les écrivains et les écrivants, parce que sous toutes ses formes l'écrit y circule, la capitale construit une culture spécifique où les gestes et les comportements se modèlent sur des savoirs nouveaux, où les occasions de rencontres et de communications confèrent même aux plus démunis et aux analphabètes une espérance et une possibilité d'acquisition culturelles originales. Le nouveau venu, migrant temporaire ou définitif, y perçoit plus qu'un simple air de ville, tel le villageois déplacé pour quelques heures au chef-lieu de son canton, il accède à une vie de relation toute nouvelle et toute différente, il peut devenir autre. Deux voies s'ouvrent pour retrouver cette fabrication d'un être populaire nouveau : celle des gestes et des habitudes culturels qui puisent leur sens à la fréquentation de l'écrit imprimé ou manuscrit, à l'usage des objets quotidiens qui sont signes d'une expression individuelle ; celle des manières de vivre et des pratiques de loisir où se dévoilent une sociabilité spécifique que les observateurs ne comprennent pas toujours.

Parler des lectures du peuple parisien, c'est retrouver immédiatement une image qui pose un problème ; celle d'un essor qu'on a pris l'habitude d'associer au mouvement entier du Siècle des Lumières. Ecoutons une fois encore Sébastien Mercier, dans ses *Tableaux de Paris* lorsqu'il évoque vendeurs et amateurs de livres : « On lit certainement dix fois plus à Paris qu'on ne lisait il y a cent ans ; si l'on considère cette multitude de petits libraires semés dans tous les lieux, qui, retranchés dans des échoppes au coin des rues et quelquefois en plein vent, revendent des livres vieux ou quelques brochures nouvelles qui se succèdent sans interruption... (On voit des groupes de lecteurs) qui restent comme aimantés autour du comptoir ; ils incommodent le marchand qui pour les faire tenir debout a ôté tous ses sièges ; mais ils n'en restent pas moins des heures entières appuyés sur des livres, occupés à parcourir des brochures et à prononcer d'avance sur leur mérite et leur destinée... [1]. » Un texte aussi remarquable par sa précision pittoresque souffre bien sûr des interprétations multiples. Aux yeux du témoin avisé s'impose d'abord la pensée d'un progrès du livre, mais cette première impression est renforcée encore par l'idée qu'il existe dans la capitale durant les années précédant la Révolution un milieu élargi de lecteurs avisés, actifs, avides, mus par un vif appétit de savoir, prompts à juger et même à débattre ; bref, une opinion qu'alimentent des écrits de tous genres semble réellement exister. Enfin, Mercier conte les avatars de la stratégie boutiquière pour faire face à la montée de la clientèle où se manifeste une sociabilité spontanée dans l'espace de la librairie, autour des éventaires de livres, pour la conquête des piles de bouquins et des papiers publics, dans un remue-ménage de sièges confisqués et de débats esquissés, dans l'éclat d'une brève controverse et le tohu-bohu de la poussée des lecteurs de plus en plus nombreux, de plus en plus exigeants, de plus en plus assurés dans leurs idées et leurs jugements. Donc les Parisiens lisent et relisent, mais quels Parisiens et quels livres ? L'accès à la lecture est sans conteste le résultat d'une accumulation de privilèges culturels dont nombre d'études récentes ont prouvé le caractère à la fois sélectif et ouvert ; il caractérise les groupes sociaux urbains au même titre que les indices de fortune ou les étiquettes de prestige. Lire est un avantage d'autant plus efficace que la société française tout entière baigne dans l'oralité des cultures paysannes et que, pour un grand nombre des Parisiens du peuple, les premières années, décisives, celles où l'on apprend à voir et à faire, ont été passées dans un climat rural où dominent les modes de communication visuelle et gestuelle. C'est pourquoi il importe de préciser comment, dans une société où règne l'écrit, les classes populaires, même si elles ne peuvent le posséder entièrement, sont profondément transformées dans leur mentalité et leur perception ordinaires.

Qui peut lire dans le peuple ? Comme ailleurs, on doit utiliser le test de la signature qui, demandée à l'occasion d'un acte officiel — contrat de mariage, testament, témoignages en justice, interrogatoire, assistance à un inventaire après décès — permet de tracer les frontières de la diffusion de l'écriture élémentaire [2]. Dans la ville du XVIIIe siècle la corrélation entre capacité à signer et alphabétisation complète est hautement probable bien qu'elle ne soit pas totalement prouvée et qu'une ambiguïté fondamentale entache l'interprétation des comptages de signatures qui ne permettent pas de distinguer les différents types du rapport à l'écriture. La lecture remet moins en cause la relation aux normes sociales et religieuses que la maîtrise de l'écrit qui permet évasion et libération à l'égard des contraintes traditionnelles [3] : alphabétisation active et alphabétisation passive sont impossibles à distinguer dans l'aptitude à signer. Enfin, il ne faut pas oublier la signification psychologique qui valorise fortement le geste de la signature comme une affirmation sociale d'identité.

Dans l'état actuel des recherches, l'étude de l'instruction élémentaire à Paris est à peine esquissée, on ne peut travailler que sur des données fragmentaires et hétérogènes. Deux caractères apparaissent toutefois assez clairement : globalement, l'alphabétisation parisienne est une donnée ancienne, de plus elle progresse au XVIIIe siècle selon des modalités difficiles, faute d'enquête, à préciser. Dès la fin du XVIIe siècle, les scores obtenus à Paris sont très supérieurs aux moyennes nationales : 85 % des hommes et 60 % des femmes sont capables de signer leur testament ; à la veille de la Révolution les hommes signent à plus de 90 %, et les femmes atteignent 80 %. On objectera que l'acte testamentaire est socialement très sélectif donc favorable aux classes possédantes et aux groupes cultivés ; en fait, un Parisien sur dix teste sous le règne de Louis XVI, quinze sur cent à l'époque de Louis XVI. De plus, les résultats observés dans les quartiers à forte implantation populaire ne diffèrent pas des bons succès généraux : dans le quartier Montmartre où les testateurs populaires atteignent 40 %, plus de 77 % des hommes et 64 % des femmes signent vers 1700, dans la paroisse Saint-Nicolas-des-Champs où le peuple passe devant notaire un bon tiers des testaments, c'est au même moment encore plus de 90 % et de 70 %. Entre 1750 et 1790, dans la paroisse Saint-Paul, la moyenne des alphabétisés est de 87 %, rue Saint-Honoré — où un tiers de l'échantillon des testa-

teurs est du petit peuple — elle est de 93 %. Bref, le Paris des
testateurs est très profondément acculturé. Il n'en demeure pas
moins que l'acte testamentaire ratifie sans doute les privilèges
culturels des natifs et que l'inégale distribution sociale de l'alphabétisation ne peut pas y apparaître très clairement même s'il est
logique de penser que l'analphabétisme résiste plus longtemps aux
hautes pressions acculturantes ambiantes dans les situations infé-
reures de l'échelle sociale. L'inventaire après décès permet de
mieux apprécier l'état réel de l'instruction populaire.

Vers 1700, dans la domesticité, 85 % des hommes et des femmes
qui survivent à leur conjoint signent l'acte notarial, les femmes
un peu moins que les hommes, les domestiques qui occupent une
fonction de responsabilité toujours plus que les autres ; vers
1789, c'est 98 % des survivants qui sont capables de signer. Si
l'on met en cause les témoins présents dont la situation sociale est
équivalente — domestiques ou représentants des couches inférieures —, les proportions s'abaissent de huit et de cinq points
aux mêmes dates [5]. Aucun doute, la domesticité parisienne jouit
très tôt d'une instruction élémentaire remarquable et sa familiarité
avec l'écrit s'améliore au fil des ans. On le constate d'abord par
le souci de conserver pièces notariales, actes divers, voire papiers
et correspondances. Plus de la moitié des domestiques mariés
gardent chez eux copie de leur contrat de mariage, dans le quart
des inventaires on trouve mention de testament et les deux tiers
signalent billets reconnaissances de dettes, registres ou carnets de
comptes. Chez certains le sens de la continuité familiale ou la
prudence juridique constituent des ensembles d'actes cohérents
sur deux générations ; Alexis Thorin chef de cuisine du baron de
Breteuil a quatre inventaires, deux testaments, deux contrats de
mariage intéressant sa parenté. La présence des papiers double en
un siècle pour les domestiques les moins favorisés par la fortune.
Tous les indices d'un commerce habituel avec écritures et calculs
sont rassemblés ; des écritoires, des cachets de bureau, des plumes,
des cornets à sable apparaissent dans les cas privilégiés, un tiers
environ des serviteurs possède des bureaux, des secrétaires, des
nécessaires à écrire, des pupitres. Savoir lire et rédiger est dès le
xviie siècle un facteur décisif pour l'intégration professionnelle
et sociale ; pour Audiger dans sa *Maison réglée* [6], pour l'abbé
Claude Fleury dans ses *Devoirs des maîtres et des domestiques* [7]
point de doute, les domestiques, les hommes surtout, doivent
savoir lire, écrire, compter, c'est une question d'efficacité et de
bon fonctionnement de la famille aristocratique et c'est pourquoi
la question ne se pose même pas pour les femmes [8] dont le devoir
principal est « d'être sages et honnêtes [9] ».

Un siècle plus tard, Madame de Genlis écrivant le *La Bruyère
des domestiques* et Jean-Charles Bailleul réfléchissant aux *Moyens*

de former un bon domestique [10], soulignent encore cet avantage. « Cela seul souvent procure de bonne place », pense la première optimiste et libérale ; « mais celui qui quelquefois a le plus à redouter les premiers éléments de l'éducation est le domestique lui-même : parce qu'il sait faire des lettres et poser des chiffres il imagine être un habile homme et pense qu'il est au-dessus de sa condition », raisonne le second qui a bien perçu les conséquences sociales de l'instruction ancillaire et s'en émeut. C'est pourquoi s'il faut avoir des domestiques instruits pour être mieux servi, on s'efforcera toujours de les maintenir à leur place, on leur rappellera « qu'ils sont des ignorants [11] ». Toutefois, les observateurs s'accordent pour noter que la domesticité parisienne lit plus que la moyenne, les voyageurs aperçoivent des cochers de maîtres qui lisent sur leur siège, des laquais qui dévorent des brochures derrière les voitures [12], Sébastien Mercier voit des valets liseurs partout et tire du fait un acte de foi positif dans les vertus éclairantes du livre : « Aujourd'hui, vous voyez une soubrette dans son entresol, un laquais dans une antichambre lisant une brochure. On lit dans presque toutes les classes de la société, tant mieux. Il faut lire encore davantage. La Nation qui lit, porte en son sein une force heureuse et particulière qui peut braver ou désoler le despotisme... [13]. » Monsieur Lebrun, éditeur du *Journal de la mode et du goût,* répond à ses abonnés qui se plaignent de ne pas recevoir les livraisons de son périodique : « Cet avis — la suspension des envois — sera exécuté avec une extrême rigueur, parce qu'il n'est pas juste que, si les domestiques s'emparent des cahiers, nous les fournissions deux fois aux maîtres [14]. » La remarque est intéressante qui signale une circulation intérieure des papiers publics de l'antichambre à l'office. Mais les remarques des observateurs et la leçon des inventaires risquent de pêcher par excès d'optimisme, la pratique des signatures dans les interrogatoires des prévenus du Châtelet donne d'autres indications [15]. D'une part la moyenne générale des signants, hommes et femmes confondus, tombe à près de 50 %, calculée pour les vingt dernières années de l'Ancien Régime ; d'autre part, le dimorphisme sexuel nettement atténué dans les actes notariaux réapparaît dans toute sa force : 62 % des hommes signent leur procédure, mais à peine 16 % des femmes. L'avance parisienne des domestiques mâles se confirme, elle n'est d'ailleurs pas caractéristique car on la retrouve chez tous les accusés interrogés par les juges criminels [16]. En revanche, la domestique ordinaire qui occupe les situations les plus précaires et que la malchance et la dureté des temps conduisent devant le tribunal, reste bien plus ignorante que l'ensemble des autres prévenues : 16 % et 33 %. On perçoit là le résultat d'une acculturation régionale avancée pour les hommes et où les femmes sont à tout coup perdantes [17], la domesticité parisienne qui se nourrit chaque jour de la migration rurale exagère un contraste général à la ville comme à la campagne, soulignant une fois encore la différence de qualification professionnelle. Au total, à niveau de fortune comparable, la signature est incontestablement apanage des domestiques intégrés par le travail, le mariage et la réussite, l'âge pouvant faciliter l'acquisition d'une instruction élémentaire au cours du service et exclusivement pour les hommes [18], les femmes restant presque toujours « aussi ignorantes qu'au moment de leur arrivée à Paris ». Entre l'image sombre et désespérée révélée par les interrogatoires de justice et le tableau somme toute assez brillant livré par les actes notariés l'ambiguïté culturelle de la domesticité apparaît en clair. L'exigence des maîtres peut pousser à l'alphabétisation pour un meilleur service : c'est le cas, dès le xviie siècle des fonctions supérieures et c'est l'affaire des hommes ; la crainte ou la passivité des employeurs peut freiner ou décourager le progrès de l'instruction élémentaire : c'est l'affaire du personnel non spécialisé et surtout des femmes. Ainsi, par rapport au peuple des campagnes, les domestiques ne sont gagnants que s'ils sont héritiers, et, par rapport aux classes populaires urbaines ils ne peuvent se distinguer que par leurs aptitudes et leurs volontés individuelles et progresser que s'ils entrent chez des employeurs éclairés. « Tels valets, tels maîtres ».

Dans le salariat parisien, la capacité à signer est bien moins évidente que dans le monde des domestiques : Louis XIV régnant 61 % des salariés signent l'inventaire après décès de leur épouse mais seulement 34 % des femmes peuvent faire la même chose ; au temps de Louis XVI, ce clivage culturel s'atténue fortement : 66 % des hommes et 62 % des épouses sont capables de signer ; le rattrapage féminin est assez spectaculaire et la diminution de l'écart entre les sexes suggérée par les inventaires traduit la multiplication des filières éducatives en ville et dans l'aire culturelle et démographique de la capitale. Vers 1750, les deux tiers des hommes des classes inférieures signent, mais à peine la moitié des femmes [19], une mutation décisive s'est produite dont l'explication est rendue délicate par le rôle du brassage et de l'émigration. Dans le faubourg Saint-Marcel, l'étude de 15 000 signatures, dont 67 % de nouveaux Parisiens, dont plus des deux tiers intéressent des catégories populaires, confirme ce bilan positif : en 1792, 68 % des habitants du faubourg savent lire et écrire [20]. D'autres quartiers offrent un paysage culturel analogue, dans le Marais où les trois mille cartes de sûreté analysées sont signées à 90 %, dans les familles populaires de la rue Saint-Denis où 86 % des hommes et 73 % des femmes paraphent leur contrat de mariage [21] ; dans les deux situations, Parisiens et migrants ne sont séparés que par des écarts assez faibles, 8 points chez les sectionnaires de la place des Fédérés, 4 chez les jeunes mariés de l'axe

Nord-Sud ; toutefois les Parisiennes sont alphabétisées à 84 %, les provinciales seulement à 62 %. Dans tous les cas, l'âge n'intervient pas pour modifier ces données, les taux d'alphabétisation sont sensiblement les mêmes chez les compagnons et leur fiancée vers 25-30 ans que dans les inventaires vers 40-45 ans ; les sectionnaires de 20 ans sont aussi nombreux à signer leur carte que ceux de 30, c'est vers la cinquantaine seulement qu'ils s'avèrent moins instruits [22]. De la même façon, les nuances apportées par les niveaux de fortune sont moins pesantes que ce que l'on a pu constater dans d'autres sites urbains, à Lyon par exemple, mais les résultats ne sont toutefois pas aussi probants que ceux obtenus à partir de l'étude des contrats de mariage. Deux frontières qui, quelquefois se recoupent, apparaissent bien marquées : la non-qualification professionnelle et l'échec social.

Le rapport entre l'alphabétisation et le métier se révèle décisif. Dans le faubourg Saint-Marcel les pourcentages d'illettrés sont les plus importants dans les secteurs d'activité n'exigeant pas une spécialisation très poussée et où l'embauche d'une masse croissante de travailleurs peut s'alimenter dans le flux incessant des nouveaux venus ; gagne-deniers, manouvriers, portefaix, déchargeurs des ports, maçons, ouvriers du bâtiment, charretiers, cochers, salariés des transports font tous des scores inférieurs à la moyenne : 57 % d'illettrés dans les métiers non spécialisés, 46 % dans la construction, 52 % chez les transporteurs et les voituriers. En revanche, le taux d'alphabétisation dépasse la moyenne dans tous les secteurs de l'artisanat où compagnons et garçons ont acquis en même temps habileté professionnelle et niveau culturel très proche de celui des maîtres artisans ; les ouvriers de la manufacture des Gobelins font figure de lettrés dans le monde des travailleurs faubouriens avec 87 % d'alphabétisés. Ces chiffres qui ne concernent que la population ouvrière masculine se retrouvent dans la section des Fédérés, tous les métiers où le rapport à une clientèle et les nécessités professionnelles exigent la tenue de comptes, un minimum de correspondance, bref la maîtrise élémentaire de l'écriture arrivent en tête : alimentation, habillement, arts de précision, métiers du meuble et du bois. Toutes les tâches non spécialisées et les petits métiers de la rue s'accommodent de forts pourcentages d'illettrés. Le contraste se retrouve dans les signatures d'inventaire : les salariés des corporations signent dès 1700 pour les trois quarts et leurs épouses pour la moitié ; autour de 1780, ils signent respectivement à 80 et 65 % ; les manouvriers, gagne-deniers, tous les salariés libres paraphent leurs inventaires pour moitié à l'époque de Louis XIV et leurs épouses pour moins du quart ; au temps de Louis XVI, ils ne signent pas encore pour les deux tiers mais les femmes les ont rattrapés. L'homogénéisation culturelle des deux sexes est favorisée par l'ambiance parisienne mais elle n'existerait pas si l'acculturation des régions de départ n'était pas fortement avancée. Dans les faubourgs populaires, comme dans les quartiers du centre, les illettrés viennent de plus loin que les alphabétisés et ils peuplent les métiers de force et les professions non gratifiantes, savoyards, limougeots, cantalous, auvergnats sont les moins cultivés comme ils sont les moins séduits par l'installation définitive dans la capitale. Dans la section Bonne Nouvelle, on enregistre 500 maçons, pour les trois quarts ils viennent du Limousin et parlent ce patois dont se moque Rétif : « Aucun ne me parut avoir l'accent du parisii, tout était étranger, ils chantaient, ils rugissaient, ils hurlaient... », plus de la moitié d'entre eux sont illettrés. Ce sont là les « gros ouvriers » dont on parle avec crainte [23].

C'est dans les sources de la criminalité que l'on voit apparaître un monde salarial analphabète et qu'on a la possibilité de mesurer l'influence de la misère et de l'insuccès : les trois quarts des voleurs d'aliments, hommes et femmes, déclarent « ne savoir signer ni écrire » et les signatures relevées ne prouvent pas une grande habitude de l'écriture [24] dans les milieux de la petite criminalité aux bords de l'eau vers 1730, 60 % des délinquants sont totalement incultes, et, vers 1785, c'est toujours moins de 40 % qui déclarent savoir signer leur interrogatoire ; les gagne-deniers, les charretiers, les porteurs et les ouvriers sans qualification constituent entre la moitié et les deux tiers de cette population instable dont les caractéristiques culturelles changent peu avec le siècle et où les femmes sont peu représentées (8 % vers 1730, 7 % vers 1785). La délinquance féminine est comme partout plus faible mais l'analphabétisme féminin est comme ailleurs plus fort : les 4/5e des petites délinquantes ne savent pas signer [25]. De la même façon, les dossiers des femmes arrêtées sur les routes de l'Ile-de-France par les cavaliers de la Maréchaussée et dont la plupart sont des provinciales en quête de travail tant à Paris que dans les bourgs et les petites villes de la banlieue, révèlent un analphabétisme majoritaire : 7 % des prévenues seulement sont capables de signer leur déposition [26]. Le dénuement matériel et la misère intellectuelle caractérisent la piétaille de la délinquance recrutée dans sa plus grande partie parmi les migrants récents et sans attaches mais c'est presqu'un trait exceptionnel dans une population féminine et masculine massivement alphabétisée. Le peuple de Paris sait lire, écrire, compter, on conçoit que Rétif s'en inquiète car si la populace se familiarise avec la lecture et l'écriture, tout n'est-il pas à redouter [27], plus encore en ce qui concerne les femmes. Sa misogynie éclate dans les *Gymnographes* où il définit « les devoirs des femmes dans chaque classe de citoyens », les filles du peuple ne devront être occupées qu'au travail, « l'écriture et même la lecture ne pouvant leur être que préjudiciable [28] », on notera le souci de défendre jusqu'au bout les rôles traditionnels de la femme, bonne fille, bonne épouse, bonne mère, qui veulent que les cuisinières qui ne savent pas lire fassent la meilleure soupe [29].

Les diatribes rétiviennes font contraste avec la réalité de la capitale et de sa région fortement acculturées après un siècle et demi d'alphabétisation dictée par la réformation catholique. Entre le midi du XVIIe siècle et la fin du XVIIIe, les institutions scolaires se sont multipliées à Paris, quatre types y assurent une scolarisation quasi complète pour les garçons, et en forte progression pour les filles [30]. Les chantreries des paroisses ou des hôpitaux — ainsi Bicêtre où Rétif retrouve son frère qui y enseigne, où il dévore la trentaine de livres rassemblés par le janséniste Fuzier [31] — accueillent surtout les petits gamins qui chantent aux offices et y apprennent les rudiments jusqu'à ce que leur voix mue et les oblige à quitter la manécanterie. Les petites écoles qui sont dès 1672 organisées dans les quarante-trois paroisses en cent soixante-dix unités, disposent d'un maître et d'une maîtresse qui reçoivent garçons et filles distinctement, contre un droit d'écolage, et que complètent au XVIIIe siècle les écoles gratuites de charité fondées par les compagnies paroissiales et le clergé, ainsi à Saint-Sulpice qui attire les frères des écoles chrétiennes où dans le faubourg Saint-Antoine les établissements (presqu'une vingtaine) fondés par les frères Tabourin [32]. Si l'on y ajoute les pensions autorisées tenues par des laïcs, les classes ouvertes temporairement ou en permanence par des congrégations religieuses masculines mais surtout féminines, les œuvres pour l'éducation des savoyards et des jeunes provinciaux, ainsi l'établissement de l'abbé de Pontbriand, les hôpitaux qui instruisent les jeunes orphelins, c'est près de cinq cents établissements d'instruction élémentaire qui dépendent de l'Eglise et sont accessibles plus ou moins gratuitement aux enfants des milieux modestes avant 1789 [33].

Il faut encore ajouter à cela les cent soixante-quatorze maîtres écrivains jurés et arithméticiens qui, à leur fonction d'experts en écriture commerciale et comptable ajoutent un enseignement suivi de l'écriture et du calcul, défendu contre les prétentions des maîtres des petites écoles. Dans l'*Encyclopédie,* le maître écrivain Paillasson écrira l'éloge de son corps, détenteur des bons principes de l'écriture et dispensateur des techniques élémentaires du commerce, donc indispensable autant à l'économie qu'à la culture de la capitale [34]. Enfin, le chantre de Notre-Dame et les autorités épiscopales comme la corporation des maîtres écrivains doivent tenir compte de la concurrence des instituteurs clandestins, les maîtres buissonniers, qui tiennent classes ouvertes malgré les interdits : entre 1770 et 1790, ils sont 116, 74 femmes et 42 hommes, à avoir été poursuivis [35]. Par rapport à la province rurale et urbaine, et en dépit des inégalités qui subsistent, pour les femmes, pour les derniers arrivés, la scolarisation du peuple parisien n'est pas loin d'être réalisée à cent pour cent. Pour un natif de la ville, les chances d'accéder peu ou prou à l'usage de l'écrit sont fortes, même si l'éducation vise à faire de bons chrétiens et à discipliner les enfants [36].

Tout prouve cette familiarité. Dans les inventaires salariaux, les papiers apparaissent fréquemment, plus de la moitié, c'est un peu moins que dans la domesticité, c'est toutefois suffisant pour montrer la généralisation des habitudes acquises. Il faut songer ici à l'importance du geste épistolaire qui n'est en aucune façon réservé à l'élite sociale ; simplement on a conservé les produits raffinés de l'art épistolaire issus des classes dominantes, on a guère retrouvé — et cherché — les humbles lettres mal rédigées et mal orthographiées échangées par les hommes et par les femmes de peu. Cependant, la correspondance privée et confidentielle existe dans les classes populaires ; le fonctionnement régulier des messageries, la création de la petite Poste qui distribue le courrier à l'intérieur de Paris l'ont sans doute beaucoup encouragée. Trois situations appellent plus particulièrement le message écrit populaire : la relation amoureuse, l'échange familial, le commerce du travail.

Monsieur Nicolas, Les Nuits, Les Contemporaines révèlent par de nombreuses remarques indirectes la fréquence du geste épistolaire sentimental, voire érotique : la jolie femme de chambre de Madame Knappen échange des billets bien tournés et quelque peu lestes avec les compagnons de l'atelier où travaille Rétif, Monsieur Nicolas dépose ses messages séducteurs dans les boutiques de la rue de Grenelle où les filles de mode se les lisent à haute voix, c'est faire l'amour par lettres [37]. Dans un paquet abandonné rue Transnonain par la fille d'une bouchère, le Spectateur nocturne découvre les cahiers où elle tenait copie des lettres « qu'elle écrivait à l'homme qu'elle aimait et les réponses de l'amant... [38] ». Agnès Lebègue, l'épouse de Rétif, « galantise au sein de la misère », entendons qu'elle passait ses journées à rédiger une correspondance amoureuse dont la découverte suggère à l'écrivain la publication de *La Femme infidèle* [39].

La forme épistolaire qu'affectionne le romancier tient moins sans doute à une recherche romanesque et à la mode du roman par lettres qu'à une exigence de sa nature conforme ici à des pratiques collectives ordinaires. Comme chez d'autres auteurs, les lettres romancées sont toujours présentées comme authentiques mais plus que chez les autres dans les romans rétiviens elles s'imposent comme un geste dicté par des habitudes de sensibilité qui sont celles de tout un monde. La fiction vibre ici au rythme de la réalité : *Monsieur Nicolas* montre l'importance des lettres échan-

gées entre ceux qui sont partis et ceux qui sont restés [40]. Il serait
illusoire de croire que la migration rompt tous les liens entre
les migrants et leur famille ; bien sûr il y a ceux qui veulent
couper les ponts, mais pour les autres il y a toujours moyen
d'écrire ou de faire écrire, les écrivains publics sont là pour cela,
et les amis aussi, sans oublier les nouvelles qu'on peut transmettre
de vive voix et que les compatriotes apportent à la descente du
coche d'eau ou de la diligence. Mais pour beaucoup lire et écrire
des lettres, donner de ses nouvelles et en recevoir n'est pas
extraordinaire. Jacques Menétra, compagnon vitrier, lors de son
Tour de France, reste ainsi au contact de sa famille, de chaque ville
où il séjourne un peu longuement il envoie de ses nouvelles, et de
Paris lui reviennent des affections et quelquefois un peu d'argent.
L'instruction élémentaire est un atout considérable pour le travail
et pour l'embauche, c'est un écrivant qu'on apprend où se trouvent
les bonnes places, c'est par la poste qu'on reçoit l'argent nécessaire au voyage, c'est par lettre qu'on règle les conditions d'emploi.
Menétra est capable de faire les affaires des veuves qui le sala-
rient, il écrit leurs lettres, et quand un conflit éclate, sa capacité le
désigne pour faire les règlements [41]. Une part du prestige du compagnon parisien repose, pour ses employeurs comme pour ses camarades, sur une petite fortune culturelle. Si le *Paysan Perverti*
et la *Paysanne Pervertie* sont des romans épistolaires c'est qu'ils
sont des drames de l'éloignement qui mettent en valeur l'essentiel :
l'écart révélateur dû à l'effet collectif des habitudes parisiennes.
La lettre romanesque comme l'épître réelle s'insère dans une chaîne
de communication entre le village et la capitale, entre les quartiers
de la ville, entre les membres de la famille ; elle prolonge des
conversations qu'elle rapporte, elle peut devenir objet de lecture
à haute voix devant un auditoire ; c'est un instrument d'information et de changement. On conçoit l'inquiétude des moralistes
devant sa généralisation lorsqu'ils s'aperçoivent du détournement
populaire d'une pédagogie édifiante faite pour contrôler et moraliser. Nul doute qu'à Paris, on peut acquérir aisément ce patrimoine utile, outre les institutions scolaires accessibles gratuitement, on sait toujours trouver quelque moniteur bénévole ; parent
âgé, ami cultivé, compagnon amoureux peuvent servir de répétiteur
aux enfants du peuple. Ainsi, pendant quelque temps, Monsieur
Nicolas passe ses dimanches après dîner à enseigner l'écriture
et la lecture aux petits de sa logeuse, Manon et Théodore et à
leur amie Colette blanchisseuse de 16 ans [42]. La librairie parisienne a bien compris qu'il existait là un marché profitable.
D'innombrables traités, guides et manuels sont édités et réimprimés
pour orienter les incultes dans leurs relations, prodiguer des
conseils utiles aux autodidactes de l'amour et de la sociabilité
épistolaire [43]. La vogue des « *Secrétaires* », « *des courtisans* »,

« *des amants* », « *des dames* », « *des militaires français* », « *des familles* » atteste une diffusion au-delà des cercles bourgeois et aristocratiques [44]. Le peuple adulte peut y apprendre « à écrire poliment sur toutes sortes de sujets », il y trouve modèle pour des formules adaptées à toutes les circonstances de la vie et qui refleurissent ensuite dans son parler et sous sa plume comme les commentaires avisés nourris des sources proverbiales ou puisés dans la sagesse du *Messager Boiteux* ou du *Grand compost des bergers*.

Toutefois, le plus souvent on lit avant de savoir écrire. C'est avec orgueil que le petit commissionnaire répond à la question : « Commences-tu à savoir lire ? Oh oui, Mademoiselle, je lis l'écriture... [45]. » Il a pu apprendre en latin — c'est ce que conseille vers 1700 le *Philémon-Trotet,* manuel de base des petites écoles — mais aussi en français — le *Pitel-Préfontaine,* autre livre scolaire fréquent dans les classes parisiennes, pratique plutôt cette méthode à l'exemple de J.-B. de la Salle et des écoles charitables [46]. Surtout l'apprentissage de l'écriture est acquisition d'une technique délicate : la taille de la plume et le contrôle d'une maîtrise corporelle, où interviennent la posture générale du corps, la disposition des doigts et de la main, la coordination des mouvements [47]. Pour les petits garnements du peuple c'est une leçon de redressement physique et moral qui, pour beaucoup, est d'accès difficile [48] ; en tout cas, elle couronne la scolarité élémentaire en même temps que le calcul primaire qui permet de posséder les mécanismes de numération et d'opération indispensables à la vie adulte [49]. Décisif pour tout ceci, le fait que la familiarité est aussi importante que la pratique. L'écrit occupe dans une population qui n'en a pas l'usage quotidien une place privilégiée, parce qu'il assure une fonction d'assurance et de réserve, il peut être utilisé même si on n'en a pas toujours le mode d'emploi [50] ; l'indicateur de la présence des écrits manuscrits prouve en tous cas que la lecture populaire connaît d'autres finalités que l'accès au savoir et d'autres filières que la possession du livre. D'évidence, la pratique de l'écrit est sensible à l'accidentel, au superficiel, autant qu'à l'essentiel. L'émancipation de l'individu, la constitution de la famille moderne supposent le geste de la conservation des écritures et leur utilisation accrue. Papiers personnels, papiers familiaux sont progressivement devenus nécessaires et habituels, les inventaires le prouvent. Leur disparition liée à la dévaluation rapide de ce qu'ils signifient et aux mauvaises conditions de conservation dans le logis populaire, ne doit pas nous cacher l'importance réelle de ces archives du quotidien. Tout un enchaînement d'attitudes et de pratiques se rassemble pour en imposer l'attention : gestes religieux qui fournissent extraits baptistaires, mortuaires, certificats de bonne vie et mœurs ; précision civile et administrative qui exige contrats, partages, inventaires, curatelles ; liens parentaux qui entraînent actes juridiques, correspondances personnelles, papiers de tous ordres. Tout un système ordinaire de pensée et d'action se façonne dans ces manières qui confrontent l'individu au curé, au notaire, aux employés du fisc et de la Ferme, et qui l'oblige à suivre un parcours de plus en plus balisé par l'état civil. Ce n'est pas pour rien que le Comité de Sûreté générale de la Convention crée — à la photo près — la carte d'identité. La carte civique — dont le double est copié sur un registre — permet une meilleure connaissance des citoyens, le contrôle des suspects, la prévention des désordres — un observateur de police observe lors d'un renouvellement des cartes en 1793 qu'il s'agit d'éviter « que parmi les ouvriers se glissent des malveillants et des conspirateurs... [51] ». A la fin du XVIII° siècle dans le Paris populaire les frontières du privé et du public sont déjà indécises : il faut toujours montrer ses papiers.

L'alphabétisation permet lecture et écriture, ouvre l'accès à toutes sortes de savoirs, mais elle ne conduit pas, à Paris du moins, à la possession nécessaire du livre. Sur près de 4 000 inventaires après décès, entre 1750 et 1759, intéressant toutes les catégories sociales, moins du quart signale la présence de livres [52]. Paris, capitale de la librairie, contrôlant plus de la moitié de la production imprimée du royaume est une ville qui lirait moins que les villes de province, telles Rouen ou Rennes [53]. Ces contrastes renforcent l'idée que l'accès à l'imprimé met en jeu tout un ensemble de facteurs où l'on retrouve le niveau de fortune, le métier, la situation sociale, les habitudes culturelles des familles, mais ils suggèrent aussi d'autres hypothèses. La première intéresse la source documentaire, dans la capitale gorgée de culture, gagnée au livre dès le XVII° siècle en son midi par l'effort de ses libraires imprimeurs [54], le document notarial est un instrument de mesure moins clair et moins fidèle que dans les sociétés provinciales au livre encore rare. La seconde hypothèse renvoie aux conditions de la vie quotidienne à Paris : la population s'entasse dans des logements étroits où la conservation des choses fragiles n'est guère favorisée et où peut-être les livres, objets de consommation un peu moins rares qu'ailleurs, ont pu être jetés, négligés dans les recoins, en tout cas soustraits au regard des investigateurs notariaux. Dans une société déjà partiellement conquise à la profusion, il peut paraître normal de ne point tout compter, l'information peche par défaut dans la mesure où les utilisateurs sont blasés et moins sensibles ; ainsi livres et brochures de culture pratique ou ouvrages de piété sans grande valeur marchande ont pu être soustraits à la prisée du fait même de leur abondance. L'accumulation peut s'accommoder du gaspillage et par suite nombre de publication de faible poids, mal présentées, et de coût peu élevé, peuvent disparaître. Enfin, il est une dernière possi-

bilité que l'on doit suggérer : la vie parisienne offre d'autres accès
à l'imprimé que les livres ; pour les lettrés, les bibliothèques et
les collections privées jouent leur rôle ; pour la masse, il faut
songer à une autre culture visuelle où le livre n'est qu'un élément
parmi d'autres ; pour le plus grand nombre, le périodique, le
canard, l'écrit politique et occasionnel, l'image accompagnée ou non
de textes, l'affiche, la chanson manuscrite ou imprimée, le placard
voire l'enseigne sont des médias possibles qui entretiennent les
effets de la très forte alphabétisation. Accumulation, substitution,
gaspillage peuvent expliquer le faible nombre des possesseurs de
livres qui est à mettre au compte non de l'échec mais du succès
de la culture urbaine.

Les livres conservés dans les logis populaires sont peu nombreux : vers 1700, on en trouve dans 13 % des inventaires après
décès salariaux et dans 30 % des actes domestiques ; entre 1750
et 1759 pour 800 successions salariales, c'est encore 13 % et pour
plus de 200 inventaires de serviteurs, 20 % ; autour de 1780,
le pourcentage dépasse 35 dans les classes inférieures et avoisine
40 dans le monde ancillaire [55]. Au départ donc, le milieu des
compagnons, des garçons, des manouvriers et des gagne-deniers
lit beaucoup moins que celui des valets et des femmes de chambre,
mais l'écart est peut-être moins fort si l'on admet la présence probable de livres dans certains intérieurs, attestée par l'énumération
de meubles de rangement, dans une dizaine de cas. Toutefois,
ni le salariat parisien, ni la domesticité ne peuvent passer pour des
milieux grands liseurs même s'ils partagent encore ce caractère
au milieu du siècle avec d'autres couches sociales où l'on s'attend
à une possession plus confirmée des livres ; les employés et les
commis (14 %), les rentiers (23 %). A la fin du siècle, les domestiques qui ont perdu du terrain vers 1750 — dix points d'écart
par rapport à 1700 — ont moins progressé que le salariat dans
son ensemble. Probablement la librairie conquiert des lecteurs
mais sans que l'écart entre lecture et alphabétisation se réduise,
ce qui tend à souligner l'importance de l'héritage culturel et de
la tradition ; les anciens Parisiens lisent peut-être plus, les nouveaux venus plus nombreux ne prennent cette habitude qu'après
une, voire deux générations. Possession, conservation du livre
sont liées à une intégration générale.

Trois caractères principaux individualisent le Peuple dans l'ensemble des liseurs parisiens : la propriété et l'usage des livres
suivent à la fois hiérarchie des fortunes et échelles des qualifications professionnelles ; le nombre moyen d'ouvrages isolés est
faible mais le chiffre total de livres possédés progresse nettement
entre 1700 et 1790 ; enfin le contenu apparent des médiocres
bibliothèques populaires reste inchangé (tableau 33).

La distribution inégale du livre chez les domestiques obéit à une

Tableau 33

PRESENCE DU LIVRE DANS LE PEUPLE

	1700				1780			
	Fortunes inférieures à la moyenne		Fortunes supérieures à la moyenne		Fortunes inférieures à la moyenne		Fortunes supérieures à la moyenne	
	Salariés	Domestiques	Salariés	Domestiques	Salariés	Domestiques	Salariés	Domestiques
Nombre de possesseurs de livres	5	10	8	21	8	22	26	33
Nombre de volumes moyen	2 v.	3 v.	10 v.	12 v.	6 v.	12 v.	24 v.	28 v.
Nombre de collections de plus de 10 volumes	1	3	2	10	5	14	18	28
Plus de 50 volumes	—	1	—	2	—			4
Ouvrages religieux	Salariés 87 %	Domestiques 91 %			Salariés 91 %	Domestiques 97 %		

hiérarchisation assez claire : les fortunes au-dessus de la moyenne rassemblent toujours la majorité des liseurs ; les fonctions supérieures et proches des employeurs ont toujours plus d'ouvrages que les autres, même si celles-ci sont conciliables avec une certaine richesse — ainsi les cochers — ; enfin, les femmes lisent toujours moins que les hommes, sauf exception. Pierre-Martin Sauvage, valet de chambre et tapissier du cardinal de la Roche Aymon, laisse à ses héritiers 28 000 livres de bien ce qui est considérable en 1778 ; mais dans le fatras de ses meubles, on découvre seulement une cinquantaine de volumes de religion et d'histoire [56]. Marie-Elisabeth Fronteau, femme de chambre, célibataire, meurt riche de 10 000 livres mais sa bibliothèque comporte plus de 200 ouvrages : c'est l'indice d'une attention particulière assez rare [57]. Au total, un maître d'hôtel sur trois est un liseur attesté vers 1780, un valet de chambre sur cinq, une femme de chambre sur six, mais seulement une servante sur huit et un palefrenier sur dix ; portiers, suisses et concierges avoisinent les scores moyens. Une hiérarchie comparable se dessine dans le monde salarial : les fortunes inférieures à la moyenne sont toujours plus nombreuses à ne pas recéler de livres qui présents sont toujours moins nombreux ; les compagnons des corporations et les métiers spécialisés détiennent toujours plus d'ouvrages que les manouvriers, les travailleurs de force et les petits métiers de la rue. Guillaume Thorel, compagnon charron, célibataire, laisse à sa mort 3 000 livres de succession, il a près de 20 volumes ; avec sa *Bible* in-4° reliée veau, son *Dictionnaire Historique,* in 8°, la *Guide des Pécheurs* de Louis de Grenade, la *Vie de Sainte Jeanne de Chantal,* quelques autres titres de piété, cet homme sans famille qui vit chez son patron peut passer pour un personnage cultivé, un brin dévotieux, et sa petite collection est déjà une bibliothèque [58]. Vers 1780-1790, un tel exemple n'est plus isolé dans le monde populaire : le rubannier Matthieu Ferry avec cent ouvrages est presqu'un véritable amateur ; Jean-Pierre Dumon, autre compagnon charron, conserve une cinquantaine de bouquins divers, Charles Durand, ébéniste, une bonne trentaine, François Guenet, simple gagne-denier peut disposer de vingt titres [59]. Bref, le livre progresse partout dans le petit peuple et le compagnon ou le garçon de boutique ne lisent guère moins que le maître artisan ou le marchand boutiquier.

Le deuxième caractère original de la diffusion populaire du livre souligne une familiarité à l'égard de l'imprimé plus grande qu'ailleurs : deux indices pour cela, la présence du livre isolé et la taille des collections. Le livre unique n'est pas aussi fréquent à Paris qu'en province, dès 1700 là où on trouve des livres, on en voit plusieurs : 3 cas seulement sur 30 dans le salariat, moins de 5 sur 40 dans la domesticité, vers 1780 la proportion est encore inférieure. Si l'on veut bien ne pas oublier que les experts ne s'intéressent qu'aux ouvrages « méritant description », on a là l'indication d'un progrès considérable. De surcroît, la moyenne des livres inventoriés double dans les deux milieux et le nombre total d'ouvrages est multiplié par cinq à la veille de la Révolution [60]. Ainsi, on ne constate pas dans les classes populaires parisiennes ces phénomènes de ralentissement dans la pratique de la lecture qui caractérisent les villes de la France de l'Ouest [61] ; incontestablement, le peuple de Paris lit davantage à la fin du xviii° siècle. Quand sous Louis XIV trois salariés seulement détenaient plus de dix volumes et une douzaine de domestiques ; à l'époque de Louis XVI plus de vingt compagnons et une quarantaine de serviteurs ont dépassé ce stade. En revanche, au-delà de 50 volumes point de changement : trois cas à l'aube du siècle, quatre à la fin, c'est là sans doute une frontière qui n'est franchie qu'exceptionnellement quand la passion dévote ou érudite y pousse ou bien une éducation hors du commun, et au-delà de laquelle on entrevoit l'élite cultivée. Mais, la ligne de partage entre ceux qui possèdent plus de dix ouvrages et les autres est également importante car elle recoupe assez exactement la limite de la fortune moyenne et surtout celle de la possession du mobilier d'écriture et du matériel de rangement, enfin dans plus de la moitié des cas pour le peuple, comme pour la domesticité elle coïncide avec l'acquisition des images, tableaux, estampes, gravures et celles des mille objets qui façonnent une individualité, montres, bijoux, articles de piété. Ainsi apparaît dans le Peuple un groupe homogène vis-à-vis de la consommation culturelle et dont le comportement ne met pas seulement en cause l'entrée dans l'écrit ou le goût de lire, mais aussi le sens du décorum et du confort, bref un certain ton à égale distance entre la culture dominante et l'inculture de la populace. En d'autres termes, la culture populaire parisienne est faite ici d'un rapport entre des pratiques ordinaires et des habitudes et des textes venus d'ailleurs, c'est avant toute chose une appropriation. Comme l'écriture, la lecture est une médiation susceptible de se moduler à l'infini et rien dans la documentation notariale ne permet de rendre compte de ce qui peut séparer la lecture courante qui suppose fréquentation et maniement des livres, le déchiffrement irrégulier et peu habituel de signes souvent associés aux images, enfin la lecture entendue, partagée à plusieurs, qui peut être le fait de l'amitié voire de l'amour ou de la sociabilité. La veillée d'automne ou d'hiver n'est pas réservée aux campagnes, ou plutôt, on comprendrait mal pourquoi les citadins de fraîche date se seraient débarrassés d'une de leurs habitudes. Rétif l'atteste : « Nous allâmes chez une amie de l'ami, et là, nous trouvâmes une compagnie qui jouait au commerce. Nous nous mîmes auprès du feu artistiquement arrangé... [62]. » La malice

de l'observateur souligne cependant ce qui sépare cette rencontre
amicale des gens de peu des manières du salon urbain des élites
dominantes. En bref, le livre circule dans Paris, il peut être prêté,
revendu, donné, objet d'une lecture privée ou collective.
A s'en tenir aux minutes des notaires, la culture populaire parisienne est écrasée sous la dévotion. La prédominance du livre
de piété est totale, et elle ne s'atténue pas de 1700 à 1789, elle
est aussi toujours plus forte chez ceux qui possèdent peu de livres
et chez les femmes. Le titre le plus cité ? la *Bible* et le *Nouveau
Testament*, qu'accompagne tout le cortège de la production
dévote pour moraliser, édifier et instruire le peuple : *Manuel
Chrétien, Journée Chrétienne, Doctrine Chrétienne, Année Chrétienne, Semaine Sainte, Instruction Chrétienne, Méditations Chrétiennes, Offices, Missel, Vespéral* et *Heures*. Aux manuels chargés
d'organiser la vie religieuse des gens du peuple s'ajoutent les vies
de saints en assez grand nombre, mais plus rarement les ouvrages
de théologie ou de méditations relevées. La source notariale ne
retient dans son crible que le sommet d'une consommation, elle
ne rend pas compte de la diversité d'une humble production
d'usage ordinaire qu'il faut aller chercher ailleurs ; dans le catalogue des Libraires Troyens, dans les listes connues de la Bibliothèque Bleue [63]. Elle souligne toutefois deux traits majeurs de la
culture religieuse du peuple de Paris : la mise en perspective
quotidienne et ordinaire d'une culture plus savante, l'écho transformé de la volonté christianisante des élites.
La lecture religieuse massive est un pari sur le temps. Elle
n'est possible qu'à de rares moments, elle ne se conçoit pour
l'essentiel qu'au sein de la famille ou dans un rapport individuel
au sacré. C'est pourquoi les petits livres pieux postulent une
organisation chrétienne de la vie, dans des formules qui ne s'éloignent guère de celles des almanachs. *Heures, Calendriers, Semaines, Offices, Mois, Missels, Années, ... Chrétiens* rassemblent
extraits de la Bible, résumés des liturgies, moyens de célébrer
les fêtes, bref permettent : *Pratiques, Exercices, Conduites*. La
vie populaire doit se modeler conformément aux principes des
grands réformateurs du XVIIe siècle pour un salut plus individualisé, par une pratique journalière des devoirs temporels, par une
pédagogie de l'exemple parental [64]. A terme, c'est la nécessité de
vivre sa vie dans la « Mémoire de la Mort » qui doit guider les
plus dévotieux [65]. Cette sensibilité religieuse nouvelle qui triomphe
dans la production imprimée de grande diffusion s'accommode
d'ailleurs sans mal de coexister avec des manières plus anciennes
où la confiance en la miséricorde divine et l'intercession des saints
sont essentielles, attestées par tous les ouvrages décrivant la vie
et la mort du Christ, les vies saintes, les cantiques et les Noëls [66].
La transformation du modèle unique de l'*Art de Mourir* en un

modèle multiple adapté à des usages très divers pour une production sociale massive montre une adaptation analogue car, comme pour la *Bible des Noëls,* comme pour l'ensemble de la bibliothèque religieuse populaire, la sensibilité traditionnelle et la mentalité nouvelle peuvent y coexister [67]. C'est là sans doute le résultat de l'effort acculturant de l'Eglise, mettant en jeu toutes les formes de culture, l'imprimé, l'écrit, l'image, le chant, la musique. Le but à atteindre c'est la moralisation ordinaire du peuple ; c'est d'associer définitivement le bien de la Religion et celui de la Société. Les textes qui s'interrogent sur les finalités de l'éducation des domestiques s'inquiètent de façon révélatrice du danger que peuvent faire courir à leur maître des serviteurs désormais trop savants [68]. « Messieurs, je ne veux pas être assassiné dans mon lit » plaisantait à demi Voltaire éloignant ses valets. De même, l'abbé Perreau admet que le peuple soit instruit mais dans de justes limites et pour maintenir toutes choses à leur place ; lecture et écriture doivent permettre aux enfants des classes laborieuses : « d'exercer leurs devoirs de Société [69] ». En d'autres termes, clercs, moralistes, observateurs, philosophes, se rencontrent pour penser qu'à long terme la lecture chrétienne et morale ouvre la voie à d'autres comportements dont l'enjeu est la mobilité sociale, voire le fonctionnement d'une société touchée par des rêves égalitaires. Le glissement massif qui se perçoit dès 1720-1730, soit le temps d'une génération, avant la province, dans le discours testamentaire, signifie un abandon des gestes sinon des certitudes ; il n'a pas sa traduction dans les inventaires après décès dont la prisée continue jusqu'en 1790, à enregistrer le triomphe apparent de la lecture pieuse [70]. La source masque le changement qui est plus profond.

A suivre P. Chaunu, on comprend comment les messages d'une prédication terroriste hantée par la mort et les fins dernières, celui d'une pédagogie morale vouée à l'annexion chrétienne de la vie et préoccupée de civiliser les comportements sauvages du peuple, ont pu, après deux siècles, désamorcer l'essentiel et favoriser paradoxalement le courant de déchristianisation populaire qui verra ses beaux jours au printemps de 1793 [71]. En ce domaine, il s'agit moins de ruptures brutales que de lentes transformations, de progressives substitutions dans les manières d'agir, d'intériorisation des modes de vie imitées des hautes couches de la société. L'éducation du peuple est ruinée par le libertinage des grands et les insuffisances du clergé, pense Rétif, qui mesure avec crainte, l'effet politique — saisi dans l'agitation d'une populace sans principe — des transformations séculaires [72]. Mais d'innombrables moyens conduisent à ne pas identifier la culture du peuple avec la seule distribution du livre pieux ; l'imprimé parisien l'influence sous d'autres formes comme en des temps plus anciens [73].

D'abord, il y a toute une littérature de colportage où l'officiel
et le clandestin s'accommodent, où l'occasionnel et le permanent se
relaient pour familiariser le peuple à des horizons nouveaux. Le
colporteur est une réalité parisienne depuis le xvie siècle ; de
Louis XIV à Louis XVI son rôle ne s'est pas atténué : le nombre
des colporteurs autorisés dépasse 120 après 1713, et celui des
colporteurs officieux, qui crient ouvertement ou vendent sous le
manteau une production tolérée de basse qualité et une multitude
d'impressions clandestines tirées dans les caves ou les greniers
de la ville, ou importées de l'étranger, n'a cessé de croître. Homme
de la rue et du plein vent, mobile, prompt à apparaître et à disparaître, le colporteur hante tous les quartiers de la capitale, il
connaît ses clientèles, il sait échapper au guet, il vend de tout et
pas seulement des livres ce qui facilite l'achalandage. Mercier constate : « Les mouchards font la guerre aux colporteurs, espèce
d'hommes qui font trafic des seuls bons livres qu'on puisse encore
lire en France, et conséquemment prohibés. On les maltraite hor-
riblement ; tous les limiers de la police poursuivent ces malheureux qui ignorent ce qu'ils vendent et qui cacheraient la Bible
sous leur manteau si le lieutenant de police s'avisait de défendre
la Bible. On les met à la Bastille pour de futiles brochures qui
seront oubliées le lendemain... [74]. » L'observation n'est que partiellement juste, les colporteurs de tout poil ont constitué plus du
tiers des embastillés pour affaires de librairie entre 1715 et 1789,
mais ils ne colportent pas que du livre clandestin mais un peu
de tout. Plus aisément et à moindre prix que dans la boutique des
librairies les liseurs du peuple peuvent y trouver provision, et en
cas de besoin ils savent défendre le colporteur contre la police [75].

Ce qu'on trouve d'abord dans la hotte ou sur l'éventaire du
marchand ambulant ce sont les petits livrets couverts de « papier
bleu » dont le premier marché a été très tôt celui des alphabétisés parisiens. Les libraires de Paris en diffusent dès la seconde
moitié du xviie siècle et les Oudot de Troyes ouvrent boutique
à Paris vers 1665. Tout le xviiie siècle, le monde des compagnons
et des domestiques peut puiser dans les titres habituels de la
bibliothèque populaire, y chercher les consolations religieuses
— 43 % du catalogue Oudot en 1789 —, les recettes d'un mieux
vivre ou les facilités d'une pédagogie utilitaire qui puisent leur
force aussi bien dans les ressources du bon sens que dans les illu-
sions de la magie — *Abécédaires, Comptes, Faits, Médecines des
pauvres, Miroirs d'astrologie, Almanachs* et *Calendriers* —, ou
enfin, les ressources de l'imaginaire ou de l'évasion — romans,
contes, histoires sérieuses, farces [76].

Mercier a fait l'éloge de l'almanach qui sous ces différents aspects
— *Méssager Boiteux, Etrennes mignonnes, Almanach chantant,*
passe de main en main [77]. Il faudra reprendre l'histoire du rire

populaire qu'alimentent un grand nombre de livrets bon marché dans les registres divers de la parodie (le Testament de Michel Morin), de la réthorique comique (les Adieux de Tabarin) de l'énumération fantaisiste des mots, des proverbes, des choses, l'initiation argotique ou le scatologique des arts de péter [78]. Les brochures qui dans le fonds troyen mettent en scène Paris et ses habitants ne sont pas négligeables, *Cris de Paris, Tracas de Paris, La ville de Paris en vers burlesques, Les Filoutiers du Pont Neuf, le Déjeuner de la Rapée* (qui passe du répertoire poissard à la bibliothèque bleue), le *Pain de Gonnesse,* tous ces titres entretiennent chez les gens de peu une vision familière et burlesque de leur vie ordinaire.

A ce premier répertoire, il faut ajouter celui des occasionnels, des journaux et des écrits politiques de diffusion massive. Les premiers sont dès la naissance de l'imprimerie et jusqu'à l'apparition de la grande Presse populaire, le véhicule d'une information primitive où se mêlent l'évocation du merveilleux sous toutes ses formes, la fascination du monstrueux et du criminel, l'évasion dans le surnaturel catastrophique où les rêves de prodiges. Toute une production oscille entre un réalisme familier, celui des arrêts criés dans la rue avant chaque exécution, et un imaginaire qui n'est pas sans résonance dans le Paris des mystères et des sectes, des convulsions et des miracles, des émeutes contre l'insolite — enlèvement d'enfants et de filles, pour satisfaire les caprices des grands [79] — Le peuple y retrouve une dynamique du surnaturel que les prêches des réformateurs catholiques n'ont jamais réussi à faire disparaître. Les journaux, moins accessibles à cause du prix de l'abonnement peuvent toutefois être lus à l'office, au cabaret voire chez un limonadier cultivé ou dans une tabagie [80]. Les nouvelles du monde, les discussions sur l'avenir des peuples, l'information sur le pain quotidien et le travail, les *Affiches et Avis divers* sont consultés par tous, atteignent ainsi le peuple Produits de luxe, réservés aux aisés, les journaux ont une audience plus large, ils circulent de main en main dans l'entourage des abonnés, ils sont lus dans les cafés ou les boutiques de libraire, ils sont criés dans la rue, ils peuvent être placardés au mur ; leur contenu est diffusé de bouche à oreille. En 1789, la liberté de presse, favorise le développement immédiat d'un journalisme qui sans être populaire n'échappe pas au regard du peuple [81]. Alors, l'écrit politique de diffusion massive retrouve une publicité qu'il n'avait pas connue depuis l'époque de la Fronde et des Mazarinades. L'extraordinaire impact des libelles et brochures mis en vente après la convocation des Etats généraux ne se comprendrait pas sans une habitude de lecture familière qu'entretiennent pendant plus d'un siècle les presses clandestines. Avant 1750, cette familiarité passa par la lecture de la propagande janséniste fortement implantée dans les paroisses populaires du centre et des faubourgs. C'est toute une production, qui va du manuel de piété à la prière illustrée, du journal à la brochure relatant les miracles du diacre Pâris, que traquent les sbires du lieutenant général, non sans embarras, car elle circule de haut en bas de l'échelle sociale. « Monsieur est-il vrai que lorsque la constitution sera reçue on ira plus à confesse ? » demande un soir en couchant son maître, le laquais de l'avocat Barbier, qui commente : « On voit par là l'impertinence du populaire [82]. » Vers 1750 et passé 1770, les mauvais livres des presses jansénisantes sont relayés par des pamphlets, des libelles satiriques et diffamatoires, quelquefois pornographiques qui pour leur faible coût atteignent une audience très large et par leur scabreux fascinent une opinion propre à s'émouvoir du scandale. Le public populaire s'éveille assoiffé de nouvelles, affamé de discussions, prêt à s'enthousiasmer et pour une part à agir.

La chanson tient dans ce panorama de la culture un rôle qu'on ne doit pas oublier. Elle retrouve et complète plusieurs des fonctions liées traditionnellement à l'écrit de colportage ; cantique, c'est un moyen de christianisation et toute une part de la culture religieuse élémentaire s'acquiert en chantant ; complainte, elle peut accompagner l'évocation fabuleuse ou réaliste de l'actualité, jouer à sa manière une partie dans le concert de la propagande politique officielle (vers 1780 les recruteurs parisiens tendent d'enrôler la jeunesse au son d'*Adélaïde et Fine lame,* chanson à la louange de la guerre d'Amérique). Des airs émanant des cercles dominants sont sifflés et commentés par les gens de la rue ; enfin, la chanson est aussi moyen d'évasion et de détente, façon d'évoquer le quotidien, d'accompagner le travail, de rythmer les tâches de la maison. Bref on chante sous les toits, dans les ateliers, dans les rues, aux carrefours et sur les ponts. Le marchand de chansons est un habitué du spectacle de la rue ; Moreau le Jeune en a laissé une bonne représentation : sur son estrade, le violon à l'épaule, il tend de la main droite la chanson à vendre, dans une poche pendue à sa ceinture il range les exemplaires proposés aux chalands ; derrière lui une image retrace l'histoire qu'il commente, tout autour se pressent badauds élégants et gens du peuple [83]. Ces chansonniers ambulants installent leurs images et proposent leurs livrets à tous les endroits stratégiques de la vie populaire : les boulevards, le Pont Neuf, les Places — « Les uns lamentent de Saints Cantiques, les autres débitent des chansons gaillardes ; souvent ils ne sont qu'à quarante pas l'un de l'autre... La chanson joyeuse fait déserter l'auditoire du vendeur de scapulaire ; il reste seul sur son escabelle montrant en vain avec sa baguette les cornes du démon tentateur, l'ennemi du genre humain. Chacun oublie le salut qu'il promet, pour courir la chanson damnable. Le chanteur des réprouvés annonce le vin, la bonne chère et l'amour, célèbre les attraits de Margot, et la pièce de deux sols qui balançait entre le cantique et le vaudeville, hélas va tomber dans la poche du chantre mondain... [84] » Sébastien Mercier, en verve, montre ici un geste caractéristique de la culture populaire, il faudrait compléter son tableau en rappelant combien la chanson se prête aux interférences culturelles, à l'imitation par le peuple des thèmes savants, à leur déformation à leur adaptation ; « elle passe de bouche en bouche et s'accroît en marchant » disait déjà Boileau. C'est pour le peuple au gré de son loisir un secteur de liberté [85].

Reste l'image qui constitue le dernier des moyens par lesquels l'écrit et l'imprimé touchent le peuple. Presque toujours accompagné d'un texte, cantiques, complaintes, légendes, enseignement sur les personnages ou les lieux, elle joue dans la culture populaire un triple rôle : c'est un moyen efficace de la moralisation chrétienne, c'est un instrument de propagande politique et c'est enfin une manière de divertissement, qui met en scène moralités, jeux, plaisanteries. L'image a précédé le livre ; dans le Paris du Siècle des Lumières elle le suit de près, perméable comme lui à toutes les influences. On la retrouve partout et l'inventaire confirme sa présence : dans le salariat 56 % vers 1700, 61 % autour de 1780, dans la domesticité : 56 % et 40 %, recul qui traduit une saturation ou un transfert vers d'autres formes. Ce qui importe c'est d'abord la variété matérielle des images : tableaux, gravures, estampes ; c'est ensuite la dominante du religieux (50 % chez les serviteurs, 65 % chez les salariés) ; c'est enfin la diversité qui s'accélère à la veille de la révolution ; à côté de l'image pieuse on trouve des tableaux de paysage, des vues de ville, des portraits, voire des scènes mythologiques ou politiques. Au total, c'est pour le peuple un moyen de culture familier qui circule largement dans la capitale.

Avec la chanson, l'écrit du colportage, l'image populaire forme un ensemble pratiquement indissociable dans ses modes de production et de diffusion. L'imprimé atteint le peuple, façonne sa conscience dans la perspective d'une moralisation chrétienne, mais il l'aide aussi à prendre mesure de la personnalité des individus — tous ces signes de culture sont généralement cumulés par les gens aisés du peuple et accompagnent les multiples objets qui fondent une personnalité ou favorisent l'épanouissement individuel, ainsi la montre pour les hommes : 13 % des inventaires domestiques, 5 % des inventaires salariés signalent une montre vers 1700, 70 % et 32 % avant 1790. Voilà une conquête fondamentale où le domestique montre le chemin ; avec une montre c'est un autre univers temporel qui commence, une façon plus raisonnée et plus mécanisée de lire l'écoulement du temps, une manière différente de le créer et de le fabriquer. Le triomphe parisien de l'horlogerie

Tableau 34

PRESENCE DE L'IMAGE (SUR 100)

	1700				1780			
	Fortune inférieure à la moyenne		Fortune supérieure à la moyenne		Fortune inférieure à la moyenne		Fortune supérieure à la moyenne	
	Salariat	Domestiques	S	D	S	D	S	D
Nombre de possesseurs de tableaux ou de gravures	28	36	17	20	43	20	18	19
	Salariat	Domestiques		S		S		D
Nombre moyen d'images possédées	7,9		8,6		6,4		22	
Nombre total d'images par catégorie	341		484		392		863	

portative, importé de Suisse comme beaucoup des livres clandestins de grande diffusion, introduit le peuple de Paris dans l'âge du temps transformé en valeur marchande, le nouveau temps du monde de Kant — quelques curieux, un petit lot de riches, des néo-amateurs, accèdent avec des choses futiles ou singulières aux rives de l'évasion et de la fantaisie des cartes de géographie, des dictionnaires, des instruments de science, des partitions, quelques instruments musicaux, apparaissent ici ou là comme égarés. Gestes individuels de forte personnalité ou apprentissage collectif d'une mutation reprenant les habitudes des dominants ? Il est bien difficile de répondre, dans la mesure où ces manifestations coïncident presque toujours avec de hauts niveaux de fortune et les fonctions les plus qualifiées. C'est en tous cas, pour un petit nombre, l'acquisition parallèle à la culture des savoirs de la culture des façons de vivre, un art nouveau de se présenter où l'influence des intermédiaires règnent sans contestation mais auquel ne peut prétendre l'ensemble des classes populaires. Quand Rétif rappelle les lectures qu'il partage avec ses compagnons de garnis ou ses tendres et belles conquêtes, il fait entrevoir ce qui est possible dans le milieu des travailleurs du livre. On peut y lire à bon compte *Thérèse Philosophe* ou *le Portier du Chartreux* qui vendus sous le manteau coûtent vers 1780, plus de 24 L ; il permet de comprendre comment de place en place les gens du peuple peuvent être transformés [86]. Les domestiques jouent quotidiennement ce rôle, mais aussi les chanteurs ambulants ou les colporteurs clandestins d'images et de libelles. Comme l'écrit au lieutenant de police un commis de l'administration, en 1788 : « On remarque que les chansons que l'on débite dans la rue pour amuser la populace lui communiquent le système de la liberté, la plus vile canaille se regarde comme le tiers état, ne respecte plus les grands. Rien ne serait plus utile que de soumettre tous ces Ponts Neufs à une censure sévère pour étouffer cet esprit d'indépendance... [87]. »

Le peuple parisien change et sans doute la lecture y est pour quelque chose. Toutefois plus que le contenu des écrits qu'il peut lire (ils peuvent être aliénants, ils peuvent être libérateurs), c'est leur diffusion même qui, s'accélérant, est ferment de changement. D'abord parce que acheter livres ou brochures suppose, sans être hors du commun, un geste financier, ensuite parce que lire exige un effort physique, c'est une conquête sur les mauvaises conditions de logement, d'éclairage, de promiscuité, sur la difficulté de déchiffrer les caractères mal imprimés ; enfin c'est une rupture par rapport aux habitudes orales et aux pratiques courantes du loisir. Cette application du liseur populaire permet l'évolution de la littérature colportée, elle explique l'apparition et la disparition des titres, elle provoque l'enrichissement des thèmes, elle traduit une tactique d'appropriation de savoirs différents, et ainsi par une adaptation active ouvre la voie à d'autres lectures [88]. La culture du peuple puise ses sources à Paris comme ailleurs dans une sensibilité ancienne mais l'on ne peut pas croire qu'elle reste insensible à la variété du spectacle culturel dans laquelle elle baigne. Par leur mépris ou par la réitération de leur volonté de contrôle, les élites sociales, clercs et administrateurs prouvent qu'ils n'ont pas totalement réussi à uniformiser le désordre culturel des masses. Le débat n'intéresse pas seulement livres et lectures. Les manières de lire urbaines et surtout celles du peuple doivent être replacées dans une perspective plus large mettant en cause tous les processus de l'acculturation citadine où se joue en permanence le même débat entre contrôle et sauvagerie. L'inventaire ne peut être que prospectif, s'il révèle des domaines jusqu'ici négligés, il montre surtout que la lecture est geste spontané et comme tel agent de la lisibilité urbaine à travers des circuits qui ne sont pas directement rattachés à la diffusion de l'imprimé : l'enseigne, l'affiche, les noms de rue.

Dans le Paris des Lumières l'acte de lire est pour les alphabétisés, immédiat et rapide, car il est lié aussi à la mise en place des premiers processus de provocation et de stimulation actifs. Par leur intermédiaire passent des messages innombrables et se diffusent des comportements. L'enseigne d'abord qui par son ancienneté et les interventions dont elle est l'enjeu de la part de la police est un bon révélateur du mode de perception ordinaire. Elément familier du décor c'est d'abord un moyen de repérage dans les parcours car avant de signaler les commerces elle différencie les maisons ; elle caractérise une adresse encore mal individualisée, elle attire les regards par le pittoresque de sa facture comme par le sens de ses inscriptions. Elle relève d'un mode de lecture de l'espace qui repose sur le sens physique du détail, l'appréhension sans qu'on y pense et comme au hasard d'une flore ou d'une forme significative pour le chaland, le promeneur, l'amoureux, en quête d'un commerce, d'un élément pittoresque, du domicile de sa belle. Ainsi elle s'insère dans une rhétorique de l'information jouant un rôle un peu analogue à l'affiche publicitaire contemporaine mais avec le temps pour elle, car sans être éternelle l'enseigne dure, suit le commerce et la boutique. C'est donc une incitation à acheter et à consommer qui met en cause divers éléments culturels, ceux qui relèvent de la commande, de la publicité primitive renvoyant au monde des objets et des personnages symbole de la fabrication ou de la vente : le chapeau du chapelier, le plat à barbe du barbier, la grappe du marchand de vin, ou plus complexe le saint patron qui identifie un corps, saint Eloi l'orfèvrerie, saint Nicolas l'épicerie. Mais ici le hasard intervient car Sébastien Mercier l'a montré, l'image peut quitter la maison et le milieu et resservir ailleurs, les marchands de ferraille du quai de la Mégisserie y pourvoient [90].

Tableau 35

LES ENSEIGNES DE PARIS

Désignation	Les cabarets de 1789	L'Hôtel-Dieu et ses maisons XVIᵉ-XVIIᵉ siècles	Les maisons de la cité et du quartier du Louvre XVᵉ-XVIᵉ siècles
Topographie	5 %	4 %	1 %
Objets	19,5 %	22 %	41,5 %
Animaux	12 %	20 %	18 %
Plantes	2,5 %	3 %	3 %
Mythologie	3,5 %	6 %	4 %
Hagiographie	19 %	27 %	26,5 %
Métier	14 %	3 %	5 %
Historique et politique	19,5 %	10 %	0,5 %
Divers	5 %	2 %	0,5 %
	212 cas	298 cas	266 cas

Une réadaptation continue du code de la perception s'opère ainsi spontanément car il faut bien s'y retrouver. Les artisans créateurs qui imaginent les enseignes et les fabriquent ont ainsi leur mot à dire. Leurs choix renvoient sinon à la culture populaire du moins à l'usage ordinaire par leur dimension collective. Professionnels regroupés dans l'académie de Saint-Luc, le corps des ferronniers et forgerons, barbouilleurs, sculpteurs, tailleurs de bois, de pierre et tapeurs de ferrailles, façonnent de leurs mains les images nourries des modèles habituels, des souvenirs et des enseignements personnels et professionnels. Rien de moins passif dans ce travail, rien de moins stable car tout peut réactiver les sens et les significations. La mémoire culturelle de l'artisan joue sur des motifs qui doivent trouver écho dans celle des clients, puiser dans un arsenal de thèmes partagés par tous, naturels, religieux, politiques, voire langagiers, et jouer des formes et des formules, combiner images et inscriptions dans un art à la fois réaliste et fantastique. Ecorcheuse de langage, gâcheuse de couleurs pour l'élite, l'enseigne est un spectacle pour le peuple, un stimulant simple et jamais frustre pour une capacité immense de rêve et de création. Sa lecture ne se réduit pas à un modèle uniforme, l'acheteur de curiosité n'est pas le gamin jeteur de pierres, le compagnon en quête de l'atelier ou de la boutique n'est pas le commissaire qui fait respecter les règlements. Bref, le message varie selon les rôles. Face à l'image, impossible de concevoir la passivité de l'œil, de l'esprit, de l'imagination, l'enseigne enseigne, séduit, retient, mobilise le regard et l'intellectualité du peuple comme le montrerait une étude plus poussée des motifs. L'imagerie sainte l'emporte dans la désignation des maisons, celle des métiers favoris, l'emblématique des objets, des animaux et des plantes, la mythologie et l'histoire, voire le débordement d'un humour spontané où fonctionnent les calembours irrévérencieux : à l'Episcié, au Gracieux, au Puits sans Vin, sans oublier dans la liste des enseignes cabaretières foudroyées par les condamnations dévotes, le Juste prix, le Cygne de la croix, le Teste Dieu, le Saint Jean-Baptistz [92]. Titres et images fascinent les élites « l'enseigne donnait l'image d'un peuple gigantesque aux yeux du peuple le plus rabougri de l'Europe. On y voyait une garde d'épée de six pieds de haut, une botte grosse comme un muid, un éperon large comme une roue de carrosse, un gant qui aurait logé un enfant de trois ans dans chaque doigt [93] ». Sébastien Mercier suggère le spectacle fascinant de la rue parisienne, l'aspect varié de centaine de tableaux rehaussés par une polychromie audacieuse, qui met d'abord en cause une réalité familière mais peut susciter ensuite le songe et le dépaysement, l'exotisme et le fantastique (les lions sont rouges et les chevaux sont verts), provoquer le rire et la connivence [94].

Très tôt les enseignes ont été mises au pas. La police des

lumières les proscrit pour éviter les accidents dus à leur chute par
grand vent, parce que leur saillie sur la rue gêne le mouvement
de charrois et cause aux riverains d'innombrables ennuis [95].
L'arrêt du conseil de 1660 réforme les auvents, celui de 1669
réduit les dimensions à une même grandeur et fixe leur hauteur
à 15 pieds, mais rien n'empêche le désordre. En 1761, Sartines les
interdit et pour Sébastien Mercier, Paris est « une ville rasée de
ses enseignes ». Alors s'amorce une transformation décisive, l'enseigne se métamorphose, elle ne sert plus qu'à désigner un
commerce, elle ne pend plus sur la voie publique mais s'étend
en largeur au-dessus de l'entrée et des baies de la boutique, bref
elle devient fresque et tableau et le système de lecture traditionnelle qu'elle supportait tend à disparaître. Reste qu'au même
moment et aux termes de plusieurs siècles d'escarmouches entre
autorités dévotes et peintres d'images, les esprits éclairés réfléchissent sur l'action pédagogique des enseignes peintes [96]. L'abbé
Teisserenc y voit l'occasion d'une intervention publique d'un
modèle pour une instruction populaire. Il suffit d'en fixer hauteur,
grandeur, avancée sur la rue, ainsi elles contribueraient d'abord à
unifier le décor urbain, à activer la marche des commerces, à
remplir les caisses de l'Etat grâce au droit modique prélevé sur
chaque panonceau neuf. Surtout, associant image et texte elles
doivent servir la pédagogie de tous. Il faut pour cela en prendre
le sujet dans tous les genres de littérature, fixer à chaque art et à
chaque commerce un thème, une matière, une distribution des
formes et des couleurs. Le peuple entier pourrait ainsi apprendre :
les faits historiques, les ordres de chevalerie, les poids et mesures,
les monnaies, les outils et les ouvrages des métiers. La rue se fait
école ; faire ses courses devient apprentissage d'une culture élémentaire et pratique, se promener permet de vérifier ses connaissances,
de découvrir en s'amusant. Teisserenc songe même à utiliser les
supports pour l'éclairage nocturne ainsi à tout instant l'intention
de chaque chose pourrait être perçue et l'attention éveillée. La
Révolution brisant les enseignes à caractère clérical, le maintien
malgré le changement de régime de la réglementation générale sur
la voirie, ne permettent pas de réaliser l'utopie publicitaire et
enseignante de l'abbé Teisserenc. Elle arrive trop tôt ou trop tard
car pendant plusieurs siècles les enseignes peintes avaient mis en
place une pédagogie de l'information et permis la lecture et le
rêve des gens de peu.

L'affiche est mieux connue. Elle aussi confronte le plus souvent
des mots et une iconographie dont la naïveté apparente a retenu
l'attention des spécialistes d'art populaire. On attend toutefois une
réflexion historique sur un élément très tôt familier à la population
de Paris, très vite voué à un destin fugitif et immédiatement donné
gratis [97]. Elle impose une présentation particulière des choses dont

la clarté, la mise en page, le choix des caractères, la part des blancs et des noirs, l'importance des marges, le poids de l'illustration sont autant d'éléments décisifs pour une lecture immédiate et vive, individuelle mais aussi facilement collective comme le prouve le peintre qui met en valeur le geste du colleur d'affiche ou la foule assemblée devant le placard [98]. Sur le gris du mur le blanc du papier, le noir des caractères font tâche, l'attention des spectateurs est mobilisée par la voix de celui qui déchiffre et transmet la teneur d'un message presque toujours publié à son de trompe et de tambours avant d'être collé sur les façades. L'affiche est d'abord royale, parlementaire, municipale et ecclésiastique, elle transmet une communication d'autorité, édits et ordonnances, règlements municipaux et de police, interdictions et programmes, avis d'exécution, cotes des actions de la compagnie des Indes et numéros gagnants de la loterie. Tout ce qui concerne la vie habituelle du peuple est ainsi placardé, requêtes de la ville — analogues à nos avis ou à nos autorisations et permis de construction — convocations aux assemblées, à la Milice, mercuriales des prix, annonces de victoires. Les nouvelles, les canards, les spectacles et les théâtres, les appels à la fête — ainsi les joutes sur la rivière ou les feux d'artifices — tout agit comme manifestation du pouvoir mais en même temps permet une transformation des attitudes face à la ville, un changement des habitudes, une modification des mœurs, une familiarité de tous à l'information écrite. On prend vite goût au savoir, fût-il de mince bagage, et le « regard oblique du peuple » sait emprunter ces cheminements tranquilles, capter des signifiés divers qui s'inscrivent dans les mémoires au gré des flâneries aventureuses ou dans la perception attentive de multiples experts, autodidactes habiles à discuter le droit du Roi et celui de la ville, le poids du sac de fèves et le prix de la corde de bois, la variété d'un spectacle théâtral ou la disparition d'un comédien célèbre. C'est un livre qu'on lit et qui change chaque matin quand les quarantes afficheurs autorisés arrivent avec leur colle et leur pinceau pour fournir une parure neuve au public. Le sacré et le profane, la politique et les loisirs déguisent tout à tour la nudité des murailles [99]. Des milliers d'yeux contemplent les affiches, des milliers de volontés individuelles peuvent y percevoir une dimension commune ; billets d'enterrement et de mariage rythment le destin de tous.

Le rêve lui-même peut s'y alimenter à loisir, que l'on songe à « l'invitation de la fortune au public » qui invite à tenter sa chance dans les bureaux de la Loterie Royale [100], qu'on pense aux affiches des charlatans garantissant la guérison de tous les maux ou mieux encore à celle des enrôlements militaires, relais imprimé de l'habileté des recruteurs [101]. Un exemple entre des milliers : « Noyon, 1766, Avis à la Belle Jeunesse ; Artillerie de France,

Corps Royal, Régiment de la Fère, sont avertis que ce régiment
est celui des Picards. L'on y danse trois fois par semaine, on y
joue aux battoirs deux fois et le reste du temps est employé aux
quilles et aux barres, à faire des armes. Les plaisirs y règnent,
tous les soldats ont la haute paye, bien récompensés de place de
garde d'artillerie, d'officier de fortune à 60 Livres d'appointe-
ment... » L'imagination peut s'exalter à plaisir autour d'un texte
qui offre aux gens du peuple les appels les plus variés, répétitions
d'autorité qui confèrent à la lecture une agréable sommation de
puissance, solidarité provinciale, prestige d'une vie de jeux et de
plaisirs, sécurité pour les vieux jours. Combien de jeunes ont été
fascinés par la multitude d'images suggérées par ce type de lecture ?
Bien plus sans doute que de lecteurs de Monsieur Guibert et du
chevalier d'Arc. L'affiche frappe avec efficace et en un sens trompe
moins que les livres. Entre l'écrit et l'oral, elle balise un territoire
où les sensations communes sont par définition acculturantes et
peuvent être même occasion de liberté.

Le peuple de Paris manie à sa façon le placard séditieux [102].
C'est une vieille habitude née avec l'imprimerie, actualisée par les
luttes religieuses et la discorde politique. Le placard est le cauche-
mar des commissaires parisiens qui font surveiller les murs par
les espions et les mouches. Rien n'y fait, dès que la température
politique monte un peu les affiches poussent sur les murailles
comme des champignons après l'ondée. Des libellistes innombrables
font grincer les presses clandestines, les colporteurs les relaient dans
la rue, le peuple achète, regarde, commente. Avant l'explosion
révolutionnaire deux temps forts ont accentué le flux d'un mouvement régulier dont rendent compte les procès-verbaux de police
et les nouvelles à la main : entre 1725 et 1730, à l'occasion des
affaires Jansénistes — « une simple affiche porte le premier
coup » dit Barbier [103] — c'est la guerre des placards ; de 1768 à
1775 au moment de la grave crise politique et économique qui
secoue la capitale et le Royaume [104]. Dès novembre 1763, Sartines
recommande à ses sbires de surveiller les coins de rue propices
et de rechercher dans les quartiers les auteurs de textes subver-
sifs ; ceux-ci n'en apparaissent pas moins nombreux, exigeant le
renvoi des ministres et le grain à bon marché. C'est « l'avis des
gens de peu » pensent les commissaires devant ces appels de plus
en plus sanguinaires « mal écrits et mal orthographiés ». L'affiche
alors relaie la rumeur, c'est un moyen de réflexion politique immédiat, c'est le seul par lequel l'opinion populaire peut s'exprimer
face aux événements. C'est en tous cas un geste dangereux dont
la portée s'atténue hors des temps de crise et de disette. Sébastien
Mercier en laisse un témoignage ambigu : d'une part, il montre les
placardeurs clandestins à l'œuvre, trompant la vigilance policière ;
d'autre part, il pense que les placards ne signifient plus rien pour

le peuple, « occupé de ses besoins pressants », « ayant perdu le fil des événements publics et n'ayant plus envie de rire ». C'est souligner en même temps une permanence et la capacité toujours mobilisable de l'action afficheuse — 1789 encore en apporte la preuve —. C'est aussi confondre les moments où le peuple rit des affiches politiques émanant du haut de la société, ainsi au temps de la Régence le célèbre placard contre le ministre d'Argenson : « On a perdu un chien noir avec un collier rouge et les oreilles plates... », et ceux où il les placarde lui-même. Cette capacité est acte de culture.

D'autres lectures interviennent quand s'installe une lisibilité nouvelle de la ville. La numérotation des maisons qui s'instaure à Caen vers 1770 entre dans les mœurs parisiennes vers 1780 : « Arrivé à la Nouvelle Halle j'allais m'asseoir en face du numéro 14... » écrit Rétif [105]. C'est une novation importante car elle impose à tous un nouveau regard ; une arithmétique mentale et une organisation raisonnée sont substituées à la sensation kinesthésique et à la perception familière. La réalité des domiciliations autrefois mal individualisées sous un descriptif pittoresque se concrétise mieux, la circulation des personnes et des choses, moins sujets à s'égarer, s'accélère quelque peu. La lecture d'un numéro d'adresse s'inscrit dans la conscience moderne au même titre que d'autres gestes de mesure, elle fait reculer l'obscurité qui recouvrait et peut-être protégeait un territoire essentiel de la vie quotidienne. Un air d'égalité s'annonce avec la numérotation des portes cochères refusée par les grands seigneurs, un accroissement de la surveillance et une menace fiscale redoutée l'accompagne et suggère au peuple de protester contre les travaux. Ceux-ci se font la nuit, pour éviter l'émotion. La Constituante et les sections habitueront les gens de peu à plus de rationalité dans le déchiffrement de l'espace sans généraliser encore le système actuel de numération par rue imposé par le Préfet Frochot en 1805. En un quart de siècle le peuple a sur ce terrain quitté un monde pour un autre et l'entreprise se complète par la dénomination des rues [106].

La généralisation et l'affichage standardisés des noms de rue jouent dans le même sens bien que mettant en cause des motivations différentes. La date essentielle ici est 1728, quand sur l'injonction du lieutenant de police Hérault on a commencé à poser aux encoignures des voies parisiennes « deux feuilles de fer blanc sur lesquelles est le nom de la voie en gros caractères noirs »... La nouveauté bien sûr ce n'est pas le nom de la rue, connue depuis des temps immémoriaux, mais c'est la volonté de généraliser une pratique quotidienne d'information au moyen d'un procédé simple et peu coûteux. Le nom de chaque rue devient plus lisible en même temps qu'il est plus facile de désigner les nouvelles voies donc de jouer de la toponymie viaire. Les parcours citadins prennent alors un autre caractère et les cheminements se trouvent facilités. Il est difficile de percevoir comment ces nouvelles pratiques modifient la façon dont le peuple vit la ville mais les faiseurs de projets réfléchissent à ces changements et en dévoilent les enjeux.

L'abbé Teisserenc y retrouve l'intérêt d'un état policé, soucieux de faciliter les relations nécessaires à la vie moderne et à la communication, des habitants de la ville entre eux ou avec l'extérieur [107]. Pourquoi ne pas utiliser les itinéraires familiers et les déambulations oisives des Parisiens pour apprendre la géographie ! Les 865 rues de la capitale se prêtent à l'opération, il suffit d'en changer l'appellation, ce qui est aisé, « les noms de rues étant des signes arbitraires », et de réorganiser la toponymie parisienne, en fonction de la carte du royaume. Les rues sont désignées par des noms de ville de France situées dans leur direction ; pour que le Parisien soit renseigné complètement, les plaques indicatrices devront porter mention du quartier qui reçoit aussi le nom d'une province et la distance de la capitale à la ville mentionnée. Ainsi la rue Montmartre devient rue de Rouen et les panneaux portent ces termes, VIᵉ quartier, Normandie, Rouen, 28 lieues. La rue Saint-Martin s'appellera rue de Lille, le nom d'Amiens sera donné à la rue Saint-Denis, celui de Bordeaux à la rue du Bac, celui de Marseille à la rue du Faubourg-Saint-Marcel. Les barrières de la capitale prennent désormais le nom des pays étrangers dont elles ouvrent la route, l'Allemagne pour la barrière de Montreuil, le Canada pour la sortie du Roule. Il n'est pas d'obstacle qu'on ne puisse renverser pour affirmer la lisibilité de la ville, l'uniformiser ainsi et faciliter le contrôle du peuple [108].

Le projet de l'abbé Teisserenc fut épargné aux Parisiens ; il prétendait remodeler trop vite et trop pleinement toute la ville mais il n'était pas inexécutable dans ses parties. Il trouvait en tous cas des antécédents dans les noms de Province attribués par les lotisseurs à quelques rues des nouveaux quartiers. Entre 1820 et 1830, le quartier de l'Europe groupe dans son réseau viaire le nom des capitales européennes. Le Siècle des Lumières tend à faire de la rue à la fois un théâtre, une école, un panthéon. Au temps révolutionnaire, la leçon de l'abbé Teisserenc ne semble pas incongrue. En 1793, le citoyen Chamouleau propose à la Convention d'appliquer au nom des communes ceux de toutes les vertus ainsi : « Le peuple aura à chaque instant le nom d'une vertu dans la bouche et bientôt la morale dans le cœur. » Au Comité d'Instruction publique, l'abbé Grégoire reprend le dossier et veut associer à la pédagogie morale la leçon politique. « N'est-il pas naturel que de la place de la Révolution on aborde la rue de la Constitution qui conduirait à celle du bonheur... [109] ? » La célébration des grands hommes pourraient ainsi ponctuer les vacations populaires. Le XIX° siècle poursuivra ce chapitre d'une histoire commencée et les édiles parisiens sauront habituer le flâneur de toutes classes à des étiquettes valseuses. La pruderie modifiera l'organisation familière de l'univers collectif, dans les vieux quartiers, les rues à bordels et à mauvaise réputation changeront de nom, en 1809, la rue Tire-Boudin au cœur du vieux quartier des Halles devient rue Marie-Stuart, la rue Trousse-Nonain déjà masquée sous l'appellation de Tasse-Nonain devient la rue Beaubourg, la rue de la Pute-y-Muse échappe au changement de titre car elle se cache sous l'étiquette de l'imprécis Petit musc (!), et ainsi vont disparaître les rues Merdeuses, Merdelet, des Chieurs et des Chiards, comme avaient déjà disparu celles du Petit et du Gros-Cul, du Gratte-Cul et du Poil-au-Con. La moralisation républicaine, impériale et royale poursuit avec succès la mise à l'index commencée par les réformateurs catholiques, le peuple se voit contraint de changer d'habitudes.

Alphabétisation croissante, lecture multipliée, images et chansons, tout a fait qu'à Paris l'homme ordinaire, peu ou prou, doit lire. Toutefois dans la ville acculturante le domaine de la lecture utilitaire et pratique n'est guère inventorié, c'est là pourtant et dans les perceptions quotidiennes qu'il faut aller chercher les origines de la transformation principale des comportements du peuple. Au-delà de la seule possession de l'imprimé et de l'écrit des incitations multiples travaillent au changement des manières de vivre.

Notes du chapitre VII

1. L.-S. MERCIER, *op. cit.*, t. 12, pp. 151-155 ; cf. *Ami*, t. 5, pp. 54-56.
2. Pour toutes comparaisons et analyses du critère de la signature, cf. F. FURET et J. OZOUF, *Lire et écrire*, Paris, 2 vols, 1977, plus particulièrement, t. 1, pp. 16-44 et pp. 229-269 ; J. QUÉNIART, *Culture et Sociétés urbaines dans la France de l'Ouest au XVIII° siècle*, Lille, 1977, 2 vols, t. 1, pp. 112-241. La moyenne des conjoints signant leur acte de mariage est de 28,7 % des hommes et 17,4 % des femmes entre 1686-1690, de 47,4 et 26,8 entre 1786-1790.
3. R. CHARTIER, *L'entrée dans l'écrit*, Critique, 1978, pp. 973-983.
4. P. CHAUNU, *op. cit. (Mourir à Paris)*, pp. 233-235 et pp. 292-295, pp. 394-395, pp. 428-430, pp. 457-461.
5. F. ARDELLIER, *op. cit.*, pp. 106-110.
6. AUDIGER, *La Maison réglée et l'art de diriger la maison d'un grand Seigneur*, Paris, 1692.
7. C. FLEURY, *Devoirs du maître et des domestiques*, Paris, 1688.
8. M. BOTLAN, *op. cit.*, p. 271.
9. AUDIGER, *op. cit.*, p. 83.
10. Madame de GENLIS, *Le La Bruyère des domestiques*, Paris, 1828, 2 tomes, t. 1, pp. 7-8. J.-C. BAILLEUL, *Moyens de former un bon domestique*, Paris, 1782, pp. 25-30.
11. M. BOTLAN, *op. cit.*, pp. 272-273.

12. A. Soboul, *La civilisation de la Révolution française, la crise de l'Ancien Régime*, Paris, 1970, p. 447.

13. L.-S. Mercier, *op. cit.*, t. 9, p. 334.

14. C. Rimbault, *La presse féminine au XVIIIᵉ siècle*, thèse de IIIᵉ cycle, E. H. E. S. S., 1981, pp. 30-35.

15. M. Botlan, *op. cit.*, pp. 275-278.

16. P. Petrovitch, *Crimes et criminalité (op. cit.)*, pp. 248-250 ; 61 % des hommes signent leur déclaration, 33 % des femmes, moyenne des accusés 52 %.

17. J. Dupaquier, *La population rurale du Bassin Parisien à l'époque de Louis XIV*, Paris, 1979, pp. 380-386, la moyenne de l'alphabétisation est de 38,6 % pour les hommes, 12,5 % pour les femmes entre 1671 et 1720 ; M. Fleury et P. Valmary, *Les progrès de l'instruction élémentaire de Louis XIV à Napoléon III* d'après l'enquête de Louis Maggiolo, *Population*, 1957, pp. 71-92 ; calculé pour le même ensemble d'après les données Maggiolo on obtient pour l'aire de recrutement démographique de Paris 53 % pour les hommes, 33 % ; pour les départements proches de la capitale on obtient 63 % et 38 %.

18. M. Botlan, *op. cit.*, p. 277, à 20 ans 58 % des domestiques mâles signent, à 30 ans ils sont 75 %, à 45 ans 85 %, aux mêmes âges les femmes n'obtiennent que 17 %, 12 % et 42 % ; le très léger progrès constaté aux âges élevés étant un peu aléatoire compte tenu du nombre faible de cas.

19. M. Moulon, *Recherches d'anthropologie urbaines à partir des inventaires après décès à Paris*, 1750-1760, mémoire de maîtrise, Paris-VII, 1977, pp. 61-65.

20. H. Burstin, *op. cit.*, pp. 384-388.

21. H. Davet, *op. cit.*, pp. 177-180.

22. F. Rousseau-Vigneron, *op. cit.*, pp. 205-215.

23. M. Reinhard, *op. cit. (Nouvelle histoire de Paris)*, pp. 78-79.

24. P. Petrovitch, *op. cit.*, p. 248, 33 % seulement de femmes jugées au Chatelet signent ; A. Farge, *op. cit.*, p. 127.

25. M. Pradines et C. Ungerer, *op. cit.*, p. 115.

26. D. Lefebvre-Weisz, *Analyse de la délinquance féminine dans les environs de Paris de 1750 à 1790*, d'après les archives de la Maréchaussée, Thèse de IIIᵉ cycle, Université de Paris-I, 1979, pp. 104-109.

27. Rétif de la Bretonne, *op. cit. (Les nuits)*, pp. 3355-3356.

28. Rétif de la Bretonne, *Les gymnographes*, La Haye, 1777, pp. 40-69.

29. S. Maréchal, *Projet de loi portant défense d'apprendre à lire aux femmes*, Paris, 1801.

30. R. Chartier, M. M. Compère, D. Julia, *L'éducation en France du XVIᵉ au XVIIIᵉ siècle*, Paris, 1976, pp. 45-85.

31. Rétif de la Bretonne, *op. cit. (Monsieur Nicolas)*, t. 1, pp. 185-205.

32. M. Fosseyeux, *Les écoles de charité à Paris sous l'Ancien Régime et dans la première partie du XIXᵉ siècle*, Paris, 1912, pp. 48-64 et A. Gazier, « Les écoles de charité du faubourg Saint-Antoine » in *Revue internationale de l'enseignement supérieur*, 1906, pp. 212-240.

33. F. Langlois, *L'enseignement primaire payant à Paris*, 1770-1790, mémoire de maîtrise, université de Paris-X - Nanterre, 1975.

34. J. Bonzon, *La corporation des maîtres écrivains et l'expertise en écritures sous l'Ancien Régime*, Paris, 1899.

35. F. Langlois, *op. cit.*, pp. 70-72.

36. J. Kaplow, *op. cit.*, pp. 176-177, on ne peut plus souscrire au jugement un peu rapide de l'auteur : « pour les enfants du peuple les chances de s'instruire étaient limitées ».

37. Rétif de la Bretonne, *op. cit.* (*Monsieur Nicolas*), t. 3, p. 299 ; t. 4, p. 80.

38. *Ibid.*, *op. cit.*, (*Les nuits*), p. 127, p. 176, p. 185, p. 203, p. 405, p. 465, p. 2226 (la fille d'un bon artisan se jette à l'eau dans ses poches on retrouve un billet), p. 2208 ; p. 1057 : dans la poche d'un domestique voleur en prison après sa mort ce billet, « l'amour pour Eufrasie m'a fait chercher à m'enrichir ; l'amour, la honte et la jalousie me déterminent à mourir... ».

39. P. Testud, *op. cit.*, pp. 375-377 et Rétif de la Bretonne, *op. cit.* (*Monsieur Nicolas*), t. 3, pp. 470-471.

40. Rétif de la Bretonne, *op. cit.* (*Monsieur Nicolas*), t. 3, pp. 390-391, pp. 409-410.

41. B. H. V. P., MS. 676, F° 30-31, F° 52, F° 55, F° 62.

42. Rétif de la Bretonne, *op. cit.* (*Monsieur Nicolas*), t. 3, pp. 576-577.

43. *Le livre dans la vie quotidienne*, Paris, 1975, pp. 109-112.

44. Le succès le plus connu est celui du livre de Puget de la Serre, la Secrétaire à la mode, Amsterdam, 1655 ; dont on connaît une cinquantaine de rééditions, il fait partie de la bibliothèque Bleue de Troyes dès 1730.

45. Rétif de la Bretonne, *op. cit.* (*Les nuits*), pp. 1561-1565.

46. F. Langlois, *op. cit.*, pp. 92-105, ces deux manuels parisiens ont connu plusieurs éditions autour de 1770-1780.

47. G. Vigarello, *Le corps redressé*, Paris, 1978.

48. R. Chartier, M. M. Compère, D. Julia, *op. cit.*, pp. 126-135.

49. *Ibid.*, *op. cit.*, p. 136.

50. Y. Castan, *Honnêteté et relations sociales en Languedoc*, Paris, 1974, pp. 121-126.

51. M. Reinhard, *Contributions à l'histoire démographique de la Révolution Française*, 2ᵉ série, Paris, 1965, introduction, pp. 11-15.

52. M. Marion, *Les bibliothèques privées à Paris au milieu du XVIIIᵉ siècle*, Paris, 1978, pp. 94-98.

53. J. Quéniard, *op. cit.*, t. 2, pp. 536-576.

54. H. J. Martin, *Livre, pouvoir, et société à Paris au XVIIᵉ siècle*, Paris-Genève, 2 vols, 1969.

55. F. Ardellier *op. cit.*, pp. 108-110 ; le taux de 55 % incorpore les cas probables, attesté par les meubles de rangement ; M. Botlan, *op. cit.*, pp. 278-279, calculé sur 196 cas obtient 33 % assurés.

56. AN, Min. Cent., I, 573, 30 mai 1778.

57. AN, Min. Cent., CXI, 373, 6 février 1787, la fortune est évaluée à 9 826 L.

58. AN, Min. Cent., IV, 356, 17 décembre 1710.

59. AN, Min. Cent., XXVIII, 523 (1786) ; XXVIII sol, 23 juin 1783 ; XXI, R 532, 2 septembre 1785 ; XXII, 65, 14 octobre 1790.

60. F. Ardellier, *op. cit.*, pp. 108-109 et R. Arnette, *op. cit.*, annexes ; salariés : vers 1700, 107 mentions ; vers 1780, 574 ; *Domesticité*, 310 ; 2 700.

61. J. Quéniard, *op. cit.*, pp. 770-773.

62. Rétif de la Bretonne, *op. cit.* (*Les nuits*), pp. 2697-2698.

63. A. Morin, *Catalogue descriptif de la bibliothèque Bleue de Troyes*, Paris-Genève, 1975 et H. G. Martin, *Culture écrite et culture orale, culture savante et culture populaire dans la France d'Ancien Régime*, *Journal des Savants*, 1975, pp. 225-281.

64. Abbé Perreau, *op. cit.*, pp. 60-71.

65. D. Roche, *La Mémoire de la mort*, *Annales*, E. S. C., 1976, pp. 76-119.

66. J.-L. MARAIS, *Littérature et culture populaire aux XVIIe et XVIIIe siècles, Annales de Bretagne,* 1980, pp. 65-105.

67. D. ROCHE, art. cit., pp. 115-118 et J.-L. MARAIS, art. cit., pp. 90-92.

68. M. BOTLAN, *op. cit.,* pp. 284-286.

69. ABBÉ PERREAU, *op. cit.,* pp. 62-63, pp. 66-67.

70. P. CHAUNU, *op. cit. (Mourir à Paris),* pp. 433-465.

71. A. SOBOUL, *Les sans-culottes Parisiens en l'an II,* Paris, 1958, pp. 282-299.

72. RÉTIF DE LA BRETONNE, *op. cit. (Nuits à Paris),* pp. 3233-3234.

73. R. CHARTIER, *La ville acculturante,* in *Histoire de la France Urbaine,* XVIe-XVIIe siècles, Paris, 1981.

74. L.-S. MERCIER, *op. cit.,* t. 1, pp. 188-189.

75. J.-P. BELIN, *Le commerce des livres prohibés à Paris de 1750 à 1789,* Paris, 1913, pp. 80-86.

76. H.-G. MARTIN, art. cit., pp. 246-247. Religion in *Catalogue Morin* 28 %, in inventaire Oudot 1789, 43 % ; fiction (roman, contes, théâtre, chanson) 41 et 28 % ; Littérature utilitaire, d'information et d'instruction, 30 % et 27 %.

77. L.-S. MERCIER, *op. cit.,* t. 12, pp. 297-299.

78. J.-L. MARAIS, art. cit., pp. 93-95.

79. R. KREISER, *Miracle, convulsions, and ecclesiastical politics in early eighteenth century Paris,* Princeton, 1978, pp. 140-180 ; *Chroniques de la Régence, journal de l'avocat Barbier,* Paris, 1885, 8 vol., t. 1, pp. 136-137.

80. RÉTIF DE LA BRETONNE, *op. cit. (Les nuits),* p. 1685. Un papier public me tomba sous la main, p. 2055.

81. R. DARNTON, *The business of Enlightenment a publishing history of the Encyclopedie,* 1775-1800, Harvard, 1979, pp. 481-490 et 541-542 ; S. MERCIER, *op. cit.,* t. 10, pp. 295-298.

82. *Chroniques de la Régence, op. cit.,* t. 2, p. 29 (janvier 1728).

83. M. PITSCH, *op. cit. (essai de catalogue sur l'iconographie),* p. 145 ; d'autres exemples, p. 14 (perchés sur des chaises nous chantons la Bourbonnaise), p. 96, les chansons du boulevard de Barbarie par Berthaud ; p. 111 l'orgue de Barbarie par Bouchardon ; p. 87 Fanchon la Vielleuse par Fragonard ; p. 113, la place Maubert et la place des Halles par Jeaurat ; p. 121, le marchand de chanson de juillet ; p. 141, l'érection de la statue de Louis XV par de Machy.

84. S. MERCIER, *op. cit.,* t. I, p. 285-287.

85. H. DAVENSON, *Le livre des chansons,* Neuchâtel, 1946, pp. 81-88.

86. RÉTIF DE LA BRETONNE, *op. cit., (Monsieur Nicolas),* t. III, p. 189, pp. 199 et 399.

87. P. MANUEL, *La police de Paris dévoilée,* Paris, An II, 2 vol., t. 1, pp. 66-67.

88. J.-L. MARAIS, art. cit., pp. 103-105.

89. E. FOURNIER, *Histoire des enseignes de Paris,* Paris, 1884 ; J. GRAND CARTERET, *L'enseigne,* Paris, 1902 ; M. CHARPE, *Les enseignes de cabaret et de marchands de vin à Paris au XVIIIe siècle,* Mémoire de maîtrise, Université de Paris-I, 1979.

90. L.-S. MERCIER, *op. cit.,* t. 1, p. 118.

91. M. COYECQUE, *L'Hôtel-Dieu de Paris au Moyen Age,* Paris, 2 vol., 1891, t. 1, pp. 201 sq. et A. BERTY, « Les enseignes des maisons de l'Ile de la Cité », in *Revue Archéologique,* 1860, pp. 75-113.

92. M. M. de la MURE, *Le cabaret parisien à la veille de la Révolution,* thèse de l'école des chartes, Paris, 1979.

93. L.-S. MERCIER, *op. cit.,* t. I, pp. 204-205.

94. J. ADHÉMAR, *La peinture d'enseigne au temps de Balzac,* archives de l'Art Français, 1978, pp. 307-312.
95. N. DES ESSARTS, *op. cit.,* t. IV, p. 524.
96. ABBÉ TEISSERENC, *Géographie parisienne,* Paris, 2 vol., 1762.
97. F. EMEL, *L'affiche,* Tours, 1971.
98. Le colleur d'affiches par BOUCHARDON ; J.-B. RAGUENET, *Le cabaret de l'image Notre-Dame ;* G. CANELLA, *Les halles en 1828.*
99. L.-S. MERCIER, *op. cit.,* t. 4, pp. 45-47, t. 6, pp. 73-79, t. 12, pp. 10-12.
100. Publicité pour le bureau de la citoyenne THEVENET, 121, rue Créqui, 1793.
101. Une affiche de recruteur de l'ancien temps, in *Le Magasin Pittoresque, 1833,* p. 390, 1862, p. 131.
102. P. DATZ, *Histoire de la publicité,* Paris, 1894 ; pp. 85-105, pour la législation.
103. *Chroniques de la Régence, op. cit.,* t. 1, pp. 42, 59, III, 134, 187, 403, t. 2, pp. 22, 54, 56, 75, 83, 93, 110, 168, 169, 246, les plus célèbres des placards le 3 février 1732, de par le Roi est fait défense à Dieu, de faire des miracles en ce lieu...
104. S. KAPLAN, *Bread, Politics and political economy in the reign of Louis XV,* La Haye, 1976, 2 vol., t. 1, pp. 319-323.
105. RÉTIF DE LA BRETONNE, *op. cit. (Les nuits),* p. 2984.
106. J.-C. PERROT, *op. cit.,* t. 2, pp. 664-667 ; J. PRONTEAU, *Les numérotages des rues de Paris,* Paris, 1966.
107. M. DES ESSARTS, *op. cit.,* t. 3, pp. 519-520, PIGANIOL DE LA FORCE, description de la ville de Paris, Paris, reed 1765, t. 1, p. 32.
108. ABBÉ TEISSERENC, *op. cit.,* pp. III rt IV, pp. IX-X.
109. J.-C. PERROT, *op. cit.,* p. 665 et P. GRUNEBAUM-BALLIN, *Le système de dénomination topographies pour les rues...,* La vie urbaine, 1959, pp. 251-263.

Chapitre VIII

Manières de vivre

« Cabarets borgnes. Autrement dit
"tavernes". Vous n'y viendrez pas, délicats lecteurs ; j'y suis allé pour vous... »

L.-S. MERCIER.

La culture populaire parisienne est faite d'une multitude de
gestes qu'unifient des comportements, une socialisation caractéristique. En tenter la description d'ensemble s'avère impossible
ici mais on peut esquisser l'étude de quelques relations privilégiées
parce que s'y dévoilent l'influence de la sociabilité citadine et celle
des manières d'user de l'espace, et, parce que s'y révèlent les
façons ordinaires dont le peuple vit sa vie, vit sa ville. Le
problème historique qui est à résoudre est celui de la signification
intrinsèque du mode de vie des classes laborieuses. Pour les
observateurs moraux il est par nature déculturant, « le pauvre ne
peut pas être heureux à Paris », affirme à plusieurs reprises
Sébastien Mercier, la solitude est son lot, sait déjà le petit Rétif
avant même d'avoir foulé le pavé parisien : « personne ne se
connaît ». Utilisant les sources de la criminalité les historiens
découvrent le halo de misère, d'abandon, de violence qui est le
sort habituel de ceux qui ont transgressé les normes mais qui
pour une part est le lot fréquent de tous. Or les écrits des moralistes et des économistes comme les procès-verbaux des commissaires parlent, il faut le répéter, le même langage, celui du soupçon
et de l'incompréhension, et ne peuvent rendre compte qu'indirectement de ce qui fait la conscience confuse d'un destin collectif :
la culture du pauvre. Il faut nous en accommoder. Deux approches
parmi d'autres se prêtent à la reconstitution de ces manières de
vivre : d'abord comprendre un modèle de relations entrevues dans
les façons d'organiser la vie, dans les lieux du quotidien ; ensuite
regarder autour du cabaret, l'ensemble d'attitudes qui caractérisent la condition populaire dans ses travaux et ses jours comme

dans son loisir, dans ses habitudes de sociabilité ordinaire comme dans ses pratiques de transgression.

Partons des chiffres. Si l'on reprend les inventaires après décès et les reconnaissances de cadavre à la morgue en 1770 et vers 1796, qu'en est-il de la solitude ? Salariés et domestiques ne meurent pas isolés mais entourés d'une certaine assistance et sans qu'il y ait coupure totale des origines provinciales :

	1695-1715		1775-1790	
	Salariés	Domestiques	Salariés	Domestiques
Procurations	20 %	18 %	45 %	42 %
Pas de parents con-nus	35 %	36 %	15 %	21 %
Famille représentée par des parents	45 %	46 %	40 %	37 %
	100	100	100	100

Pour chaque période, cela représente un total de plusieurs centaines de personnes, nombre suffisant pour faire apparaître trois réseaux principaux de relations. D'abord vient la famille, celle qui se déplace, celle qui se fait représenter et celle qui est déjà sur place ; les aïeux sont rares, les gendres et les brus peu nombreux, les oncles et les tantes jouent en revanche un rôle essentiel, ils deviennent fréquemment tuteurs de leurs neveux et nièces et forment à chaque période entre le tiers et le quart des parents présents, les frères et sœurs, les beaux-frères et les belles-sœurs, les cousins et les cousines rassemblent le reste, soit la majorité. A l'intérieur de ce groupe des témoins apparaît ensuite le milieu du travail, autres domestiques d'une part, relations d'ateliers et de boutiques d'autre part, mais les maîtres et les employeurs interviennent rarement sauf dans le cas de compagnons célibataires et sans famille, de vieux serviteurs veufs ou veuves partiellement isolés. Enfin, il faut faire la part du voisinage qui rassemble toutefois moins du dixième des personnes présentes, ce qui se conçoit aisément, l'inventaire est mise en cause d'un patrimoine.

La sociologie de ces réunions est intéressante pour montrer la permanence et la stabilité, voire la mobilité sociale. Pour le salariat, les parents occupent dans les trois quarts des cas une situation analogue à celle du défunt, un gagne-denier est fils d'un gagne-denier souvent frère d'un gagne-denier, un journalier a pour oncle un journalier ; il y a néanmoins un quart de positions supérieures, proportion qui ne varie guère du règne de Louis XIV à celui de Louis XVI ; un compagnon peut avoir un parent maître-artisan, un journalier être lié à un garçon de jurande, cousiner avec un employé ou avoir comme neveu un commis, enfin pour ceux dont l'origine provinciale est récente, on voit apparaître, en petit nombre, les métiers et situations sociales du monde rural, laboureur établi, cas rare, plus fréquemment un parent vigneron, jardinier, manouvrier. La société salariale perçue au moment où la mort disloque la famille, se révèle sans surprise stable et peu modifiée à une ou deux générations directes ou collatérales. On retrouve là confirmation de la relation matrimoniale analysée [1] pour l'ensemble des contrats parisiens en 1749 : le tiers des compagnons et gens de métiers occupe la situation paternelle, un autre tiers est fils d'artisans et de boutiquiers ce qui révèle une situation d'attente plus qu'une déscension sociale, 16 % en revanche proviennent de milieux sociaux plus élevés et le reste de couches salariales inférieures. Les gagne-deniers et manouvriers sont moins favorisés puisque leurs pères sont majoritairement des ruraux ou d'autres gagne-deniers. Le principe de l'endogamie vérifié par la comparaison des situations sociales des épouses avec celles de leur mari confirme cette stabilité générale et l'inégalité des chances entre le monde des manœuvres et celui des compagnons et gens de métiers, les 2/3 de ces derniers concluent une union dans le monde des corporations, des jurandes et des métiers libres, 1/3 seulement pour la première. Le choix des épouses ne fait guère éclater les frontières habituelles et la carte du Tendre des salariés parisiens mord assez peu sur le territoire des classes supérieures : 10 % de cas. Du mariage à la mort la vie familiale se déroule dans des horizons rarement bousculés où des situations identiques par les origines géographiques et sociologiques se consolident, où l'immobilité est la règle et le changement l'exception (tableau 36).

Le profil social des parentés et des témoins de la domesticité lors des inventaires est beaucoup plus ouvert. Dès 1700, on y trouve plus du tiers de maîtres-artisans et boutiquiers (37 %), un bon nombre de bourgeois de Paris (19 %), de domestiques (15 %) mais peu de salariés inférieurs et de ruraux (12 %). Dans plus du dixième des cas, les représentants des classes supérieures, parents proches ou éloignés, sont là. Les domestiques confirment une intégration possible et qui passe par la relation avec les classes moyennes de la Capitale ; maîtrise et rentes étant l'horizon commun. Vers 1780, peu de changement, mais le nombre des parents paysans augmente et surtout celui des compagnons et journaliers, tel laquais a un frère gagne-denier, tel autre un oncle manouvrier : 24 %. Cela peut signifier un accroissement du nombre global des domestiques provenant récemment de la campagne et un ralentissement des possibilités d'entrée dans la bonne société urbaine. Les contrats de mariage de 1749 confirment les deux premiers traits : 45 % de fils de paysans, 10 % de fils d'artisans et boutiquiers, et en ajoutent un troisième, un quart des

Tableau 36

SITUATION DES FILS PAR RAPPORT AUX PERES EN 1749

PERES	Domestique	gagne-deniers journaliers	compagnons et métiers	paysans laboureurs	autres	artisans boutiques	classe supérieure
FILS							
Domestiques (287)	5 %	3 %	15 %	33 %	12 %	10 %	22 %
Gagne-deniers journaliers (47)	2 %	21 %	9 %	38 %	13 %	9 %	8 %
Compagnons et gens de métiers (521)	4 %	3 %	31 %	11 %	6 %	29 %	16 %

SITUATION SOCIALE DES EPOUSES

EPOUSE	Domestique	gagne-deniers journaliers	compagnons et métiers	paysans laboureurs	autres	artisans boutiques	classe supérieure
MARI							
Domestiques (301)	27 %	3 %	22 %	8 %	6 %	19 %	15 %
Gagne-deniers (66)	12 %	30 %	20 %	8 %	8 %	13 %	9 %
Compagnons (558)	10 %	6 %	28 %	3 %	2 %	38 %	13 %

Tableau 37

LES REPONDANTS DES ACCIDENTES
en 1770

	FEMMES				HOMMES				TOTAL
	I indéterminés	II catégories supérieures	III artisanat boutique	IV peuple	I indéterminés	II catégories supérieures	III artisanat boutique	IV peuple	
Maris et femmes	—	1	1	5	1	—	10	14	32
Pères - Mères	—	1	2	6	1	—	3	9	22
Beaux-parents	2	1	3	2	1	—	2	7	18
Fils et Filles	—	—	2	5	—	—	—	10	17
Frères et Sœurs	—	—	—	—	—	—	1	4	5
Oncles Tantes	—	—	—	—	—	—	—	—	
Neveux	—	—	—	1	—	—	1	4	6
Employés et logeurs	—	—	—	—	—	—	—	—	
Amis et relations de travail-voisins	—	1	2	4	—	—	1	2	10
									110

Non reconnus :   33 soit 25 %
                                                                        de 132

Tableau 38

LES REPONDANTS DE LA MORGUE 1796-1800

	HOMMES				FEMMES				TOTAL
	I	II	III	IV	I	II	III	IV	
Maris et femmes	2	2	7	17	—	—	5	6	39
Pères - Mères	2	1	4	19	4	1	1	5	37
Beaux-parents									
Fils Filles	—	2	4	10	—	—	—	1	17
Gendres									
Frères Sœurs	1	2	9	24	2	—	2	3	43
Beaux-frères	1	2	2	11	—	1	—	7	24
Oncles Tantes									
Neveux									
Employeurs et logeurs	—	2	13	16	—	—	—	3	25
Amis voisins	12	28	27	135	10	11	12	28	263

TOTAL DES RE-PONDANTS   448

Non reconnus   22 sur les 184

domestiques viennent de la bonne bourgeoisie soit pour occuper des fonctions supérieures soit parce qu'il y a un échec.

Ils choisissent leurs épouses surtout dans la domesticité, ensuite dans le salariat, enfin dans le monde de l'échoppe et de l'atelier. La femme de chambre épouse un valet fils de domestique, le laquais une soubrette fille de serviteur, d'un bon ouvrier ou d'un petit artisan. Les contrats avec la société supérieure sont rares. On ne fait pas son chemin dans le monde ancillaire par mariage, on s'y stabilise.

Les dossiers de la morgue prouvent sans réserve que le populaire parisien n'est jamais totalement seul [2]. Accidentés et suicidés sont insérés dans un lacis double de rapports : réseau de la famille élargie, réseau des relations quotidiennes. Les répondants familiaux l'emportent largement au lendemain de l'accident de 1770 quand seulement un quart de victimes n'est pas réclamé [2]. Maris et femmes d'abord qui viennent reconnaître leur conjoint, les pères et mères ensuite, les enfants et les frères et sœurs pour un tiers. Bref, ce sont surtout les proches qui ont été touchés dans les circonstances funèbres de la bagarre. Les employeurs et les amis n'ont pas eu le temps d'agir. En revanche ce sont eux qui l'emportent largement dans les reconnaissances de la basse geôle. Bien sûr la parenté est encore là : 35 % des répondants, surtout des maris, des épouses, des fils, des filles, des gendres et des belles-filles. Mais les voisins, les amis, les camarades de chantier, les compagnons d'atelier, les copains de régiment, arrivent ainsi en foule pour témoigner d'une reconnaissance qui est souvent aveu de rapport plus fraternels et plus durables, geste de dernière curiosité au revoir furtif. Voilà Jean-Pierre Leroy tombé du Pont de l'Unité en face des Tuileries et noyé, le 10 Messidor an VI ; le 11 arrivent son beau-père le vitrier Rondu, et ses beaux-frères, Delaistre un peintre, Thérault limonadier, Jean-Pierre Leroux confiseur, tous habitent dans le même quartier et dans les rues proches du domicile de la victime. Le 19 Messidor an VI Nicolas Grépat gagne-denier se noie, c'est un savoyard de Comblat ; trois jours après l'accident son père et son frère gagne-deniers et deux relations de travail Joseph Miotton et Jean-Joseph Bourguignon gagne-deniers viennent le reconnaître ; tous habitent rue de la Chaussée-d'Antin comme la victime. Les malchanceux ont été jusqu'à leur dernier moment intégrés dans une surveillance, tous ont des liens dans la ville où de multiples relations humaines sont possibles [3].

Tous ces réseaux correspondent à des espaces. Aux solidarités familiales l'ancrage de la maison, du foyer d'abord. On a peut-être pensé un peu trop vite que la famille populaire n'existait pas avant qu'elle prît conscience d'un sentiment familial venu d'ailleurs, expérimenté dès la fin du XVIIᵉ siècle par l'élite et diffusé

avec l'école qui discipline les enfants hors de la maison [4]. Au bas
de la société l'histoire de la famille se confondrait avec celle d'un
niveau de vie [5]. C'est oublier que plusieurs siècles de vie urbaine
ont façonné pour la majorité de la population échappant au destin
des aisés des comportements et une conscience propres. Non seulement la famille populaire existe mais elle a peut-être toujours
existé avec un mode de relations originales en son sein. On objectera qu'il ne peut y avoir de vie de famille parce qu'il faut vivre
dans une insupportable promiscuité et parce qu'il n'y a pas d'enfants. Voire ! la promiscuité de tous les instants est le lot du
peuple, on l'a vu, ce qui suppose une proxémie particulière le
façonnement de rapports sociaux, familiaux et perceptifs caractéristiques. La famille populaire s'accommode du manque d'espace
et elle en joue, les couples s'adaptent à un isolement impossible
parents et enfants acceptent un environnement olfactif et des
spectacles sexuels depuis longtemps déjà insupportables aux gens
de bien. Le foyer populaire admet les odeurs, celles des corps
et des eaux douteuses, celles des aliments qu'on prépare : le café
au lait du matin devenu commun pour le peuple de Paris dès le
XVIIIᵉ siècle. Il accepte ainsi les bruits, les cris, les gueulantes et
les ronflements, les pets et les rots qui choquent les auteurs des
Civilités puériles et honnêtes ; Sébastien Mercier a raison le peuple
hausse continuellement le ton quand le bourgeois et l'aristocrate
baissent la voix. L'entassement n'est pas l'inconduite et n'exclut
pas un style de vie, peut-être une autre forme de bonheur, simple
et déjà subtile, désordonnée et en même temps équilibrée [6].

Point d'enfant dans le peuple, il est soumis à l'abandon ou à la
mise en nourrice, les enfants fuient la maison, rassemblés dans
les écoles ou passant leur liberté dans les rues, ils n'y rentrent
que pour dormir. Précisons deux choses : le geste de l'abandon
n'est pas réservé, à Paris tout au moins, aux gens de peu, l'allaitement mercenaire n'est pas uniquement populaire et il n'exclut pas
les retours des survivants, au foyer des parents. Le nombre des
enfants trouvés à Paris monte au XVIIIᵉ siècle : un millier d'aban-
dons vers 1700, plus de 5 000 avant 1790, mais 40 % de ces
enfants viennent des provinces. Le reste est le fait de tous,
d'abord il y a les illégitimes parisiens 70 % mais aussi 30 % de
légitimes, ensuite il ne s'agit pas que des enfants du peuple : pour
1778 et calculés sur 1 199 cas :

— Compagnons, gagne-deniers Salariés et petits métiers	348	29 %
— Domestiques	85	7 %
— Maîtres artisans et marchands	294	24 %
— Bourgeois - rentiers - catégories supé- rieures	472	40 %
	1 199	100 %

L'abandon populaire, habituel dans les paroisses du faubourg Saint-Antoine ou du Centre, est au total moins fréquent que celui des boutiquiers et des maîtres-artisans (un quart) et que celui des classes supérieures. L'indigence en est responsable, surtout en temps de crise, et elle dicte un geste sans retour ; mais aussi une manière de vivre, qui est celle des aisés, de ceux qui montent dans l'échelle sociale, les petits bourgeois, et qu'on voit s'accommoder avec le désir de retrouver l'enfant après une gêne passagère. Les enfants de la débauche sont nombreux mais issus de tous les milieux, s'ils viennent du peuple c'est que la « corruption des mœurs » pour parler comme Rousseau, s'exerce essentiellement aux dépens des filles du peuple : ce n'est pas un simple artifice de l'Histoire. « L'embarras de marmaille » est fait des riches autant sinon plus que des pauvres [7].

Restent les nourrissons voués par la précarité des soins, et l'allaitement mercenaire à une mortalité assurée, au moins pour les deux tiers d'entre eux. Mais là encore ces choix essentiels ne sont pas uniquement le fait des gens du peuple [8]. D'abord parce qu'il faut payer les mois de nourrice, cela exclut les plus pauvres des salariés (ainsi aucun fils de gagne-denier parmi les 644 enfants mis en pension dans les villages de la banlieue Sud vers 1792). En revanche, le salariat parisien ne compose pas le tiers des parents mais ce taux est peut-être sous-estimé car il faut tenir compte des prix, plus ou moins élevés selon l'éloignement :

— Compagnons	155	24 %
— Domestiques	41	6 %
— Maîtres et marchands	283	44 %
— Bourgeois, catégories supérieures	165	26 %
	644	100 %

Ni l'abandon, ni la mise en nourrice ne caractérisent tout à fait les comportements familiaux du peuple. Il n'est pas sûr que les parents se résignent à ces ruptures dramatiques, il n'est pas assuré que la femme d'ouvrier soit insensible à ce choix imposé par les contraintes de l'existence. Le travail féminin est indispensable au maintien de la cellule familiale ; les enfants abandonnés ne sont pas toujours des enfants oubliés [9]. La vie urbaine dicte sa loi, l'imitation des couches intermédiaires imposent des modèles, les façons malthusiennes ou le libertinage des aisés, les manières de gérer sa vie comme sa boutique des gens de la moyenne bourgeoisie. Pour échapper à l'aliénation totale et éviter la dislocation familiale il faut un minimum d'aisance, il est atteint parfois, gagné, perdu, regagné, et on a vu l'importance des enfants dans la consolidation fragile des patrimoines. C'est donc toute une stratégie qui s'organise autour des couples dont l'isolement est relatif. La famille large ne vit plus rassemblée au sein d'un même foyer mais unie par les relations quotidiennes, ou hebdomadaires, partageant parfois le même labeur, réunie par les fêtes, les cérémonies, les deuils, les mariages, les départs et les arrivées. Et partout il y a des enfants (tableau 7).

Bien sûr dans la journée, ils peuplent les écoles, bien sûr, ils se bousculent dans les rues et sur les quais ; les commissaires de police redoutent leurs mauvaises plaisanteries, ils éclaboussent les passants, ils accrochent des casseroles à la queue des chiens et des chats, ils se bombardent avec des fruits pourris, des mottes de terre et des cailloux, ils se dorent au soleil les après-midi de juillet sur les sables de la rivière — certains y laissent la vie [10] —. D'autres très tôt travaillent avec leur père, avec leur oncle, chez un maître voisin où la famille les a placés en apprentissage [11]. Ils y apprennent les tours de main et l'habitude de la vie enseignée à coup de canne, ou de plaisanteries gauloises [11]. Mais comme le remarque Mercier : « Les enfants à Paris sont fort jolis jusqu'à l'âge de sept à huit ans. Comme ils sont élevés au milieu d'une foule nombreuse d'individus, ils contractent de bonne heure un air d'aisance ; ils n'ont pas l'air niais ; ils ne sont ni trop étonnés des usages de la vie, ni des tracas de la ville : un petit air d'assurance dit qu'ils sont nés dans la capitale et déjà façonnés à son grand mouvement... [12]. » Cette adaptation des enfances parisiennes est plus particulièrement celle du peuple : c'est la revanche de la promiscuité car l'on y apprend vite. Tous ceux qui ont du travail peuvent avoir chez eux leurs enfants, les survivants des nourrissons, ceux qui ne sont pas partis et qui ont échappé à l'effroyable mortalité infantile. Avec leurs parents ils partagent joies et peines, ils vont aux fêtes. — On en compte 21 n'ayant pas atteint 15 ans parmi les cent victimes de la « Bagarre » — ils apprennent leurs rôles, l'autorité des mâles, la docilité des femmes, le sens du travail et cette attitude frondeuse qui caractérise le peuple. A la lueur de la cheminée ils rêvent d'indépendance, de loisirs et de bien-être et peuvent apprendre leurs lettres et leurs chiffres, ils savent y feuilleter le *Catéchisme* et l'*Almanach, la Clef des songes* et le *Miroir des femmes.* C'est là aussi que le grand moment du repas rassemble tout le monde autour de la table familiale.

Le caractère rituel du repas (on y joue à plein temps les rôles familiaux, on y transmet une sagesse, « mets pas tes doigts dans ton nez », « mastique lentement », « qui vole un œuf vole un bœuf ») est souligné par le rite du bénédicité évoqué par les peintres [14] : celui de Lebrun popularisé par la gravure montre une attitude collective, la famille est là consciente et elle en est sans doute consciente, car elle n'est pas directement et uniquement liée à la possession d'une maison, d'une intimité bourgeoise, elle s'inscrit dans des gestes, par exemple ceux de l'alimentation.

Manger ramène chacun chez soi, mais la nourriture n'y est pas toujours réchauffée ou préparée dans l'âtre, on l'achète aux regratiers et aux revendeuses de restes [15]. Ces marchandes et ces marchands — ils sont peut-être 6 000 pour tout Paris — « mettent en vente au détail ce qu'ils ont acheté au détail », légumes, œufs, poissons ou viandes mais aussi les fromages, le sel, et les fruits. Surtout nombre d'entre eux mettent à la disposition des ventres populaires affamés les restes de repas de la haute société. Les plus pauvres et les moins pauvres peuvent y trouver une pitance qu'il ne faut pas imaginer uniquement sous l'apparence des « mets hideux » et de « l'assiette publique » peint par Sébastien Mercier [16]. Le reste est affaire d'occasion, les domestiques y pourvoient et il y a toute une hiérarchie des plats aisément accessibles ; qui a pour voisin un maître d'hôtel de bonne composition peut s'entendre avec lui pour apprécier quelques retombées gastronomiques. Pour la majorité des classes populaires — serviteurs non compris — c'est une nécessité ordinaire, le moyen de varier un régime alimentaire à base de pain de ménage, car le mélange de viandes et de légume, « la réjouissance » des regrattières ne coûte que 17 Sols et la livre de tripes 9 Sous. Les gens du peuple sont-ils bien nourris ? Pour les observateurs moraux aucun doute les regrattiers empoisonnent les pauvres, ce qui traduit une obsession de la pourriture et du poison propre à dénoncer la corruption urbaine, mais il est raisonnable de penser que l'alimentation populaire s'est améliorée au XVIIIᵉ siècle. Le lieutenant de police Lenoir le rappelle dans ses mémoires, et les calculs que l'on peut faire de la ration alimentaire parisienne ne sont peut être pas éloignés de la vérité si l'on admet à la fois la part de la consommation différentielle et le phénomène de redistribution par le regrat [17]. On verrait mal où iraient s'entasser les 350 000 moutons, les 120 000 veaux, les 80 000 bœufs, les 40 000 porcs qui arrivent tous les ans à la Halle d'après les calculs de Lavoisier, les estomacs des riches n'y suffiraient pas. Il faut admettre que le peuple mange en temps normal — pour il est vrai moins de 2 000 calories par jour ce n'est pas le Pérou — mais aux yeux mêmes de Mercier et Rétif, « les domestiques sont gros et gras ». En temps de crise c'est autre chose et quand la mercuriale monte les ventres populaires sont en crise. Si tout va bien une petite fête alimentaire rassemble la famille, au foyer (on fait venir des plats du traiteur) ou au cabaret. Le premier verre de vin est levé en l'honneur du grand-père [18]. L'intérêt de ces pratiques est de montrer comment la quotidienneté suscite une ingéniosité particulière, c'est la fonction des femmes du peuple d'assurer avec débrouillardise cette continuité. C'est la famille populaire qui intériorise des habitudes de boire et de manger sans rapport avec celles des aisés : se caler l'estomac avec les produits

bien relevés du traiteur, des regrattières, apprécier à son temps
un bon morceau, fût-il bas ; des raisons à la fois réelles et symboliques font du repas familial populaire un acte original [19]. Le
sens de la famille transparaît dans ces manières de vivre qui se
concilient avec une sociabilité extérieure et admettent un équilibre
entre les tyrannies de l'intimité et celles du collectif.
Autour du foyer, les solidarités de voisinage tissent une autre
trame dans la vie du peuple. Quand Mercier évoque les voisins
c'est pour dire qu'ils ne se connaissent pas [20], or les *Tableaux de
Paris* regorgent d'anecdotes significatives qui montrent que tout
le monde se connaît, dans la maison, dans la rue, dans le quartier.
L'étroitesse et la pauvreté des constructions imposent cette publicité de la vie quotidienne, les discordes familiales, les manies des
uns et des autres ne peuvent échapper aux voisins de palier, à ceux
du dessus ou du dessous. Des relations de familiarités quotidiennes
s'établissent, le salut journalier, la discussion sur la pluie et le beau
temps, l'échange des allumettes — au clair de la lune je n'ai plus
de feu — du sel et du poivre, du poêlon ou de la soupière. Des
querelles peuvent faire dégénérer ces rencontres, tourner au cré-
page de chignon pour une porte trop ouverte ou trop fermée, une
corde de puits perdue, un seau d'ordures balancé un peu vite et
qui n'a pas raté sa cible. Les locataires de la maison populaire
cohabitent et s'ils veulent échapper au stress inhérent à toute
collectivité surpeuplée il leur a bien fallu une adaptation d'ensemble aux conditions matérielles, à un espace perméable et
ouvert [21]. Le privé et le public s'entremêlent étroitement dans
l'itinéraire de la maison où apparaissent des points stratégiques ;
lieux de rencontre entre les habitants, occasions de discussions,
de conflits, toujours observés et surveillés. « Passant devant une
maison dont l'allée était ouverte, j'entends des cris perçants. Je
monte dans l'escalier, un furieux descend, je me jette dans un
cabinet d'aisance... toute la maison s'étant éveillée on me parla par
les fenêtres... [22]. » L'allée d'abord, défendu par son secret. Chaque
porte d'allée a sa serrure, chaque locataire a ses clefs, s'il les oublie
il tourne dans la nuit car le propriétaire ou le principal locataire
ferment vers 11 heures [23], les galants et les maraudeurs en sortent
qui ameutent les voisins ; on y passe pour gagner l'escalier, la
cour, les autres bâtiments [24]. On s'y rencontre, on s'y salue et
« ce qu'elles ont d'incommodes c'est que tous les passants y lâchent
leurs eaux, et qu'en rentrant chez soi l'on trouve au bas de l'escalier, un pisseur qui ne se dérange pas [25]. Dans les maisons un peu
relevées le maître de l'allée est le portier, artisan parfois, cordonnier, tailleur, écrivain public, « il travaille à son métier sédentaire
et n'a que le cordon à tirer. Dans les grosses maisons, le portier
n'a rien à faire ; oisif, il boit et se chauffe toute la journée dans
sa loge [26] ». Les concierges parisiens sont des informateurs et des

observateurs jaloux de leurs prérogatives, ils règnent sur le monde des locataires avec bienfaisance ou tyrannie, ils savent tout, nul n'échappe à leurs lois [27]. La vie habituelle s'organise autour de l'escalier et se rythme par les paliers. Chaque étage est un monde ayant sa coloration sociale et son allure ; rue Galande dans l'immeuble où Rétif prend pension le second est occupé par Sophie Grandjean, la belle pâtissière qui vient d'épouser un « gentilhomme de Picardie » ; le troisième est à une jolie bouchère ; au quatrième logent Bonne Sellier, ancienne femme de chambre de la princesse d'Epinay qui a du savoir-vivre, mariée à un compagnon imprimeur ivrogne, et ses sept pensionnaires ; au cinquième sur le devant, vit Zoé Delaporte, une institutrice et sur le derrière un chapelier et sa fille [28]. Ce microcosme a ses habitudes, on se réunit sur les paliers, une porte ouverte, un incident rassemblent la maisonnée en cercle spontané, « je vis cette jeune personne entourée de son gros voisin, de sa voisine, de Thérèse, de ses deux amies... la joie était franche [29] ». Un voleur y est poursuivi, un amant se cache dans les latrines ; les voisins attirés par le bruit collent leurs yeux à la porte des chambres, la rumeur qui éclate attire tout le voisinage aux fenêtres ; l'escalier est pour les potins, les bavardages, une vaste caisse de résonance, son territoire est plein d'aventures. La curiosité de tous s'y déploie car le peuple a ses craintes, ses phobies, ses centres d'intérêt, voleurs, mouchards, galants, souteneurs, plaisantins peuvent mobiliser la maison. Signalés, entendus, on les attend au bas des degrés armé de manche à balais et de broches en espérant l'arrivée du commissaire. Les retrouvailles des familles, les amours des jeunes et des moins jeunes, tout s'y déroule dans une candeur spontanée et une fraternité sociale qui n'excluent pas la violence. La sociabilité de l'immeuble y fait sa part, dans d'inoubliables querelles de ménage, conflits avec les logeurs, discussions entre locataires ; où les femmes sont particulièrement concernées car ce sont elles qui veillent au domaine habitable de la famille, délimitent leur territoire avec le voisinage, défendent leur réputation de bonne ménagère ou leur honneur d'épouse. La vie ordinaire du peuple est faite de cette aptitude à la brutalité voire à la fureur comme de sa propension à la solidarité [30]. Ces sentiments collectifs s'acquièrent tôt, on les voit s'exprimer dans les manières des jeunes compagnons qui s'unissent pour mieux vivre. La misère se partage comme la bonne fortune. Monsieur Nicolas forme trio avec Bourdard et Chambon, un imprimeur et un horloger, les charges ainsi sont mises en commun, le pot-au-feu mijote dans l'âtre, on mange de la viande tous les jours et on arrive à vivre avec 3 livres par semaine. Pour Rétif, le mariage sera une catastrophe car Agnès Lebègue qui a connu des jours meilleurs rougit des façons misérables, manger ce que mangent les pauvres, rapiécer les habits,

faire de deux sous quatre, c'est pour elle insupportable ! Pour
le ménage, c'est la misère [31]. La promotion de Rétif comme prote
chez Quillau à 18 livres par semaine procure au couple plus de
considération, Agnès Lebègue a de l'ouvrage, « nous travaillâmes
tous les deux »... Le ménage prospère [32].
De la maison à la rue pas de coupure, le voisinage déborde aux
maisons proches, aux ateliers, aux boutiques, aux cabarets peu
distants. Pour chacun, un quartier se dessine fait de relations
quotidiennes et de réputations changeantes. Dans la rue voisine
quelquefois dans la maison même on travaille, si on change de
domicile ce n'est jamais pour aller bien loin. Jacques Ménétra
naît dans une maison où son père tient boutique rue du Cloître-
Saint-Germain l'Auxerrois, toute son enfance se déroule entre
la rue de la Grande-Truanderie près des Halles, l'Eglise Saint-
Germain, la paroisse Saint-Eustache, les quais de la Seine et le
Pont Neuf. La maison paternelle, le domicile de sa grand-mère,
la salle de la petite école paroissiale, les échoppes de plein vent
dans les rues, les bateaux de la rivière sont les lieux où il apprend
avec les gamins de son âge les réalités et les joies de l'existence
populaire. A vingt ans, il n'a pas vraiment franchi la Seine deux
fois, il lui est plus facile de partir faire son Tour de France que
d'aller au faubourg Saint-Marceau. Compagnon installé, il se trouve
en exil rue du Petit-Lion-Saint-Sauveur près de la rue Saint-Denis
à moins de 500 mètres [33]. Quand on parcourt des milliers de fois
ce petit univers actif, on est connu, les classes d'âge demeurent
solidaires dans leurs querelles, les pères de familles arbitrent leur
dispute, les oncles viennent à la rescousse [34]. Les perruquiers qui
voient les barbes et les perruques de tout un chacun peuvent
renseigner l'observateur, « ils sont instruits des anecdotes du
quartier ». La boutique de raserie est un bureau de nouvelles,
les fins de journée, le samedi soir, le dimanche matin, on y attend
son tour en parlant politique et de tout ce qui concerne le monde.
Chaque jour, les barbiers surveillent les allers et venues, découvrent qui fréquentent qui et repèrent les nouveaux visages [35].
Bref, quand on est pas du voisinage, « on vient vous regarder
sous le nez [36] ». Sollicitude et méfiance sont deux grandes composantes de la culture populaire de Paris. Chez tous ceux qui ont
un travail, un logis, elles existent spontanément mais elles n'épargnent pas totalement les nouveaux venus qui ont leur propre
solidarité. Ce que tout le monde redoute ce sont les gens sans
aveux, les errants et les étrangers, ceux que la mobilité bien plus
que leurs mœurs rendent suspects. La vraie misère, elle, provoque
la tolérance, voire la solidarité quand le peuple s'émeut pour sauver ses pauvres de l'arrestation [37] et attaque les archers et la garde.
Le suspect pour le peuple ce n'est pas le pauvre mais l'autre,
l'étranger, et les frontières de l'étrangeté sont celles vite atteintes

du petit monde connu du quartier, de la paroisse, du voisinage. Une part de la morale du peuple révolutionnaire s'enracine dans cette mentalité [38].

Qui s'occupe de la culture du peuple rencontre très tôt le cabaret [39]. Plusieurs raisons militent pour que nous regardions à notre tour ce dossier : c'est le lieu privilégié d'un type de consommation massive tel qu'il s'en développe en ville ; c'est ainsi un espace de rencontre, boissons et nourritures y sont prétextes à une convivialité de tous les jours, l'on y voit s'organiser les habitudes de la sociabilité ordinaire et celle de la transgression ; violence, délinquance, rébellions et révoltes, tout tourne au cabaret ; enfin, l'endroit est particulièrement surveillé ce qui permet, outre les archives abondantes, la rencontre des points de vue autour d'un phénomène de rupture et de libre expression. Là encore on se méfiera des procès-verbaux des commissaires, ils accusent toujours des coupables, ceux qui ne respectent pas les horaires d'ouverture et de fermeture, ceux qui fraudent, ceux qui se livrent à toutes les turpitudes quant aux observateurs, ils sont partagés entre l'encanaillement — voir Paris sans voir la Courtille... C'est voir Rome sans voir le Pape —, le dégoût et la peur : « La multitude innombrable des cabarets produit l'ivrognerie, le vol, la débauche, la fainéantise, la passion du jeu, les querelles, les mauvais ménages et cause la ruine des pauvres familles... » vitupère le vertueux des Essarts [40], et Sébastien Mercier surenchérit en disant : « Vous ne trouverez dans ces antres enfumées que des ouvriers fainéants [41]. » On lie trop communément cabarets et contravention des normes alors qu'ils constituent un élément banal de la vie quotidienne assurant à des milliers de Parisiens assoiffés et affamés boisson et nourriture le dimanche et les jours de semaine. Les autorités civiles sont, sur le front cabaretier prises entre deux feux, il leur faut contrôler un secteur indocile et mouvant avec d'autant plus de difficultés que le cabaret est intégré à la trame journalière et à la tradition populaire du corps et de ses débordements [42] ; en même temps, elles doivent éviter que règlements, contraintes, surveillance ne tarissent des revenus indispensables à la ville et à l'Etat et que procurent en abondance les droits prélevés par les commis des aides sur l'entrée des boissons dans Paris. La police doit réglementer, intervenir pour borner les excès mais aussi savoir fermer les yeux, à la rigueur protéger ; la tâche n'est pas facile au moment où l'Eglise et ses prédicateurs, les philosophes et les économistes réclament une vigilance accrue dont l'enjeu est le travail du peuple. Face aux loisirs populaires l'unité est réalisée, les évêques catholiques ne cessent depuis deux siècles de dénoncer à la fois la débauche, la danse, l'irreligion, bref l'esprit d'irrévérence qui oppose taverne et tabernacle ; la surveillance du cabaret fait

partie de la répression des loisirs furtifs. Pour les moralistes de
l'économie c'est une nécessité liée à l'incitation au travail et à la
critique du chômage populaire. Les ouvriers sont trop enclins
à l'oisiveté ; l'abondance des jours fériés entrave le développement
productif, le cabaret et ses débauches freinent l'ardeur à l'ouvrage.
Tous les détracteurs des mœurs populaires sont d'accord sur ce
point : il faut supprimer les occasions où se perdent les énergies
laborieuses, prôner l'atelier contre la taverne.

Dans l'espace parisien l'affaire se complique par suite de l'im-
broglio des établissements et de leur fonction, par suite de la
géographie des débits de boisson. La consommation populaire met
en cause plusieurs éléments du système commercial et corporatif
qui se complètent par leur rôle mais se font concurrence par leurs
empiètements. Pour boire du vin, l'homme du peuple doit aller
au cabaret — le terme l'a emporté sur celui de taverne — où les
marchands de vin débitent au détail, et dans la plupart des cas
peuvent fournir un repas ; celui-ci en principe vient du traiteur-
rôtisseur voisin, corporation solidement constituée depuis 1695,
lequel ne doit pas servir à boire sauf s'il est traiteur-aubergiste.
Pour se désaltérer avec de la bière, du cidre, des liquides alcooli-
sés, des liqueurs douces, des citronnades ou des glaces, du café
ou du chocolat, les règlements imposent d'aller chez le limonadier
qui peut tenir boutique et vendre du vinaigre ou bien ouvrir
comptoir et café, ou encore installer tabagie, billards, voire jeu
de paume. Dans la réalité, les frontières corporatives bien que
journellement surveillées par les maîtres-jurés sont perpétuelle-
ment franchies et rendues perméables, on boit et on mange partout, c'est affaire de circonstance. La police a tendance dans ses
ordonnances à amalgamer tous les débits de boisson — elle fait
généralement défense à tous les marchands de vin, cabaretiers,
limonadiers, vendeurs d'eau-de-vie et de vin et autres... [43]. Les
clients vont de l'un à l'autre prendre le petit verre ou le rince-
cochon, manger sur le pouce ou plus abondamment, la vigilance
corporative s'atténue ; le marchand de vin, Maillard, tenancier
d'un cabaret à la Maison Blanche verse à ses clients café et liqueurs,
le cabaretier Cartellier, marchand de vin aux Champs-Elysées parle
de son café au Grand Turc [44]. Cartouche s'évade du Châtelet par
la cave d'un fruitier, pour son malheur il y a dans la boutique
quatre soldats aux gardes qui s'amusent à boire de l'eau-de-vie [45].
Jurandes rôtisseuses et cabaretières surveillent leurs droits mais
admettent la double appartenance voire l'association dans la même
famille, le voisinage ou la maison. Enfin, il ne faut pas oublier
dans ce parcours des libations parisiennes, les épiciers ils vendent
de la gniole, les portiers des grands hôtels qui peuvent à l'occasion
débiter au détail le vin du propriétaire, et les Suisses qui ont un
monopole dans les maisons royales et privilégiées. Bref, les occa-

sions de s'humecter le gosier ne manquent pas. Au total, on évalue
à 4 300 débits de boisson ce fructueux commerce en 1790, c'est
un peu moins que l'addition des 2 000 cabaretiers-marchands de vin
et de 2 800 limonadiers, calculée vers 1780 sur les listes corporatives, à s'en tenir au chiffre cabaretier c'est pour 700 à
800 000 habitants, un établissement à la disposition de 350 personnes ; tout compris, c'est un pour moins de 200 habitants ; Lyon
ville particulièrement vineuse n'offre à sa population, au même
moment, qu'un débit de boisson pour 700 âmes [46]. On mesure
à ce chiffre l'importance de l'implantation parisienne.

Deux traits la caractérise : il y a des cabarets partout mais il faut
distinguer le centre et la périphérie. Au cœur de la ville, la taxe
des pauvres permet de faire apparaître les fortes densités dans
les paroisses proches de la rivière, Saint-Eustache, Saint-Gervais,
Saint-Paul, Saint-Jean-en-Grève, Saint-Germain-l'Auxerrois, Saint-
André-des-Arts, Saint-Nicolas et Saint-Médard. Et sur les grands
axes : rue Saint-Denis, rue Saint-Martin, rue Saint-Antoine, rue
de Seine et rue Saint-Jacques. Rive gauche les faubourgs populaires ont des densités cabaretières élevées et les quartiers aristocratiques à l'ouest et à l'est de faibles proportions. Le phénomène
est en liaison immédiate avec l'activité économique, la Seine, les
ports, les Halles, les quartiers à fortes densités artisanales, commerciales et populaires ; dans les faubourgs Saint-Antoine,
500 débits de boisson en 1792, et à la même date dans le faubourg Saint-Marcel près de 800 : un pour 80 habitants ! On y
perçoit aussi l'influence de la circulation, du mouvement, les
grandes artères parisiennes sont bordées d'innombrables tavernes
et estaminets. C'est donc sans surprise qu'on retrouve dans cette
topographie celle de la criminalité et de la violence [47]. Au centre
de Paris, le cabaret est lieu privilégié de la consommation et du
défoulement collectifs.

Passées les barrières une autre implantation se déploie, c'est
celle que dictent les déplacements de la barrière fiscale donc l'accroissement urbain ; au-delà du périmètre des droits se concentrent les guinguettes dont le développement date du XVIIᵉ siècle.
On y boit le vin moins cher c'est là que le peuple a pris ses habitudes de loisir du dimanche, du lundi et des fêtes chômées, soit
près de cent jours par an... La guinguette prospère tout le siècle,
c'est la bénédiction des petits villages menacés par la ville, Gentilly, Montrouge, Ivry, Vaugirard, et le Groscaillou sur la rive
gauche ; Charonne, Belleville, Ménilmontant où vont festoyer
Rétif, Boudard, Loiseau, et les faubourgs de la Courtille au Temple,
de la Nouvelle-France entre faubourg Saint-Denis et Montmartre,
des Porcherons, de la Petite-Pologne : rue des Martyrs aux Porcherons, 58 maisons vers 1780, 25 cabarets ! Les péripéties de la
guerre fiscale qui tendent à enfermer les guinguettes dans le péri-

mètre des droits sont bien connues [48]. L'annexion par la ferme d'un territoire taillable agrandi où s'était développé à grande échelle le commerce des vins et des spiritueux suscite la révolte des cabaretiers défenseurs de leurs intérêts et des droits du peuple grand consommateur des vins à bas prix. La fraude et la guérilla entre gabelous et fraudeurs sont le lieu commun des cinquante dernières années de l'Ancien Régime, elles tournent à la guerre ouverte et à la rébellion avec la construction du mur des fermiers généraux ; de 1785 à 1789, c'est près de 50 affaires qui ont été jugées à l'Election et à la Cour des aides ; et le mouvement culmine avec le pillage et l'incendie des barrières en juillet 1789 [49]. La révolte des consommateurs débouche alors sur la protestation politique, l'injure contre les commis, les voies de fait contre les bâtiments cristallisent l'hostilité populaire au système de la ferme. Les marchands de vin, les traiteurs ont servi pleinement d'intermédiaires et c'est au nom des libertés que toute une population se solidarise avec eux pour défendre des habitudes fortement enracinées.

Ainsi dans le Paris ancien comme aux périphéries existe toute une hiérarchie d'établissements qui se distinguent par la clientèle, la variété et la qualité des services. Chez Mercier comme chez Rétif, on suit cet itinéraire imprécis, où tout est affaire de nuance, voire de moment, qui mène du café ou se retrouvent gens huppés et honnêtes mais où l'on voit aussi réunis « l'oisif et l'indigent » « les artisans et les gens de métiers », jusqu'au cabaret borgne des faubourgs, en passant par l'estaminet ordinaire et la guinguette où le peuple côtoie les personnes du monde [50]. Pendant la semaine et aux heures de travail, traîne-savate et pousse-bois, chômeurs et compagnons en ribote sont partout, mais le soir comme au dîner, le dimanche comme les jours fériés, l'affluence est énorme et la température monte. Le décor s'y prête et mérite un regard [51]. La situation habituelle du cabaret parisien est entre la rue et la cour ce qui permet souvent des entrées multiples commodes, chez Bonneau rue Girard-Beauquet on peut sortir rue du Petit-Musc, la cour sert d'entrepôt et de salle supplémentaire, elle devient aisément jardin d'été avec treilles, tables à l'ombre et jeux de boules. Dans les faubourgs c'est la cour qui donne à la guinguette ses allures de grande auberge campagnarde. Selon l'importance du fonds, de la clientèle, l'entregent et la richesse du propriétaire, le débit de boisson peut annexer les étages, le plus souvent l'entresol et le premier. L'espace est comme partout mesuré et cela distingue le cabaret du café où il a été prodigué et des établissements hors limite où il est plus extensible. C'est un monde bien défendu par des portes vitrées en haut seulement, solidement grillagées comme les fenêtres ; les règlements de police l'imposent, mais les procès-verbaux d'effraction fort utiles pour connaître ces détails montrent qu'elles ne résistent pas toujours. L'organisation intérieure est dictée par la double fonction du marchand de vin, débit de boisson à emporter et lieu de consommation sur place.

La boutique avec son comptoir de bois garni de plomb, de pierre ou d'étain, ses armoires et ses coffres pour ranger ustensiles vinaires et hardes ménagères reçoit les voisins et les altérés de passage. Son importance et son luxe varie selon l'achalandise de l'établissement, dans la majorité des cas l'équipement est peu abondant et modeste. Chopines, flacons, caraffons, verres, plats et assiettes, tonneaux, fontaines de cuivre ou de grès, baquets à vaisselle, meubles, c'est 1 000 à 1 500 L rue Mouffetard, 2 000 L rue Saint-Honoré. La salle, elle, reçoit les clients assis autour de quelques tables de bois, sur des tabourets ou des bancs, deux à quatre tables voilà le lot moyen pour une quinzaine de buveurs, mais certaines « salles à boire » peuvent accueillir trente à cinquante personnes entassées sur des chaises de paille, accoudé à des tréteaux de sapin rustique. Mercier dans son cabaret borgne a dénombré soixante couverts disputés par les fripiers et les gueux, Rétif rue de l'Arbre-Sec décrit une salle emplie d'une multitude bruyante et les estampes ont popularisé le célèbre *Tambour Royal* de Ramponeau à la Courtille [52] : boutique et comptoirs, vaste cheminée, étagères chargées de pots, acheteurs avec leur broc (venez boire du vin nouveau du fameux Ramponeau à 4 Sols), et la foule qui se bouscule, les serveurs, les servantes, les vendeurs d'oublies et les écailleuses. L'atmosphère est au désordre et à la presse, ce qui n'est pas supportable pour Mercier et pour Rétif attouchements, contacts, entassement au coude à coude, tohu bohu propice à tous les jeux du corps et au délassement des fatigues des heures de travail, voilà ce qui caractérise le cabaret. L'oreille bourgeoise tout comme l'œil sont surpris par ce chambard, le sens de l'exterritorialité individuelle ne trouve pas son compte dans ce vacarme. Qui veut la quiétude au cabaret doit la trouver en lui-même, Rétif y arrive, vider les lieux pour des endroits plus relevés ou prendre un cabinet propice au petit souper, aux rencontres furtives, aux batifolages amoureux. Monsieur Nicolas sait se cacher dans les guinguettes du Bois ou du Gros Caillou avec son copain Boudard, recherché par les Mouchards pour ses impressions clandestines [53]. Le cabaretier parisien bricole un espace fait de recoins et de cachettes, il offre à sa clientèle à la fois les possibilités de la rencontre désordonnée et chahuteuse et celle de la solitude brève ; les niveaux de cheminement se mêlent en hauteur, les occasions de rencontre se multiplient, le privé et le public s'entrelacent. La réalité est sans commun rapport avec les guinguettes et les vaux halls néoclassiques dont rêvent Ledoux et Lequeux [54]. Le cabaret s'organise sponta-

nément, mêlant un découpage archaïque en hauteur, à une hori-
zontalité plus moderne, propice à la promiscuité, au bain de
foule [55].
    Le café quand il est plus élégant et mieux fréquenté relève
d'un ordre différent. Le Spectateur nocturne nous le fait découvrir
car les belles limonadières l'attirent et la possibilité d'entendre une
controverse intéressante l'y conduit fréquemment, il y entre pour
écrire un billet, lire les petites annonces, déchiffrer les papiers
publics : rue de la Montagne Sainte-Geneviève, sur les boulevards,
chez Manoury place de l'Ecole où il observe les joueurs de dames,
chez Procope que tient vers 1785 le Limonadier Dubuisson, à la
Régence où il pouvait croiser Rousseau qui vient y jouer aux
échecs avec le vitrier Ménétra [56], rue Saint-Jacques au café Aubry
où l'on remue les dominos [57]. Le cheminement révèle d'abord un
jeu littéraire, on multiplie les contrastes et les points de vue qui
font pittoresques, mais au-delà se dévoile une sociabilité tranquille,
celle de la discussion polie, du confort. Binet grave pour Rétif
ce décor familier, un sol carrelé, des murs réchauffés de boiseries
Louis XVI, des flambeaux à girandoles qui éclairent largement
la scène, des guéridons policés où consomment les habitués, des
journaux, et le poêle central qui attire les regards comme il
regroupe les discutailleurs. Le café parisien donne à ses clients
un espace ordonné, civilisé, transparent, propice à une autre
sociabilité que celle du cabaret ou de la tabagie ou des estaminets
à billard sur les ports. Montesquieu vers 1720, Diderot vers 1750,
Rétif et Mercier vers 1780 ont tous perçu les deux modèles de
finalité sociale qui opposent les établissements. Il s'agit moins
d'une sociologie de la clientèle qui ne peut que souligner la
mixité des fréquentations, le mélange des âges, la confusion des
rangs, que d'une diversité très nuancée des manières de vivre [58].
Notons toutefois une chose importante, les procès-verbaux policiers
et la littérature s'accordent pour voir des femmes dans les cabarets. Dans les interventions de la garde il ne s'agit pas seulement
de « femmes du monde » et de prostituées mais de bonnes ménagères, des épouses des boutiquiers, des femmes d'artisans, des
apprenties et des ouvrières, venues seules ou en groupes, accompa-
gnant maris, camarades de travail ou galant, certaines sont là
avec les enfants, de plein droit et sans embarras. On les voit dans
l'estampe du Tambour Royal. On les aperçoit chez Mercier qui
noircit le tableau et grossit les valeurs pittoresques, pour faire
plus peuple encore dans une agitation de crocheteuses et de fripières, de poissardes et d'écosseuses fortes en gueule, trinquant et
disputant avec les assoiffés du sexe fort. Le Spectateur nocturne,
lui — c'est son côté voyeur — insiste sur les jeux amoureux
licites et illicites quand Virginie vend son pucelage et Agathe
défend sa vertu. Dans *Les Parisiennes,* les trois dernières catégories

seulement des femmes du peuple sont caractérisées par la fréquentation du cabaret : les filles d'artisans, les filles d'ouvriers et les dévergondées de la populace — « Les Pouliches » — qui y vont seules et en famille ce que n'oseraient faire les bourgeoises. Bref, l'évolution est là, la festivité ordinaire s'organise autour de deux pôles, « l'ignoble cabaret » écrivait Michelet et le café, le populaire et le bourgeois. Dans l'un règnent le désordre et la bousculade des corps, les gestes sont provocants, les voix sonores, les caractères d'une urbanité ancienne y sont portés à l'extrême tout y bouge, circule, dans l'échange et la proximité recherchés. Un ordre social s'y établit qui échappe partiellement aux normes, un habit bien tourné transforme le compagnon, une robe blanche choisie fait de la grisette bien roulée une personne avantageuse, le petit maître s'y égare et s'y trompe ; le cabaret permet le masque, l'aventure, son décor obscur se prête à toutes les rencontres, il tolère la mixité que l'atelier et le travail proscrivent presque toujours. Tout fonctionne par des rapports de voisinage de promiscuité : c'est une société chaude au même titre que l'habitat du peuple. Le café, son décorum, ses glaces, son organisation, son silence relatif propice à l'intellectualité, son espace où les distances sont préservées, répond à autre chose, c'est une société tiède.

Si l'on peut aller chercher une des formes d'expression de la culture populaire dans les cabarets parisiens, c'est que le peuple y ruse avec les interdits, il impose ses règles et ses mœurs, un rythme du temps d'abord qui échappe au code de l'Eglise et de l'Economie. Pendant tout le siècle, la police des mœurs a multiplié les ordonnances stipulant la fermeture impérative à 20 h quand Louis XIV régnait à 21 h sous Louis XV à 22 h sous Louis XVI. En 1784, le fait est acquis comme le prouvent les procès-verbaux dix heures du soir en hiver, onze heures en été [59]. La réitération des textes et l'accumulation des infractions montrent l'incapacité policière à faire respecter les règlements. Les rondes nocturnes des commissaires, les patrouilles du guet n'en finissent pas de dénombrer les estaminets ouverts passés minuit et même une heure du matin. C'est que le marchand ne songe pas à résister à la clientèle. Charles Tarlé, cabaretier rue Pagevin est un couche-tôt, à 11 heures il a fermé boutique, « presqu'aussitôt, son neveu vient frapper à sa porte et lui dit que les particuliers qui avaient soupé chez lui demandaient deux bouteilles de vin ; il s'y refuse en disant qu'il était trop tard, sur cette réponse, ils dirent au neveu du comparant qu'ils en voulaient, qu'il n'y avait plus de justice pour mettre l'amende, que c'étaient eux qui faisaient la police. Le comparant refuse encore, mais sa femme l'engagea à donner en lui disant : mon ami ce sont d'honnêtes gens qui ne s'enivrent pas... [60] ». Le consommateur populaire impose sa loi utilise cabarets et tabagies à son gré, à son rythme. La police court à ses trousses et les mastroquets ouvrent dans l'aube grise dès 4 h, dès 5 h, ferment quand ils peuvent, la vie nocturne et la fête dominicale ne sont qu'un mince aspect d'une pratique commune journalière obéissant à ses propres régulations.

L'inobservance attestée des règlements sur les interdits horaires pendant le service divin du dimanche et des fêtes confirme cette plasticité. L'indulgence de la police s'accommode aisément des répétitions de principe : le taux des amendes infligées à la chambre de police pour infraction aux horaires diminuent de 1700 à 1789. L'offensive dévote, la vigilance ecclésiastique ont ici perdu la partie avant la province. On peut même se demander comment la législation pouvait être appliquée dans une ville où la multiplicité des églises paroissiales, des chapelles, conventuelles, domestiques aux services répétées exigeraient une fermeture continue le jour du Seigneur [61]. La police poursuit mollement, les prêcheurs tempêtent, les moralistes grondent, le peuple boit, la force des habitudes de consommation impose l'illégalisme de la dissipation. Cela devient une nécessité de l'existence, « le pauvre de cette cité qui a droit aux délassements comme les riches ne les trouvent plus que dans les cabarets » soupireront les administrateurs de la période révolutionnaire. La sociabilité populaire commande et étale aux yeux des honnêtes gens le scandale de l'irrévérence, celui du gaspillage celui des excès de toutes sortes où « affleure le monde souterrain de la contestation ».

Le cabaret apparaît ainsi aux autorités parisiennes dès le XIVᵉ siècle, déjà échevins et curés s'inquiétaient d'y voir se réfugier la gueuserie et le vagabondage [62]. Depuis, et au XVIIIᵉ siècle surtout, l'accroissement des échanges et de la population, l'amélioration du système policier font encore plus sensible la coloration criminelle de l'institution voire son influence criminogène ; mouchards, espions, indics sont payés pour le savoir. Dans le fourmillement des bas-fonds populaires trois dimensions principales apparaissent : la première est directement attachée au rôle frontière que joue dans la ville tout un monde diurne et nocturne entre légal et illégal, la seconde dérive des loisirs innocents et de la rencontre ordinaire quand ivresse et violence la font mal tourner, la troisième enfin est liée aux formes diverses de la protestation, depuis la réunion des compagnonnages jusqu'à la préparation des rébellions.

Toute une activité plus ou moins licite, plus ou moins illicite a le cabaret pour théâtre : trafics, vols, prostitutions en sont les figures que mettent en évidence les descentes de police. Les bons coups se préparent dans l'ombre, les voleurs écoulent leur butin, le mastroquet souvent un receleur, souvent un indicateur, fait circuler les objets dérobés, coupons de linge, tabatières d'or, couverts. Le monde des tavernes où se côtoient habitués discrets ou naïfs, filoux habiles ou maladroits est d'abord lieu d'une vaste redistribution, le marché aux puces du temps. Chacun le sait, y compris les victimes des fripons qui s'y rendent pour négocier avec leur voleur. Tout se passe familièrement dans la fumée des pipes et le bruit des chopines vidées, gueux et gens honnêtes se connaissent, « cet espèce d'homme ne connaît ni la dissimulation, ni la perfidie » ; pense Mercier de « l'habit noir » opérateur de fructueux trafics. Les cabarets, surtout ceux des barrières, sont les entrepôts de l'illicite, ils hébergent marchandises volées ou frauduleuses, plombs dérobés sur les toits, livres pornographiques et philosophiques clandestins, le banni qui ne veut pas quitter la ville, le voleur en cavale et la fille séduite.

L'oisiveté, l'ivrognerie, les mauvaises fréquentations hantent policiers, moralistes et pères de familles tel ce perruquier qui fait enfermer son fils « lequel loin de s'adonner au travail fréquente journellement les cabarets et fait de mauvaises connaissances capables de l'entraîner dans le vice... [63] ». Les petits patrons de l'artisanat voient leurs compagnons y boire leur salaire, les époux trompés y poursuivent leurs femmes. Le cabaret c'est la ruine des commerces, des arts, des familles, la bonne économie et la cohésion familiale y sont ruinées. Domestiques en goguette, enfants en perdition, mauvais ouvriers, mauvais parents témoignent dans les tavernes qu'on passe aisément de la fête au libertinage, que les mœurs populaires se délabrent et que les interdits sont fragiles. L'ivresse hebdomadaire, quand le peuple boit pour huit jours, et l'ivrognerie quotidienne fournissent aux policiers des circonstances aggravantes plus qu'un mobile d'intervention systématique, les ivrognes sont trop nombreux, y compris dans la garde. La vigilance sociale n'est pas encore complètement mobilisée contre les buveurs, mais les débordements bachiques peuvent conduire en prison ceux qui ne se contrôlent plus, injurient les sentinelles et compissent le commissaire.

Pas une ronde nocturne du guet sans son contingent de tapineuses ramassées dans les cabarets. Les filles du pavé parisien y prospectent le miché à loisir — Mercier les évalue à plus de quarante mille —, la police s'en accommode et le mouchard souvent se double d'un souteneur — le marchand de vin trouve son bénéfice dans l'exercice du plus vieux métier du monde. Les prostituées accostent le client, terrassiers venus souper, soldats au garde, garçons tailleurs, marchands de chevaux. Elles se font payer bouteille ou verre d'eau-de-vie et conduisent les amateurs dans les garnis et les chambres voisines. Là encore le cabaretier trouve son compte. Ils en tirent beaucoup d'argent... « ces misérables créatures paient le double de ce que paierait une femme honnête », mais ce n'est pas du goût de tout le monde et parfois, propriétaires, locataires, voisins s'en prennent aux cabaretiers et aux filles, les femmes honnêtes tremblent pour leur mari. Bagarres, injures, peuvent éclater et conduire le tout venant prostituées, souteneurs, michés trompés, domestiques finauds, femmes délaissées, richards volés devant le commissaire où s'achève l'affaire.

Pour la société des truands comme pour les miséreux réduits aux expédients le cabaret offre des ressources infinies, les seconds se font prendre très aisément, ce sont voleurs de couverts vite pincés ; les premiers plus subtile, vrais filous, souvent organisés en bandes, s'en prennent aux montres et aux tabatières des clients fortunés, ils se font rarement surprendre [64]. Le geste du tirelaine exige habileté, prestesse, rapidité, des apparences soignées, du coup d'œil et de la décision, bref technique et apprentissage qui permettent de repérer le portefeuille bien garni, d'organiser un casse nocturne qui déménagera la caisse et l'argenterie cabaretières, de subtiliser ce qui traîne. C'est affaire de spécialiste et non plus d'amateur comme l'observe Rétif : ils sont dans la foule cabaretière comme le poisson dans l'eau.

Quand ces multiples rencontres tournent mal la violence éclate. Les bagarres les plus innocentes naissent de l'exaltation entre bons compagnons à la fin du repas. Tout peut être sujet à dispute, la qualité du vin, le prix de la bouteille, un regard appuyé, un propos trop vif. Les femmes sont là qui exigent qu'on défende leur honneur, le ton monte. Soldats en goguette, ouvriers en ribote, cabaretiers à la main lourde sont les protagonistes les plus fréquents de ces rixes dictées par le hasard, où s'expriment moins une animosité sociale qu'une explosion brutale de la violence entre gens du même milieu, camarades de travail et de loisirs. Les militaires se battent entre régiments, les compagnons entre corps de métier, les menuisiers grossiers et tapageurs contre les perruquiers souples et avisés, les porteurs d'eau contre les portefaix. La plupart des affaires s'achèvent chez le commissaire, et peu d'entre elles tournent vraiment mal, il faut pour cela que le sang coule, la patrouille agressée, ou les plaignants détroussés un peu trop cabossés. Fréquemment les coups de couteau restent anonymes.

Ces rixes confèrent au cabaret une forte part de son caractère de mauvais lieu, l'important c'est qu'elles sont partie intégrante d'un mode de relations habituelles et caractéristiques dans le comportement populaire. Elles prouvent la permanence de la violence et des prestiges de la force. Des gens qui se connaissent bien, des inconnus qui s'ignorent y ont recours car le vin et l'atmosphère ont relâché les contraintes, empêchent d'entendre raison. La bagarre dans le peuple est moins une transgression recherchée que la manifestation dérivée d'une gestuelle, c'est la mise en scène d'un code où le corps a la primauté, le cabaret est alors théâtre d'un rituel. « S'il survient une rixe à la suite des fumées du vin frelaté, le jurement et la main partent ensemble, la garde accourt et sans elle cette canaille qui danse allait se tuer au son du violon. La populace accoutumée à cette garde en a besoin pour être contenue et se repose sur elle du soin de terminer les fréquents débats qui naissent dans les cabarets... » Sébastien Mercier voit clair, les mots précèdent les coups, l'injure les horions, la menace les bourrades. L'insulte mobilise et provoque, le moral de l'adversaire s'en ressent, atteint par les connotations sexuelles foutu, gueux, salope, bougre, ou morales, coquin, voleur, maquereau, mouchard, foutu cochon, ou de prestige, morveux, vieux chien. Avant toute chose la dissuasion est verbale : « foutu gueux tu ne mourras que de ma main », « il faudra que je te casse les reins », « je te foutrai mon épée dans le corps », « je vais te brûler la cervelle ». L'intervention du public et du patron font généralement franchir une étape. Le mastroquet défend l'honneur de son établissement, les buveurs ont leur mot à dire, les amis doivent prendre partie. Monsieur Guillaume, cocher, conte excellemment la rixe qui éclate dans une guinguette [65] ; Mademoiselle Godiche et Mademoiselle Babet, une couturière, une coiffeuse, commencent par se reprocher leur mise et leur galant, l'échange d'injures et de giroflée à cinq feuilles entraîne coups et crêpage de chignon, les petits amis s'en mêlent tailleurs contre petits maîtres, soldats contre fiacre, « on ne peut pas laisser sabouler le bourgeois ». Les armes sont rares, sur cent rixes quelques couteaux, un pistolet, un lot d'épées. La parole est aux coups et aux armes improvisées le colletage qui déchire les cols et fait voler les perruques passe avant bourrades, ramponneaux et crocs-en-jambe, mais les coups défendus « outrent l'assistance » et les attaques en traître sont peu appréciées du public. Sur cent bagarres, dix blessures graves, un œil crevé, mais on ne compte pas cheveux arrachés et vêtements perdus. On comprend l'effarement des honnêtes gens devant le renouvellement hebdomadaire des rixes, le bruit, les éclats de voix et de meubles brisés en font partie et c'est un spectacle culturel. Le goût de la représentation, l'injure provocante et sexualisée, l'exagération des gestes font de la bagarre populaire un charivari dans les mœurs, dont la vérité est du domaine du jeu, de la fête, de l'échange corporel. Batteries et grêlées sont dans le paysage comme une conclusion imposée partiellement contrôlée à la fin d'un beau soir d'été ou d'un beau dimanche d'automne [66]. La police les craint moins que la fermentation secrète ou la contestation enfumée dont les cabarets sont le refuge.

Cabales, pour garantir les salaires, attroupements, émotions, protestations se fomentent dans les cabarets du centre comme dans les guinguettes des faubourgs. Les réunions ouvrières y sont interdites, comme le débit des livres et des brochures ; elles s'y tiennent et ils circulent [67]. La vigilance des lieutenants de police et des commissaires, la surveillance des mouchards incessantes n'ont jamais rien empêché. Quand l'assemblée maçonnique bénéficie de la tolérance policière et se tient dans des cabarets bien connus, la réunion compagnonnique reste prohibée et pourchassée. C'est que dans les tavernes et les auberges les affiliées des devoirs bravent les interdits. Ils y trouvent accueil fraternel, assistance et pécule, renseignement pour l'embauche, informations sur le travail prodiguées par les mères et les rôleurs. C'est au cabaret que se déroulent les cérémonies compagnonniques, baptêmes, affiliations, élections, fêtes pour les arrivées et les départs. Les repas sont copieux et arrosés et toutes les autorités s'accordent pour y voir une source trop fréquente d'infractions au carême, à la « police des mœurs ». Les années pré-révolutionnaires voient dans ce domaine se multiplier les injonctions policières pour prévenir les associations séditieuses. En 1776, la grève des compagnons relieurs est animée par le cabaretier Lidy, rue du Mont-Saint-Hilaire « qui donne aux ouvriers de dangereux conseils », en même temps d'ailleurs que logements et repas à crédit ; dans la guerre des barrières le cabaretier Caillé à la Nouvelle France mobilise contre les commis et la garde [68]. En 1789, journaux, brochures, libelles circulent dans les cabarets malgré les interdits ; les observateurs de police déguisés en mitron ou en perruquier les voient passer, impuissants. La société cabaretière en construisant une autre culture débouche sur la remise en cause d'autant plus aisément que la frontière reste imprécise entre les mondes de l'illicite et du licite. C'est cette différence qui est celle même du populaire, qui en fait l'étrangeté et le danger pour les uns, la trame quotidienne de l'existence pour les autres car c'est le peuple qui fixe les règles et écrit le scénario.

Plusieurs aspects de la vie ordinaire ont aussi le cabaret pour théâtre : de multiples activités s'y déroulent en toute légalité, c'est aussi un endroit familier où se prolonge la vie des ménages et celle du travail autour de la consommation, c'est enfin l'espace caractéristique du loisir de la majorité. Dans l'activité professionnelle les cabarets interviennent constamment. Les ouvriers y cherchent un asile car les cabaretiers logeurs se spécialisent par corps de métiers, S. Kaplan a repéré dans tout Paris les maisons des compagnons boulangers et Rétif donne dans *Monsieur Nicolas* les adresses de quelques bons logis d'imprimeurs ; la salle commune et le foyer partagé regroupent la vie collective. On y vient pour discuter d'un travail, Ménétra y reçoit ses pratiques, Hanriot un compagnon imprimeur y a rendez-vous avec un particulier introduit dans les officines de la rue Saint-Jacques, tel homme de confiance recrute des domestiques et des jockeys pour un aristocrate, tel autre débauche pour la province ou embauche pour les colonies, les sergents recruteurs choisissent les naïfs et les dupent avant de les enrôler pour les armées du Roi, ils raccolent les jeunes gens avec du vin et des filles. Le cabaret se fait bureau de placement, bourse des occasions offertes, porte vers l'aventure. Tous les métiers y ont port d'attache. Les revendeurs vont chercher le chaland, les fripiers proposent les vieux habits. Chez Coppin marchand de vin rue de la Mortellerie, le fripier Tiéchar propose ses nippes, au Tambour Royal les marchandes de mouchoirs arraisonnent la clientèle. En temps de pluie et de bourrasque tout le monde se réfugie pour un moment à la taverne, un patron complaisant ou compatriote garde les maigres stocks d'un crieur de vieux chapeaux ou d'un vendeur d'estampes. Les cochers de fiacre y vont boire chopine et taper le carton avec les laquais bourgeois. Rouliers, charretiers, voituriers ont leurs étapes au long des artères du centre et vers les barrières. Ils y disposent livraison, marchandises, balles de toile, caisses de poterie, animent tout un trafic où le marchand de vin est client, dépositaire, intermédiaire, Pierre Ormancey rue Montorgueil encaisse les recettes des mareyeurs dieppois. Les artisans voisins lui confient leurs messages et leurs commissions. Entre le monde stable de la ville capitale et celui de l'errance, de la mobilité, le cabaret est un carrefour. Toutes les transactions, toutes les affaires s'y traitent ; dans tous les bons endroits Rétif sait trouver l'encre et la plume qui ont servi aux créanciers pour rédiger leur billet, aux amoureux pour écrire leurs lettres tendres, aux persécutés pour faire une pétition, aux provinciaux pour gribouiller un mot à la famille. Les papiers, les numéraires, l'écrit commercial, les effets négociables, les contrats, tout s'échange, tout passe de main en main à la taverne. Le monde grouillant des petites et des grandes affaires brille de tous ses feux dans d'innombrables temples de Mercure.

Le système du logement et de l'alimentation familiale populaire ne peuvent se passer de cabaret. On y boit et y mange à toute heure du jour et de la nuit, de l'aube à la fermeture. Dans le matin frais les ouvriers commandent un vin blanc, vers dix heures artisans, boutiquiers, compagnons et garçons vont vider les bouteilles, les promeneurs s'arrêtent pour déguster quelques huîtres ouvertes par l'écailler sur le pas de la porte, les femmes du quartier partagent un bouillon et un verre de vin. Les heures de pointe sont celles du dîner entre 11 h et 14 h et du souper entre 17 h et 21 h, qui voient se mêler à la clientèle passagère le flot des habitués quotidiens du voisinage. Voici Rétif en planque devant chez Thorel, rue des Mauvais-Garçons, la Mère Thorel nourrit en plus d'une heure près de 120 convives qui mastiquent à pleines dents autour des tables de 30 à 40 couverts, bousculés par la patronne et ses filles ; ils ont un quart d'heure pour manger. Rétif y voit des ouvriers, des garçons tailleurs, des menuisiers, des selliers, des serruriers. Il va tâter de la nourriture car « il ne suffit pas de regarder, il faut manger... ». D'ailleurs il a l'habitude, quand il loge cour d'Albret : il descend prendre ses repas au cabaret du coin. La description du troquet de Madame Thorel contraste avec les habituelles diatribes, elle révèle une réalité moins sordide. L'atmosphère est vivace, la patronne est une bonne grosse, le fils cuisine à la cheminée, les deux filles bien faites servent à table et remettent à leur place les compagnons à la main leste. Jeunes ouvriers et vieux garçons un peu canailles trouvent là nourriture — de 6 à 10 Sous selon l'abondance — et fraternité. Ce n'est pas exceptionnel. Dans une gargotte du port Saint-Paul, un jeune Bourguignon soupe copieusement (pour quatre Sols). « Car cette grande ville de Paris est si admirablement ordonnée qu'on y vit à tous prix ; on lui servit un morceau de rôti assez bon, une salade, encore eut-il l'option d'un autre met, on lui rinça un verre très proprement, on mit sur la table un pot à eau qui tenait environ trois pintes, non sans lui demander s'il voulait du vin, et on lui coupa un gros morceau de pain (tout cela) sans autre inconvénient que d'avoir à côté de lui des gens mal vêtus... [69]. »

La fréquentation du cabaret renvoie aux rythmes quotidiens de la vie populaire ceux du travail qu'on interrompt quelques minutes (parmi les petits délinquants des quais beaucoup trop s'attardent à boire) ; ceux de l'errance ou de la marche avant de reprendre le collier, la bricole, l'outil laissé sur le chantier. Le contrôle rigoureux de la pointe ne s'exerce pas encore sur le peuple ouvrier, le temps ne coûte pas encore très cher car la main-d'œuvre est abondante, disponible, interchangeable. Quand le compagnon est irremplaçable, le maître peut attendre ; aussi bien il viendra trinquer avec lui ; Ménétra en prend à son aise avec tous ses patrons, un compagnon menuisier, sa femme et son beau-père passent quatre heures dans un troquet à Fontarabie ; François Pinget, officier mesureur de grain, un peu éméché cependant, se lamente que les gagne-deniers quittent trop souvent leur tâche pour aller boire. Le travail achevé, c'est tout naturellement qu'on reprend le chemin de la taverne. La pause s'institutionnalise et la propension à boire permet de réparer la fatigue du jour.

C'est dire qu'on lève sérieusement le coude ; pour toute la population, femmes, bébés, enfants compris, le Parisien dispose d'un demi-litre par jour ; au cabaret la consommation observée par les policiers s'accélère, un compagnon installé chez Graillot rue de Cléry descend son litre et demi, trois buveurs commandent deux litres, cinq se partagent 15 pintes soit près de 14 litres en trois heures. Ces buveurs sont facilement ivres dans les procès-verbaux qui ont épinglé les malchanceux, ceux qui ne tiennent pas le coup, ceux qui outrepassent leur capacité, ceux qui se sont attirés des ennuis. Dans le régime alimentaire commun, il y a là un coup de fouet calorique non négligeable. Certains métiers de force, les charretiers, les débardeurs, les porteurs d'eau puisent dans l'eau-de-vie une nature seconde. Manger permet alors de combattre l'ivresse. Monsieur Nicolas préfère la bonne cuisine cabaretière à la chétive mangeaille d'Agnès Lebègue. Dîner hors de chez soi c'est toujours un peu cocagne, les modes de vie familiaux s'en accommodent peu ou prou.

Les procès-verbaux des commissaires et les observations de Rétif montrent l'ancrage des habitudes alimentaires au travers d'une série d'additions. La base demeure le vin et le pain ; une bonne salade, des haricots, une tranche de viande, une part de tripes, un bout de fromage varient les collations ou agrémentent les repas plus ou moins costauds. Deux caractères sont à souligner : l'extrême plasticité du système, la contradiction apparente entre la paupérisation prérévolutionnaire et la présence du peuple au cabaret. L'important c'est qu'on commande sur place ou au dehors, on apporte le manger acheté à la porte, à la rigueur on le complète, point de menus immuables. La souplesse du comportement gastronomique des gens, s'inscrit dans une relation sociale d'ensemble, « on vit à tous prix ». Le mode de consommation peut se varier à l'infini, tel compagnon fera un bon repas pour une livre, tel chômeur se contentera de pain et de fromage pour 5 sols, la mère Thorel ou le cabaretier César offrent des soupes qui tiennent au corps pour 10 sols. En théorie c'est inaccessible au salarié, au manœuvre balais et victime de la crise, en pratique les conditions de travail peuvent, on l'a vu, permettre un surcroît d'effort, le salaire est pour ceux qui ont de l'ouvrage rarement unique, femmes, enfants bricolent très tôt, s'affairent à de menues tâches. Enfin, la culture des pauvres exprime une certaine solidarité et la fréquentation cabaretière s'inscrit dans un partage entre chanceux et malchanceux. Aux franges de la misère peut s'installer une économie du don qui n'entrera jamais dans les statistiques de l'histoire, et le cabaret, sa convivialité spontanée, sa plasticité consommatoire, autorisent ce choix. Pauvres et moins pauvres partagent à charge de revanche. Entre les nécessités primordiales et les gaspillages de la fête toutes les nuances sont possibles et c'est bien ce que les moralistes mettent au passif du peuple : « La populace ne voit que le présent, si elle peut gagner son nécessaire en trois jours, elle ne travaille que trois jours et se débauche le quatrième. Mais alors qu'elle n'a pas son nécessaire, elle est misérable, elle emprunte, elle ne paie pas, ruine le boulanger, le cordonnier, le marchand de vin... tout est dans le désordre[70]. »

La vie au jour le jour fait partie de la culture populaire. Elle s'inscrit dans un mode d'existence adaptée aux conditions du travail du Paris pré-industriel, vaste chantier incontrôlable. Elle fait partie de cette insubordination ouvrière qui traverse le siècle et dont se font l'écho Delamare, Barbier, Mercier, Rétif. Elle repose sur une volonté de liberté face à l'emploi, au salaire et au placement ce qui fait qu'elle se heurte en permanence aux impératifs de l'économie et aux justifications corporatives. Elle suppose moins la désagrégation de rapports sociaux idylliques entre maîtres et compagnons que la confrontation pérenne de cultures différentes. Elle puise sa force dans l'improvisation, la solidarité collective qui se joue dans la famille, le voisinage, le quartier et s'exprime dans le système des dettes, la recherche de tâches multiples, le travail au noir et la perruque. Tous les voleurs des quais sont pris à de petits délits, voler des bûches, une mesure de grain, une botte de foin, un seau de charbon, un broc de pinard, ce sont des gestes de circonstance, sans préméditation aucune, rarement avec complicité, bref une sorte de récupération immédiate faite sur le gigantesque bric-à-brac étalé sur les ports, c'est une fraude quotidienne, multiforme, insaisissable même à la police qui n'en voit que la surface. Le peuple peut vivre, les pauvres et les miséreux parce que règne encore la possibilité d'une économie d'expédients où interviennent de multiples petits procédés déloyaux pour l'ordre et la morale et dont le visage ordinaire a pour complément nécessaire l'hédonisme spontané de la fête.

Et l'on retrouve le cabaret lieu de la consommation de masse des dimanches et des jours de fêtes et celles des parties improvisées par des compagnons bien pourvus. Tout le peuple se déplace de la ville à la Courtille, de la cité à la Glacière, du Louvre à Chaillot ou au Gros Caillou. Goûter en cabinet particulier avec une jolie fille, manger une tête de veau à la Rapée ou une matelote au Port Saint-Bernard, se payer une petite bouffe à quatre au Bois ou à Ménilmontant, c'est banal pour Monsieur Nicolas. Les noces et fêtes de famille sont des occasions à saisir « et le peuple se cotise pour se divertir, Rétif est invité, un compagnon de rivière épouse une jolie faubourienne, à 18 heures les gens du mariage qui ont bu et dansé, se jettent sur le régal acheté en commun, friture matelote, fricassée, on quitte la table vers vingt-deux heures après le dessert et en chansons. On est entré dans le monde de la joie populaire dont il faut, pour terminer, caractériser les composantes : la convivialité, les sens des apparences, les joies de l'existence, le jeu.

Pas de divertissement solitaire, on s'assemble en compagnies joyeuses, entre amis, camarades, voisins, en groupes d'âges et en famille. Le poème anonyme consacré en 1773 par un anonyme poissard décrit avec sympathie et compréhension ces assemblées balchiques et chantantes [71] :

> Dans tous les quartiers de la ville,
> C'est, dimanche et fêtes, une file

> D'honnêtes gens de tous métiers,
> Cordonniers, tailleurs, perruquiers,
> Harangères et ravaudeuses,
> Ecosseuses et blanchisseuses,
> Servantes, frotteurs et laquais,
> Mignons du port ou portefoix,
> Par-ci, par-là, soldats aux gardes
> Et leurs commères les poissardes,
> Qui, n'ayant crainte du démon
> Vous plantent là tous le sermon,
> Pour galoper à la guinguette
> Où se grenouille la piquette...

La bamboche dominicale rassemble tout le monde mais pas de belles journées sans recherche de parure et l'ordre festif commence par une transformation des apparences : celle des hommes d'abord,

> ... Des pèlerins l'air libre et leste,
> Les propos l'ensemble et le reste
> font voir comme ailleurs que chacun
> désire là d'être quelqu'un,
> Bas blancs, souliers fins, chevelures
> poudrées à blanc sont la parure
> des jolis cœurs qui contents d'eux,
> y vont faire les doucereux
> on fait jabot, on fait manchette,
> on a chemise blanche et nette,
> Petit chapeau, grand bourdalou,
> Mouchoir à flots autour du cou,
> La rouge culotte de panne,
> en main ou sous le bras la canne,
> veste de toile ou de coton,
> en fine nacre le bouton ;
> Tête en avant coude en arrière
> aux mains hyver, été les gants,
> Bourses, tresses ou catogan...

L'élégance vestimentaire féminine ne le cède en rien à celle des galants populaires :

> Courte chemise et longues manches,
> Quelques breloques aux oreilles,
> qui font aux atours des merveilles,
> de mousseline un tablier,
> Sur lequel descend le clavier,
> De la ceinture à la pochette,

Au-dessus et dans la bavette,
au milieu se met le bouquet,
qui de l'amant est le cachet.
En rouge, en brun, la courte cotte
Propre à mieux sauter la gavotte...
De fil ou coton bas à coin,
qu'on tient serrés avec grand soin...
le soulier fin, ou gris ou bleu
et les talons couleurs de feu...

Les élégances de la Courtille s'inscrivent en plein dans la révolution vestimentaire générale et la volonté de rompre avec le vêtement de tous les jours. Alors commence un gigantesque gueuleton où l'on boit et où l'on s'empiffre mais où le culte des biens matériels ne se conçoit pas sans la danse, le bruit, les cris, les violons et les vielles.

Farauder, rire, gigoter,
et puis finir forces-gambades
par maintes et maintes gourmades
qui donnent le plaisir après
à chacun de faire sa paix
c'est là qu'un robuste plaisir
n'a jamais le temps de languir...

Voilà la permanence des loisirs du peuple, vraie compensation du carême de la semaine, sucer le cruchon, conter fleurette, pousser une gueulée, danser la gigue, la gavotte, l'éclanche, les menuets, la contredanse, affirmer fût-ce un moment la liberté des corps et des esprits. Organiquement l'espoir est corporel et dans le temps libéré de la fête la vérité populaire affirme un instant la profusion, le gaspillage du temps et de l'argent. Une revanche !

Reste enfin le jeu, il est partout, dimanches et jours de fête, symbole éclatant du désordre [71]. Les jeux sont de tous ordres, les billards autour desquels se retrouvent en semaine, souteneurs, domestiques et oisifs et qui l'hiver se paient le double, les dames et les échecs qu'on poussent surtout dans les cafés, le piquet, le triomphe, les dominos et d'innombrables jeux de hasard que condamnent et interdisent régulièrement les ordonnances royales et les arrêts du parlement : dés ; cartes tirées comme la bassette, le lansquenet et le pharaon ; lotos, hoca, chance anglaise, tourniquet, cheville et blanque, boneteau et loterie clandestine ou officielle. Le peuple joue dans Paris comme les grands même si les mises sont moins élevées ; les cabaretiers se prêtent à cette passion malgré les sentences de police, les fermetures et les amendes. Un joueur arrêté, un tripot fermé, un marchand de vin puni, aussitôt apparaissent dix nouveaux joueurs et rouvrent dix tripots. La police est compromise mais les moralistes détestent les jeux, « je haïs les joueurs et les ivrognes » dit Rétif dans une association significative au cours d'un itinéraire obscur qui montre les billards bourgeois, ceux des gueux chez Ricci, quai de la Ferraille, les parieurs, les compagnons détroussés de leur salaire, les ménagères qui ont tout misé sur le mauvais numéro de la loterie royale. Le jeu porte à son comble la dissipation cabaretière, il entraîne un quadruple désordre pour l'individu enchaîné à sa passion, pour la famille ruinée par le hasard, pour l'économie privée de la monnaie dilapidée, pour l'Etat menacé par les attroupements et les émotions que provoquent les assemblées ludiques. Si le Roi tolère la loterie, c'est un moyen de rattraper la matière fiscale et les plus grands théologiens en ont reconnu la légitimité, c'est quasiment une forme d'emprunt que justifie la finalité charitable et l'intervention de la providence bienfaisante si les loteries publiques sont admises, les jeux d'argent privés condamnés mais ils jouissent d'une faveur populaire continue.

Le jeu populaire relève comme celui de l'aristocratie d'un ordre de sociabilité mais surtout il prend place dans l'économie d'expédients qui caractérise la vie des couches laborieuses. Par l'intervention du hasard le jeu est un moyen de renverser les rôles et d'affirmer la croyance générale en la redistribution des fortunes par la Fortune. Dans l'universalité sociale du jeu la nuance introduit par le peuple relève d'une conception magique de la chance, l'intervention dans le destin des individus de facteurs fastes ou néfastes, la providence ou le diable. La répression du ludisme populaire relève donc moins de la morale religieuse comme celle des jeux aristocratiques, que de la volonté de mise en ordre sociale des conduites. C'est une frontière des superstitions que surveillent le clergé, les magistrats et les policiers. Certes les croyances magiques débordent le populaire, voyez Casanova lecteur des clavicules de Salomon et conjurateur des heures planétaires, mais dans les cabarets parisiens ou dans les rues quand parieurs, tricheurs, joueurs risquent leur salaire sur un coup de dé ou la trajectoire d'une boule de billard, il se passe autre chose. Le coup de dé peut abolir le hasard, le numéro de loterie tout remettre en cause, tout permettre. C'est donc un moyen de participer à l'accélération de la circulation des choses. La société propose des objets en quantité croissante, la fortune des grands et des richesses s'étale provocante, les jeux d'argent font croire aux gens du peuple que le destin peut changer. La garde de Paris et les commissaires poursuivront ceux qui se livrent aux parties clandestines, mais la police tolère les tripots, les billards, et l'Etat monarchique fait tourner la roue de la loterie. Dans la société urbaine pré-industrielle, le cabaret le jeu, parmi d'autres manières de vivre font partie intégrante de la vision populaire du monde. Ils cristallisent les obsessions des réformateurs, ceux de l'Eglise au terme de deux siècles de transformations des mœurs, ceux de la police au bout d'un siècle de contrôle renforcé par l'Etat monarchique, ceux de la philosophie et de l'économie soucieux de mobiliser le peuple pour la rationalité productrice, car somme toute, ils incarnent la profusion et le gaspillage, le corporel et le libertinage, les vieilles survivances païennes bachiques et paniques, la fuite incontrôlée du temps, de l'argent, du travail. C'est l'une des lignes de fracture de la société classique.

Notes du chapitre VIII

1. A. DAUMARD et F. FURET, *op. cit.*, pp. 65-78.
2. AN, Y 15 707 et H 1873.
3. R. COBB, *op. cit.*, (*Death in Paris*), pp. 57-69.
4. P. ARIÈS, *L'enfant et la vie familiale*, Paris, 1960, pp. 451-459.
5. J.-L. FLANDRIN, *Familles, parenté, maison, sexualité dans l'ancienne société*, Paris, 1976, pp. 94-100.
6. J.-L. FLANDRIN, *op. cit.*, pp. 99-100 ; R. HOGGART, *op. cit.*, pp. 63-65.
7. C. DELASSELLE, *Les enfants abandonnés à Paris*, Annales, E. S. C., 1975, pp. 187-218.
8. P. GALIANO, *La mortalité infantile dans la banlieue sud de Paris*, (1774-1794), *Annales de démographie historique*, 1966, pp. 138-178 ; J. KAPLOW, *op. cit.*, pp. 115-117.
9. A. FARGE, *op. cit.* (*Vivre dans la rue*), pp. 64-68, en particulier le texte cité p. 68, Y 12719.
10. A. D. SEINE (Paris) D 4 U, 7, voir aussi AM, Z'H 656.
11. B. H. V. P., MS 678, F° 4 à 20.
12. A. FARGE, *op. cit.* (*Vivre dans la rue*), pp. 128-130, M. PRADINES, C. UNGERER, *op. cit.*, pp. 138-139.
13. L.-S. MERCIER, *op. cit.*, t. 12, pp. 131-137.
14. P. ARIÈS, *op. cit.*, pp. 403-407 ; J.-L. FLANDRIN, *op. cit.*, pp. 102-104.
15. D. DUTRUEL, *op. cit.*, pp. 28-33 et pp. 49-53.
16. S. MERCIER, *op. cit.*, t. 8, pp. 74-75 (*Marmite perpétuelle*), pp. 218-223 (*Mets hideux*) et t. 3, pp. 201-205.
17. M. BENOISTON DE CHATEAUNEUF, *Recherches sur la consommation de la ville de Paris, en 1817*, Paris, 1821 ; R. PHILIPPE, *Une opération pilote, l'étude du ravitaillement de Paris au temps de Lavoisier*, Annales, E. S. C., 1961, pp. 564-568 ; J. KAPLOW, *op. cit.*, pp. 127-136. J. KAPLOW adresse à R. PHILIPPE d'utiles critiques mais ne retient du regrat que le point de vue des contemporains, de la bourgeoisie du beau monde « les pâtons frits ressemblaient à de la graisse de machine ». Pourquoi de machine, J. KAPLOW ne doit pas aimer une saucisse frite en plein vent ?
18. RÉTIF DE LA BRETONNE, *op. cit.* (*Les Nuits*), pp. 1615-1616.
19. R. HOGGART, *op. cit.*, pp. 70-75.
20. L.-S. MERCIER, *op. cit.*, t. 1, pp. 60-61.
21. A. FARGE, *op. cit.* (*Vivre dans la rue*), pp. 32-36.
22. RÉTIF DE LA BRETONNE, *op. cit.* (*Les nuits*), pp. 101-102.
23. *Ibid.*, pp. 176, 431, 1711-1712, 2023.

24. *Ibid.*, pp. 117, 263, 493.
25. S. MERCIER, *op. cit.*, t. 4, pp. 90-91.
26. *Ibid.*, t. 5, pp. 27-28.
27. RÉTIF DE LA BRETONNE, *op. cit.* (*Les nuits*), pp. 37, 1055, 1539, 3228, « Je sus du portier... ».
28. *Ibid.*, *op. cit.* (*Monsieur Nicolas*), t. 1, pp. 53-54.
29. *Ibid.*, *op. cit.* (*Les nuits*), pp. 1446-1449.
30. A. FARGE et A. ZYSBERG, *Les théâtres de la violence à Paris au XVIIIᵉ siècle*, Annales, E. S. C., 1970, pp. 984-1015.
31. RÉTIF DE LA BRETONNE, *op. cit.* (*Monsieur Nicolas*), t. 3, pp. 16-18, pp. 462-463, pp. 560-561.
32. G. CHAUSSINAND-NOGARET, *La vie quotidienne des Français sous Louis XV*, Paris, 1979, pp. 69-75.
33. B. H. V. P., MS 678.
34. RÉTIF DE LA BRETONNE, *op. cit.* (*Monsieur Nicolas*), t. 3, pp. 207-208, pp. 463-464. Rétif affectionne la rive gauche, il s'installe d'abord rue des Poulies, quartier du Louvres puis franchit la Seine, s'installe rue Saint-Julien le Pauvre, puis rue Galande, puis cours d'Albret près la place Maubert, deux courts séjours rive droite rue Saint-Anne, en hôtel garni, et rue Quinquampoix sont liés à de mauvais souvenirs, il erre ensuite entre la rue de l'Université et le vieux collège de Presle où il s'installe dans le galetas du 5ᵉ étage, quartier de la place Maubert ; B. H. V. P., MS 678.
35. *Ibid.*, *op. cit.* (*Les nuits*), pp. 466-467, p. 673, p. 1700, pp. 1954-1959.
36. *Ibid.*, *op. cit.* (*Les nuits*), p. 1088, p. 1135.
37. A. FARGE et A. ZYSBERG, *op. cit.*, p. 1006 ; et A. FARGE, *Le mendiant un marginal*, Les marginaux et les exclus, *op. cit.*, pp. 312-328.
38. R. COBB, *op. cit.*, (*Death in Paris*), pp. 57-69 et (*Protestation populaire*), pp. 64-69 et pp. 111-113.
39. J. KAPLOW, *op. cit.*, pp. 35-139 ; A. FARGE, *op. cit.* (*Le vol d'aliments*), pp. 182-183 ; (*Vivre dans la rue*), pp. 72-77 ; A. FARGE et A. SYSBERG, art. cit., pp. 1006-1007 ; et surtout, J. NICOLAS, *Le Tavernier, le Juge et le Curé*, l'Histoire, 1980, n° 25, pp. 20-28.
40. N. DES ESSARTS, *op. cit.*, t. 1, pp. 412-415 et 482-484.
41. L.-S. MERCIER, *op. cit.*, t. 2, p. 12 et pp. 81-84 ; t. 10, pp. 207-208.
42. J. NICOLAS, art. cit., pp. 20-21.
43. Par exemple, ordonnance de police du 12 février 1734 et sentence du 30 juin 1739.
44. M.-H. DE LA MURE, *op. cit.*, pp. 13-14 (Y 11824 et ZIG 212).
45. *Chroniques de la Régence*, t. 1, p. 167.
46. G. DURAND, *Vin, Vignes, Vignerons en Beaujolais du XVIᵉ au XVIIᵉ siècle*, Lyon, 1979, pp. 32-38 et 89-90.
47. A. FARGE et A. ZYSBERG, *art. cit.*, pp. 990-993.
48. R. DION, *La vigne et le vin en France des origines à nos jours*, Paris, 1959, pp. 519-525.
49. P. KRUMNOW, *Les rebellions populaires contre les employés de la Ferme générale à Paris de 1775 à 1789*, Mémoire de maîtrise, Paris-VII, 1976, pp. 10-20.
50. L.-S. MERCIER, *op. cit.*, t. 2, p. 12 sq. (*Tabagies*) ; pp. 81-84 (*Jours fériés*), t. 8, pp. 142 sq. (*Cabarets*) ; t. 10, pp. 207-209 (*Le lundi*) ; RÉTIF DE LA BRETONNE, *op. cit.* (*Les nuits*), pp. 1582-1583, pp. 1685-1686 ; pp. 1823-1884 (*Les billards*), pp. 1801-1907 (*Les cafés*) ; pp. 1907-1913 (*Le cabaret de la rue de l'Arbre-Sec*) ; pp. 1987-1989 (*La Mère Thorel*).
51. M.-H. DE LA MURE, *op. cit.*, pp. 103-121.

52. M. Pitsch, *op. cit., (La vie populaire à Paris)*, planches 18 à 22 et 52-72-73-74-88-475.

53. Rétif de la Bretonne, *op. cit. (Monsieur Nicolas)*, t. 3, pp. 84-85, pp. 101-102, 114 ; t. 4, pp. 23-24, 26, p. 45, p. 500.

54. BN, estampes, 78 C 85837-840, 65 C 24868.

55. AN, Y 11518, 3 mai 1789 ; J.-C. Perrot, *op. cit.*, t. 2, pp. 686-687.

56. B. H. V. P., MS 678, F° 249-251.

57. Rétif de la Bretonne, *op. cit. (Les nuits)*, pp. 2163-2164.

58. Dans une centaine de contraventions dressées par la police pour l'année 1789, 463 personnes sont mises en cause.

Boutiques et marchandises, artisans	135
Compagnons, salariés, domestiques	317
Soldats, policiers, divers	26
Bourgeoisie et classes supérieures	8

59. M. H. de la Mure, *op. cit.*, pp. 123-125.

60. AN, Y 152 17, 31 juillet, 1789.

61. M. Ferté, *La vie religieuse dans le diocèse de Paris au XVIIe siècle*, Paris, 1962.

62. B. Geremek, *Les marginaux parisiens aux XIVe et XVe siècles*, Paris, 1976, pp. 309-311.

63. AN, Y 11031, 9 juin 1787.

64. P. Peveri, *Vol à la tire et répression dans le Paris de l'époque des Lumières (1750-1775)*, Mémoire de maîtrise, Paris-VIII, pp. 40-42, pp. 89-106.

65. M.-M. de Caylus, *Histoire de Monsieur Guillaume Cocher*, Paris, 1970, pp. 13-17.

66. Rétif de la Bretonne, *op. cit. (Les nuits)*, pp. 1908-1910.

67. J.-P. Belin, *op. cit.*, pp. 56-58 ; G. Martin, *Les associations ouvrières au XVIIIe siècle*, Paris, 1900, pp. 75-76, pp. 92-124.

68. P. Krumnov, *op. cit.*, pp. 12-29.

69. Rétif de la Bretonne, *op. cit. (Les contemporaines)*, t. 2, pp. 47-48.

70. *Ibid., op. cit., Les nuits*, p. 1860 ; Anony, les porcherons, Paris-Stenay, 1773, E. Fournier, F. Michel, *Histoire des hôteliers, cabarets, Hôtels garnis*, Paris, 1851, pp. 365-369.

71. Sur les interdictions, Le Poix de Freminville, *op. cit. (Jeux)* ; Sentence de police du 18 février 1718. J. Huizinga, *Homo Ludens*, Paris, 1951 ; *Le jeu au XVIIIe siècle*, Aix, 1971 ; L. Dubois-Dilange, *La police et les tripots à la fin de l'Ancien Régime*, Archives Historiques et littéraires, II, Paris, 1891.

Conclusion

Le peuple et les polices

> « Commissaire de Police : les lois lui
> ont confié le bonheur du peuple d'une
> capitale immense. Cette idée doit élever
> son âme. »
>
> DES ESSARTS.

Aux yeux des gens honnêtes, la culture de la pauvreté se caractérise par l'étrangeté et la sauvagerie, la vie au jour le jour et l'impossibilité de former des projets, l'incohérence et le désordre. A lire les réformateurs et les observateurs moraux, on perçoit quel est l'enjeu de ce qu'ils désignent sous l'expression de « Police du peuple ». Avant toute chose, il s'agit de savoir, d'être informé, pour informer le roi, les ministres, de tout et sur tout. C'est pourquoi l'ordre dans la ville repose sur les progrès de l'institution policière et le développement de la surveillance. Depuis les frondes et la mise au pas des dernières grandes révoltes populaires, l'Etat monarchique sait que pour gouverner la chaudière bouillonnante que peut constituer la capitale, il faut que la société parisienne soit au terme d'une curiosité bien appliquée parfaitement claire à ceux qui en ont la responsabilité, les actes de tous doivent être connus, tout individu doit être susceptible d'être identifié. On retrouve, à l'égard de tous, le même projet que dans les utopies. Sans cette transparence, l'action administrative se perd dans l'obscurité des passions individuelles et laisse grossir l'orage des désordres collectifs. C'est une nécessité qui traverse tous les domaines, le religieux, le culturel, le social, l'économique, et atteint toutes les couches sociales. Le peuple n'y échappe pas. S'il ne fait pas entièrement les frais des progrès de la police, il est au premier plan des visées policières. Vers 1750, François Jacques Guillauté (ou Guilloté), exempt de police et officier de la maréchaussée d'Ile-de-France, répond à cette question : « Qu'est-ce que la Police d'une ville ? » « C'est la surveillance d'un amas infini de petits objets », et il propose dans un mémoire coloré par toutes les saveurs de l'imagination policière de dessiner ainsi le destin du peuple [1]. Pour subjuguer le populaire, il faut diviser et commander, pour prévenir le crime, l'œil du magistrat doit être partout. Ce qui peut s'obtenir par le quadrillage systématique de la ville en 20 quartiers, de 20 sections, de 20 maisons numérotées rue par rue, chaque étage désigné par un chiffre, chaque logement par une lettre ; commissaires, inspecteurs et syndics, qui sont les hommes de base du système de surveillance, assurent le contrôle de l'ensemble. Tous les habitants munis d'un certificat sont connus par le fisc, la voierie, la police, et la statistique, une banque centrale équipée de fichiers rotatifs (dessinés et coloriés par Gabriel de Saint-Aubin, non sans quelques grâces rocailles) rassemble le tout, douze commis obtiennent en un clin d'œil l'information nécessaire à l'action. Tout est réglé, connu, compté, les arrivées et les départs, les bons citoyens et les méchants, « il n'y aurait de sûreté pour eux que dans les forêts et hors du royaume... », « les ouvriers qui cabalent la ruine d'une manufacture seraient forcés d'y demeurer... ». La réformation de Jacques François Guillauté a, on le voit, un bel avenir devant elle ; même si elle n'est pas appliquée, elle indique ce qui en est l'enjeu : immobiliser le peuple dans le temps comme dans l'espace.

Pour cela, la police a trois atouts en mains : le contrôle du travail, la surveillance des mœurs, la sécurité des subsistances. Pour contrôler le peuple, le maintien de la subordination des travailleurs est essentiel, il passe comme l'ont démontré S. Kaplan et M. Botlan par une application générale de la relation de serviteur à maître, la salarialisation accrue des domestiques s'accompagne de l'assimilation du monde du travail au milieu ancillaire, le principe de l'autorité domestique triomphant par-delà la Révolution elle-même [2]. C'est pourquoi le peuple n'a pas le droit de refuser le travail : la religion, l'économie, la morale, tout s'oppose à l'exigence souterraine du droit à la paresse et à la liberté des gestes. Le bon ouvrier, le bon domestique ne murmurent pas, vont à la messe, ne cabalent pas, le travail qui civilise est en même temps récompense. Pour assurer cet idéal, la police du travail dispose du contrôle des corps et de la surveillance des métiers libres, on ne peut s'en passer et la réforme de Turgot en 1776 est un feu de paille ; l'espionnage des Devoirs, l'intervention contre les grèves, les « voies de la rigueur » permettent de régler les protestations populaires pour l'emploi, les salaires, la liberté du travail. L'usage du certificat — nécessaire pour être reçu chez un autre employeur — celui du livret mis en place dans certains corps vers 1775, sont l'expression la plus poussée du contrôle social. La décennie qui précède 1789 révèle à tous les observateurs ces tensions, pour Mercier comme pour Rétif l'insubordination est à son comble mais la police tient les choses en main. Paris est une ville sûre, « une émeute qui dégénérerait en sédition est impossible... la ville a été généralement tranquille depuis les temps de la Fronde... Mais si l'on abandonnait le peuple de Paris à son premier transport, s'il ne sentait plus derrière lui le guet à pied et à cheval, le commissaire et l'exempt, il ne mettrait aucune mesure dans son désordre ; la populace délivrée du frein auquel elle est accoutumée s'abandonnerait à des violences d'autant plus cruelles qu'elle ne saurait elle-même où s'arrêter. « Mercier ne manque pas ici d'une certaine clairvoyance à laquelle l'été 89 rendra partiellement raison, mais en ce qui concerne le contrôle du peuple la loi Le Chapelier permet de maintenir l'essentiel de l'intervention, la liberté des individus ne va pas jusqu'à la liberté de cabaler, l'agitation ouvrière devient manœuvre criminelle voire complot politique, elle reste un crime contre la société dominante.

Deuxième enjeu de la régulation policière, et deuxième objet des tensions qui opposent les classes : les mœurs [3]. La sûreté de la ville motive la chasse aux marginaux, aux délinquants, aux criminels, aux mendiants, aux prostituées mais également toutes les mesures qui visent à policer les hommes, à les éloigner de la brutalité et de la violence qu'on prête aux sauvages des faubourgs et aux provinciaux trop rustiques, enfin tout ce qui concerne la surveillance des échanges sociaux, des écrits, des livres, des commerces épistolaires, des assemblées de pensée d'autant moins tolérées qu'elles s'éloignent des Lumières et peuvent servir d'amorce à l'explosion contestataire. C'est donc toute la vie quotidienne qui est prise en charge par l'ensemble des autorités policières. Certes, il ne faut pas imaginer leurs instructions et leurs actions comme une belle machine fonctionnant sans heurts et sans problèmes, la ville est là avec ses ombres et son territoire plein de ressources, les policiers ont leurs faiblesses, ils se laissent parfois corrompre — surtout par les tenanciers de tripot et les belles abbesses des couvents de filles publiques —, les commissaires sont bons enfants et les lieutenants généraux sceptiques. Mais l'ensemble conserve impulsion et direction, le grand renfermement fonctionne, les hôpitaux accueillent mendiants et prostituées et même s'il y a quelques émeutes contre les archers de l'hôpital, même si la mise au travail dans les maisons de force ne se réalise qu'en partie, l'effort d'exclusion et d'intégration est à l'œuvre tout le siècle. Il ne faut pas l'imaginer comme un pouvoir abstrait qui étend son réseau sur les misérables, les femmes, les vagabonds, les polissons, mais comme l'action additionnée de multiples conduites qui façonnent, redressent, civilisent et sont des actes d'hommes que l'on connaît et que l'on voit dans la rue, au cabaret, dans leur office, aux corps de garde. L'histoire des commissaires comme celle des « lapins ferrés » — c'est ainsi que le peuple appelle alors les hommes de la garde — reste à écrire, nul doute qu'elle ne permette de comprendre ce mélange ambigu qui caractérise le rapport des couches laborieuses et indigentes avec la police, alliage de complicité familière, de tolérance obligatoire et d'interventions mal supportées [4]. Les espions et les mouches qu'on reconnaît à leur manière de s'habiller, de marcher, voire de cogner sont avec les commis de la Ferme détestés par le populaire, « je me sentis bien humilié d'être pris pour un espion... » écrit Rétif au terme d'une mésaventure fréquente. En revanche, les gens du peuple savent appeler les commissaires et le guet et la garde pour saisir un filou ou s'emparer d'un voleur. Solidarités et antagonismes s'accommodent vaille que vaille. La même foule qui veut brancher le voleur à la lanterne sous les yeux de l'Allemand Reichardt [5], peut défendre les mendiants contre les archers, les ivrognes contre la garde et les putains contre les exempts. L'admiration pour Cartouche n'interdit pas qu'on tienne à ses maigres biens, la pitié pour les victimes, la volonté de faire soi-même justice et l'hostilité envers une délinquance qui n'épargne même pas les plus déshérités. Bref, la modernité de la surveillance et de la punition trouve ses limites comme elle a ses alliances. Dans une capitale où les rues sont plus propres et plus sûres, les égouts moins puants, la violence plus contrôlée, le peuple n'est plus tout à fait lui-même, mais il est encore chez lui et peut trouver des occasions d'échapper à l'uniformisation. A long terme, les conduites se façonnent, la sauvagerie s'apprivoise, éducation et culture font des êtres nouveaux, la police des mœurs grignote l'inconduite dans le calme et la contrainte.

L'essentiel est que le Peuple de Paris ne bouge pas ; il peut s'agiter, murmurer, avoir ses poussées de fièvre, il n'explose pas, surtout si « l'approvisionnement arrive en abondance [6] ». C'est une des vocations de la police en tant que science du gouvernement des hommes, c'est une des manières dont l'Etat monarchique a su après Louis XIV se garantir des protestations populaires. Dans un monde où la peur de manquer du pain quotidien est confirmée par les crises d'une économie où personne ne peut dominer la nature, la tyrannie des grains gouverne le fatalisme de tous et commande une politique constante d'intervention sur le marché des céréales — aliment qui constitue encore 80 % du régime alimentaire des masses. A l'aube du XVIIIe siècle, c'est un commissaire de police parisien, Nicolas Delamare, qui a formulé les principes d'une action assurant le maintien de l'ordre social : le Roi, père nourricier, est responsable du sort de ses sujets, tous les organes de l'administration royale sont mobilisables pour exécuter cette politique. Le peuple de Paris, par son nombre, par ses habitudes, joue dans le système d'ensemble un rôle particulier car les autorités en redoutent les explosions plus qu'ailleurs. L'année noire 1709 est là pour justifier cette attention. Le fonctionnement de la police des grains a pour les classes laborieuses deux conséquences : son caractère d'absolue nécessité justifie le rôle de l'Etat au nom du bien commun et l'hostilité invétérée contre les hommes du grand commerce ; l'attitude des consommateurs est étroitement guidée par ses principes, les besoins permanents créent la dépendance et la croyance magique qu'en temps de crise le contrôle doit venir à bout des monopoles et des menées mystérieuses qui visent à affamer la foule. Des jours froids de l'hiver 1709 aux jours chauds de l'été et de l'automne 1789 une même mentalité explique la protestation populaire. La police et le peuple sont unies par une tradition où le problème des grains est affaire non d'économie mais de politique. Dire que le peuple n'a pas de conscience politique, c'est oublier cela ou le réduire à une conscience primitive de survie ; or la police des grains est une politique quasiment traduite en mystique. C'est pourquoi lors des réformes de 1763-1764 et de 1774-1775, la volonté populaire fait capoter l'aggiornamento de l'économie, foin du libéralisme pour qui crève de faim, vive la taxation ! La théorie ne doit pas l'emporter sur la pratique séculaire, le Roi ne peut pas souhaiter qu'au nom de l'intérêt privé on affame son peuple. La capitale refuse le jeu du libéralisme, le laisser-faire, laisser-passer, et c'est parce que ses autorités familières, le prévôt des marchands, le lieutenant de police, le procureur général du Parlement, les commissaires de quartier, savent ce qui va se passer. Le recours aux grains payés par le trésor royal, la surveillance des prix, la propagande — on étale sur les quais aux moments les plus sombres des sacs de bon froment destinés à rassurer — n'ont pas empêché les prix de monter donc une paupérisation accrue mais ont réussi à assurer le ravitaillement : personne n'est mort directement de faim. Le droit des consommateurs, le vieil idéal communautaire doit l'emporter sur celui des producteurs. En pleine période révolutionnaire, Richard Cobb a retrouvé cette coïncidence profonde et durable des intérêts du peuple et de la police. Avoir du pain à la maison est « l'énoncé le plus simple et le plus définitif de la politique économique si chère au sans-culotte... [7] ». Le Roi est peut-être mort pour le peuple quand les menaces prétendues d'un *pacte de famine* fait pour affamer les pauvres et enrichir les hommes de profit ont circulé dans le réseau de l'information populaire, des pamphlets, des placards, des chansons. La politisation des masses révolutionnaires parisiennes s'inscrit dans ce mouvement de protestation économique, leur indifférence et leur fatalisme y prennent aussi racine. L'histoire des politiques populaires n'est pas entièrement close et pour les comprendre, il n'est pas inutile de savoir sur quelle trame d'existence elles s'inscrivent.

Pour les domestiques, dont la Révolution se méfie — la place tenue dans la société ancienne n'était pas négligeable. Les domesticités regroupent bien des nuances et l'on voit surtout s'y opposer les échecs et les réussites, les conditions rémunérées et les emplois instables. D'un pôle à l'autre, la participation au savoir-vivre des dominants n'est pas la même, partout les femmes sont défavorisées par rapport aux hommes. Toutefois dans leur foisonnement, une fonction précise leur était attribuée. Dans la société aristocratique, les domestiques abondants et hiérarchisés, souvent inutiles, participent de la dépense ostentatoire des privilégiés. Dans leur loisir d'antichambre, ils redoublent celui du maître et prouvent par la force des apparences physiques et vestimentaires la puissance de ceux qu'ils servent. Leur célibat même est captation d'énergie [8]. Ce modèle de comportement constitué à l'ombre des cours est diffusé dans tout le royaume par les aristocraties du service et de la justice. Et, de fait, les domesticités forment écran entre les classes, assument un rôle essentiel dans la sphère des représentations publiques où tout se désigne par des attributs théatralisés [9]. Le domestique est élément du décor même s'il assure l'essentiel des tâches déplaisantes que l'état technologique rend nécessaires ou que le rang social interdit. Ce faisant, il adopte pour une part valeurs et comportements des classes dont il reste dépendant et il les intériorise dans le jeu des fidélités. Quand la bourgeoisie riche et moins riche copie les fastes aristocratiques, elle les redouble sans retrouver le même consensus qui supportait un train de vie autrement ostentatoire. On comprendra alors pourquoi les observateurs dénonceront l'insolence des domestiques pour leurs nouveaux maîtres [10].

En contrepartie de cette perte d'identité, les domestiques semblent avoir joué un autre rôle. Entre le monde des dominants et les classes populaires, ils ont exposé les vertus du paraître. Leur pléthore traduit à l'évidence la supériorité du savoir-vivre sur le savoir-faire. S'appropriant alors les marques du bon goût et les façons de vivre des privilégiés, les domesticités ont participé à une transformation décisive des comportements. Par leur médium, plusieurs attitudes ont transpiré de la sphère des élites dominantes vers le patrimoine du plus grand nombre.

Cette appropriation est d'abord le fait des plus riches salariés, elle impose cependant à tous le modèle de nouvelles espérances, l'aspiration à satisfaire de nouveaux besoins pour une part créés artificiellement. L'entrée de tous ceux qui ont eu leur chance dans un système neuf de consommation où l'abondance et ses valeurs l'emportent sur la rareté a pu créer un effet de domination aussi important que ceux qu'on constate dans le domaine des idéologies [11]. Mais en même temps, elle instaure une promotion : celle de l'organisation de l'espace et des objets ; le sens du confortable pour un mieux-être, celle de la représentation des choses et des apparences qui est affirmation du groupe et de l'individu.

Au terme de l'Ancien Régime, le peuple se mobilise. Depuis 1700, il a vu ses conditions de vie à la fois se détériorer et s'améliorer ; fortune et infortune, succès et insuccès partagent le sort commun. L'appropriation des valeurs et des gestes des classes dominantes a trouvé maints intermédiaires, domestiques, riches salariés, compagnons cultivés. La consommation vestimentaire, des améliorations de toutes sortes ont changé l'ordre habituel des choses et rendu plus lourdes les dépendances essentielles. En même temps, les perceptions s'affinent, les exigences culturelles croissent et composent avec d'anciennes manières de vivre et de consommer. Le peuple parisien n'est jamais aussi heureux et aussi malheureux qu'on l'imagine, son bonheur sauvage est toujours menacé et sa vie demeure un territoire où l'étrange s'allie au familier.

Paris 1974-1980.

Notes de la conclusion

1. J.-F. Guillauté, *Mémoire sur la réformation de la police de France*, MDCCXLIX, Paris, 1974.

2. S. Kaplan, art. cit. (*Revue historique*, 1979), pp. 17-77 ; M. Botlan, *op. cit.*, pp. 21-41.

3. A. Farge, *op. cit. (Vivre dans la rue)*, pp. 163-243.

4. M. Foucault, *Surveiller et punir*, Paris, 1974, pp. 66-67, J. Kaplow, *op. cit.*, pp. 230-237.

5. J. Reichart, *Un Prussien en France*, Paris, 1892, pp. 307-308.

6. S. Kaplan, *op. cit. (Bread, politics...)*, t. 1, pp. 52-91, t. 2, pp. 555-639, pp. 677-702.

7. R. Cobb, *op. cit. (La protestation populaire)*, p. 235.

8. T. Weblen, *Théorie de la classe de loisirs*, Paris, 1970, pp. 41-46.

9. J. Habermas, *op. cit.*, pp. 17-27.

10. Abbé H. Grégoire, *De la domesticité chez les peuples anciens et modernes*, Paris, 1814, p. 144.

11. J. Proust, *art. cit.*, pp. 162-163.

TABLE DES ILLUSTRATIONS

24. Repas donné par la Ville sur ordre du Roy et du Prévost des Marchands aux Filles et Garçons de Paris après leur mariage en réjouissance de la naissance de Mgr le Duc de Bourgogne le 9 novembre 1751 (cf. p. 187). Almanach pour 1752 (Bibl. nationale).

25. Hubert Robert, Mme Geoffrin se faisant faire la lecture par son domestique pendant son déjeuner. Cf. p. 208 (Coll. particulière).

26. Le grand maître d'école, gravure de Boissieu, 1780. Cf. p. 212 (Bibl. nationale).

27. L'écrivain public, gravure de Boissieu, 1790. Cf. p. 214 (Bibl. nationale).

28. Image de la confrérie du Saint-Nom de Jésus à Argenteuil. Cf. p. 226 (Bibl. nationale).

29. Portrais des. souffrance. de. R. F. Damien. Attantateur. de. las. personnes. sacré du Roy. Louis. XV. Le. 5. Jeanvier. 1757. Bois populaire. Cf. p. 226 (Bibl. nationale).

30. Affiche de théâtre, 1768. Cf. p. 233 (Bibl. nationale).

31. La bête du Gévaudan ; canard parisien de la rue Saint-Jacques, 1769. Cf. p. 224 (Bibl. nationale).

32. La foire de Gonesse, le marchand de chansons, gravure de Moreau le Jeune. Cf. p. 225 (Bibl. nationale).

33. Enseigne de cabaret (1, quai Bourbon).

34. Enseigne de restaurateur (36, rue de Grenelle).

35. Le cabaret de Ramponeau à la Courtille. Cf. p. 260 (Musée Carnavalet).

36. Bal des gens de maison rue du Montblanc, dessin de Desrais (Bibl. nationale).

37. Dialogue entre M. Brise-ménage et Mme Carillon (*Mme C.* Te voilà donc, Chien d'ivrogne, depuis trois jours que tu es parti. Tu viens encore me demander de l'Argent pour aller te saouler encore. N'as-tu pas honte de te conduire ainsi pendant que j'ai deux Enfans sur les bras *M. B. M.* Mets les par terre. *Mme C.* qui me demandent du Pain. *M. B. M.* Donne-leur le Fouet, quand je suis saoul je veux que tout le monde soit content. Veux-tu me donner de l'Argent ou bien je vais tout briser. *Mme C.* Eh bien commence et je te suivrai). Imagerie populaire parisienne (Bibl. nationale).

38. Les nouvellistes (au café), gravure de Gabriel de Saint-Aubin. Cf. p. 259 (Bibl. nationale).

39. Le joueur de billard et la jolie fruitière, gravure de Binet. Cf. p. 273 (Bibl. nationale).

40. La liste des gagnants à la lotterie, gravure de Bouchardon, 1742. Cf. p. 273 (Bibl. nationale).

41. Une arrestation, dessin anonyme. Cf. p. 281 (Musée Carnavalet).

TABLEAUX
STATISTIQUES ET GRAPHIQUES

TABLE DES MATIERES

Achevé d'imprimer sur les presses de l'imprimerie Corbière et Jugain à Alençon (Orne), le 2 septembre 1981.
N° d'édition : 1615.